何建明文集

卷二十六

北京保卫战

何建明 著

新世界出版社
NEW WORLD PRESS

图书在版编目（CIP）数据

北京保卫战 / 何建明著 . -- 北京 : 新世界出版社，
2018.3
（何建明文集 ; 26）
ISBN 978-7-5104-6359-4

Ⅰ . ①北… Ⅱ . ①何… Ⅲ . ①报告文学 – 中国 – 当代
Ⅳ . ① I25

中国版本图书馆 CIP 数据核字 (2017) 第 188277 号

北京保卫战

作　　者：何建明
特邀丛书编辑：韩小群
责任编辑：贾瑞娜
责任校对：宣　慧
责任印制：王宝根　苏爱玲
出版发行：新世界出版社
社　　址：北京西城区百万庄大街 24 号（100037）
发 行 部：（010）6899 5968 （010）6899 8705（传真）
总 编 室：（010）6899 5424 （010）6832 6679（传真）
http://www.nwp.cn
http://www.nwp.com.cn
版 权 部：+8610 6899 6306
版权部电子信箱：nwpcd@sina.com
印　　刷：北京京华虎彩印刷有限公司
经　　销：新华书店
开　　本：710mm × 1000mm　1/16
字　　数：270 千字　　印　　张：18.75
版　　次：2018 年 3 月第 1 版　2018 年 3 月第 1 次印刷
书　　号：ISBN 978-7-5104-6359-4
定　　价：50.00 元

1978 年——中国改革开放启幕

1978 年——我的文学生涯开始

庆幸，我的命运与时代、与祖国同行。还有一份安慰：当我离开这个世界时，有人可以从我的文字里触摸到中国今天的脉搏是如何跳动的……

何建明

重要创作历程及个人成就

1978 年	创作第一篇中篇散文《湘西探险记》
1980 年	发表第一篇报告文学《腾飞吧，苍龙》
1982 年	创作第一部军事题材小说《第二道战壕》
1986 年	出版第一部报告文学作品集《缉私大王》
1988 年	出版第一部长篇小说《东方毒蛇》
1989 年	由同名作品改编的电影剧本《西行囚车》被搬上银幕，此片获珠江电影制片厂优秀故事片奖
1990 年	第一次获中华宝石文学奖
1993 年	任文学杂志《新生界》主编
1993 年	发表第一部长篇报告文学《野性的黑潮》
1994 年	第一次成为《青年文学》封面人物
1995 年	《共和国告急》出版，此后获第一届鲁迅文学奖
1995 年	《科学大师的名利场》发表
1998 年	《落泪是金》发表，此后获第二届鲁迅文学奖、第一届徐迟报告文学奖、中国改革开放优秀报告文学奖
2000 年	《中国高考报告》出版，此后获第一届正泰杯全国报告文学奖
2001 年	《中国高考报告》被日本、澳大利亚翻译出版
2002 年	《根本利益》发表，此后获第二届徐迟报告文学奖、人民文学奖特等奖、第六届国家图书奖提名奖、第二届正泰杯全国报告文学奖，入选中宣部推荐的党的十五大献礼书目
2002 年	《国家行动：三峡大移民》出版，此后获中宣部第九届“五个一工程”奖，入选中宣部推荐的党的十六大献礼书目

2003 年　《北京保卫战》发表，获《文汇报》优秀作品奖

2003 年　完成电影剧本《廊桥悠悠》创作（此为与谢晋导演合作项目）

2004 年　由《根本利益》改编的电影《信天游》上映

2004 年　《永远的红树林》发表，此后获第四届正泰杯全国报告文学奖

2005 年　《李琬若：从中国留学生到美国市长》出版，并被美国翻译出版

2005 年　获国务院授予的“全国劳动模范”称号

2005 年　任《中国作家》杂志主编

2006 年　《男人的美丽男人的梦》出版

2007 年　散文《父亲的体温》入选中学课本及教辅资料

2007 年　《部长与国家》获第四届鲁迅文学奖、第三届徐迟报告文学奖荣誉奖

2008 年　《生命第一——5·12 大地震现场纪实》出版，此后获第二届“中华优秀出版物”奖、第四届徐迟报告文学奖

2008 年　任作家出版社社长

2008 年　荣获“全国新闻出版行业领军人才”称号

2008 年　根据《国家行动》改编的同名电视连续剧在央视播出

2009 年　任中国作家协会党组成员、书记处书记，中国作家出版集团党委书记、管委会主任

2009 年　《国家行动》电视连续剧获中宣部第十一届“五个一工程”奖

2009 年　《我的天堂》出版，获中宣部第十一届“五个一工程”奖

2009 年　《永远的红树林》获新中国六十年优秀中短篇报告文学奖

2009 年	获中华全国总工会“时代领跑者——新中国成立以来最具影响的劳动模范”评选活动提名奖
2010 年	根据《部长与国家》改编的电视连续剧《奠基者》在央视黄金时段播出，此后获中宣部第十二届“五个一工程”奖
2010 年	《忠诚与背叛：告诉你一个真实的红岩》出版，此后获中宣部第十二届“五个一工程”奖、第三届中国出版政府奖，入选“2013 年全国青少年推荐阅读的优秀书目”
2010 年	任中国作家协会副主席至今
2011 年	《国家——2011·中国外交史上的空前行动》出版，后获人民文学奖特等奖，入选“2012 年中国报告文学优秀作品排行榜”、中宣部推荐的党的十八大献礼书目
2012 年	《三牛风波》出版，荣登北京图书大厦畅销书排行榜
2012 年	任中华文学基金会理事长至今
2012 年	当选中国报告文学学会理事长至今
2014 年	《南京大屠杀全纪实》出版，此后获第四届中国出版政府奖、人民文学奖特等奖
2015 年	获亚洲品牌协会“中国文化品牌新领军人物”荣誉
2015 年	《真假之间》发表
2016 年	《爆炸现场》出版，获中国出版集团优秀销售奖，入选“2016 年中国报告文学优秀作品排行榜”
2017 年	《死亡征战》出版，被英国、法国翻译出版
2017 年	《那山，那水》发表

（截至 2017 年 9 月）

目　录

北京保卫战

"非典"十年祭

2003年春的北京，如同一座恐怖之城、瘟疫之城和濒临死亡之城，相信所有当时在北京的人都有我这样的感受。那个时候，我们感觉世界快要消亡、人类即将灭绝……因为我们每天生活在窒息的空气里，生活在这座无处躲藏的古城，生活在自己给自己设下的令人恐惧的天地之间。

十年过得真快，十年前的事就像是昨天的事——我们则似乎是翻阅了一页书纸一般。

十年过得真慢，十年前的事又像是几个世纪之前的事——我们已经把它忘得一干二净。

悲惨的事像一座大山，横亘在我们生活的地球上；悲惨的事又像一缕云烟，在人的心里转瞬即逝。

但我依然认为：人类所经历的任何苦难都是宝贵的，把它记住，本身就是财富，而忘却了它才是真正的悲剧。

十年前的2003年，我们有太多的记忆如今想起来仍觉唏嘘：

一位不知从哪个地方来到北京的患者，她咳嗽了几声，逃进了北京的医院，然后就死亡了。她的死亡未查出任何有记录的病史和病源，于是在人们尚不清楚怎么回事时，又有几位、几十位与之有过一面之交的人患上了同样的病而躺下了，或同样死亡了……可怕的事出现了：医院、单位、街道、整个北京市开始了恐慌，开始有很多好端端的人患上了这种不知名的病——后来我们叫它"SARS"，中文名叫"非典型性肺炎"。听起来很奇怪的名字。老百姓说它是"瘟疫"，其实它就是瘟疫——一传染就可能危及生命!

于是出现了许许多多奇怪而可笑的事：我所在单位的某君，平时喜欢装出一副酸文人的架势，到处卖弄、兴风作浪，这会儿刚出现“非典”疫情，便躲到家里不敢出门一步。甚至连电话都不敢接，说是“瘟疫无处不在，它能从电话线里钻进来……”

更令人措手不及的事还在后头：年轻的北京市长刚刚上任没几天，因为扛不住突如其来的灾情——其实他不知如何面对这场巨大灾难带给这座古老城市的后果，所以他采取了某些“隐瞒”的做法。本来这样的事并不鲜见，但灾情来得太突然、太巨大、在全世界产生了很不好的影响！年轻的市长不得不草草下台，从海南调来的新市长走马上任了……

奇怪而反常的事还多着呢：如果发现你家有个咳嗽感冒的人，就会有人到你家门口泼消毒药水，甚至用汽油烧、木棍打、铁门封，目的只有一个：把瘟神赶走!

那段时间北京人受到了“史上最屈辱的待遇”：你出了城，却到不了外地辖区。如果你偷着出了城，你就可能被“追杀”。有一位北京人告诉我，他因为单位有一桩业务无奈到了外地，结果被当地发现是“北京来的”而整整“追杀”了他十余天。没有人敢接待他，更没有人敢留宿他，更别说塞给他一点儿吃的东西或让他搭个便车。结果他是自己靠双腿跑回了北京。“整整跑了13天。”回来时单位和家里人都不认识他了——他像一个野人一样蓬头垢面，根本没人认识他。

上面的这些事其实还算不了什么。

在与北京接壤的地方——河北廊坊某段公路上，有人竟然用挖土机挖了一个深二十多米、宽三十多米的大坑，说是“为了阻止北京城里开过来的汽车”——所有北京方向来的汽车到这个地方只能掉头。

还有一个村庄，过去一直靠开农家乐而赚足北京人钱的农民们，这会儿害怕死了，害怕染上瘟疫的北京人跑到他们那儿躲灾，所以发动全村力量，三天之内在村庄四周筑起一道高 3 米、长 4 公里的围墙，将整个村庄圈在里面，只开了两个出入口，门口设了岗哨，而且给站岗的人配了菜刀和铁棒，见陌生人闯进来就立即抓了关进小屋隔绝。如果被发现是北京口音，那就根本不可能让他进入村庄一步。

类似的事还多着呢！都是恐怖的事，甚至是悲惨的事，是永远留在北京人心头的最痛的事！好在我们的政府及时采取了有效措施，使得北京市民没有丧失最起码的清醒和理智。

此次“非典”我具备了唯一的采访机会和条件，因为在当时只有我能进入灾区，可以接触到北京市“非典”防预指挥部的高层领导和决策会议。当时我采访近两个月时间，录下了几十盘磁带，准备写部长篇作品，但后来放弃了。放弃的原因是我越往深里采访，越觉得无法写，不能写。为什么？因为许多关于“非典”的事至今我们仍然没有弄明白，比如“非典”到底是什么？为什么有的人一接触就死，有的人与患者住在一个病房里几十天也没事儿。指挥部后来在总结时得到的一个数据非常不可思议：2002 年（即“非典”灾情暴发的前一年），全北京各医院在春季收治的呼吸道病患者总人数，竟然与 2003 年“非典”大暴发时呼吸道患者（包括我们认定的“非典”患者）总人数相差无几！这些都说明了什么？说明了一个我们无法自圆其说的结论：“非典”到底是怎么回事，我们根本不知道！或者说知之甚少，少得可怜！

十年是短暂的，短暂得连我们还没有来得及往更深处想一想就过去了。

十年是漫长的，漫长得似乎 2003 年的“非典”是发生在另一个世纪之前的事——几乎所有的北京人都把这件曾经让我们疯了一般的失去理智的灾难淡忘了。

“非典”带给北京和中国的是什么，我们是否作过深刻的反省？中国人似乎一直在为了自己的强盛而发奋，在这条发奋向前的道路上我们甚至连停顿都顾不上。有时我想想这样的情况其实比“非典”灾情本身更恐怖，因为一个不能将苦难和灾难作为教训的民族是非常危险的，它是很容易被另一场苦难和灾难摧毁的。

“非典”之后的北京虽然再没有发生过类似的大灾难，十年中我们的北京城越来越美丽、越来越庞大、越来越现代化，但你也会发现，北京城又变得越来越脆弱，它似乎连一场普通的冰雪都抵挡不住，一次小小的交通事故都会使整个城市瘫痪，它甚至经不起一场暴雨的袭击，经不起一次雾霾的袭击。生活在这个拥有 2000 多万人口的都市，一方面我们每时每刻在感受其伟大和光荣，另一方面又无时无刻不在承受着随时降临的灾难。

科学发展观，也正是在那场空前的“非典”灾难之后被提出的，这是我们党的英明和及时决策。“非典”十年，我们难道不应该认真地、努力地、及时地提出和思考一些问题？比如：像北京这样的特大城市，我们的管理体系，我们的灾难预警防御能力，我们的公民自卫意识，我们对灾难的资金投入，我们对未来城市可能出现的灾难的防备等等措施和思考……我们的市长和管理者，不知你们有多少精力放在这些方面？我们的市民和居住者，不知你们想过没有，如何一起为我们共同的家园可能出现的灭顶之灾做一份伟大的战略方案或一些实用的建议并身体力行地去推广实施？如果大家都这样做了，那十年前发生的“非典”算是对我们的一次提醒和警示，如果谁都不去做这样的事，那十年前发生的“非典”只能是下一次灾难的前奏——苦难和死亡早晚还会向我们袭来！

22年前的5月，我从一个边远山区的军营调到北京解放军某兵种总部。那天我很激动，当晚我跑到天安门前，认认真真地瞻仰了我心中的圣城。想不到的是在22年后的今天，当北京的1300多万市民们正在与“非典”进行着生死搏杀的时刻，我又一次忍不住独自来到天安门前。我看到飞金流彩的天安门城楼依然巍然挺立，广场上的五星红旗依然高高飘扬，于是我忍不住面对天空，喊了一声：祖国，北京，我从来没有像今天这般深爱你们……因为就在这个日子里，我走进了全民“抗非”伟大战役的北京指挥中心，走进了与“非典”激战的第一线，在那儿感受着每时每刻的战斗烽火与生命至爱。

我因此想向读者报告在党中央国务院的领导下，北京发生的这场与“非典”生死决斗的伟大战役。

第一篇　来自指挥部的特别报告

王晨，北京“SARS 医疗救治指挥中心”的一名普通战斗员。那天，他推开桌前的玻璃窗，望着长安街上的车水马龙，低沉地对我说：“第一天来到指挥部时，看到熟悉的北京城一夜之间突然人去楼空时，我的眼泪真的一下像散落的珠子……那情景太凄凉了！”

我告诉他，那些日子里，每一个北京市民都有这样的感受，都在询问：“如此繁华和现代的古都难道真会变成一座死城？”

那是一段多么令人恐惧的日子。

空气中，到处弥漫着的是瘟疫狂欢的气息，充斥的是人们慌乱而恐惧的神色，这样的时光足足持续了数十天！

那些日子，北京经历着像“泰坦尼克号”沉没前的那般景况，这种说法丝毫不夸张。相信所有经历过这场瘟疫的人们，都会这样感叹。

5 月 29 日，新闻播出了全国当天的疫情，北京第一次出现了新发病例“零”的记录。那一天夜里，我看到自己居住的楼下有人竟然放了一串鞭炮，以示庆贺。虽然放鞭炮是被禁止的，但久抑痛楚的市民们还是对他以笑示意。

“太不容易了！北京从最初的‘非典’发病例‘零’，到日发病例最高 343 例，现在终于又回到‘零’！真是多亏了党和政府的好领导啊！”一位 70 多岁的老婆婆，以其特有的虔诚，跪下双膝，面朝天安门方向作了一个深深的顶礼膜拜的姿势。

在场的人都在感叹：真不容易，这一阵子好像过了几年似的。

这一天，北京的很多人都以不同的方式在庆贺“零”发病记录。那喜形于色的神情相互告示着一个已是不可逆转的事实：北京战胜“非典”的日子已为期不远。

5月31日，全国疫情临床确诊“非典”仅为1例，来自北京，而这还是由疑似转为确诊的。北京在5月胜利实现两个“零”确诊病例日。

其实百姓并不知道，本来这个“零”记录应该早在几天前就能实现的。

5月26日晚，当我走进北京“抗非”最高指挥部——“北京防治非典型性肺炎联合工作小组”会场时，才了解到这一“内幕”：25日清早，一辆载有5人的桑塔纳轿车，从山西经北京延庆山区公路进入北京市区，车上有一位男子是个艾滋病患者，他的病症又发作了，且发着高烧，同车4人送他进京看病。哪知到佑安医院一查，确诊是“非典”(6月1日又否定他是“非典”患者)。这一天如果不是这位山西来的“不速之客”，北京当日新发病例正是“零”记录。

指挥部会议室内，领导和专家们听完市疾病预防控制中心的工作人员介绍情况后，轻轻地发出一阵唏嘘：真是想不到啊!

我当时有意看了一下指挥部“最高长官”市委书记刘淇同志的脸——那是一张严肃而冷静的脸。我看到他的目光在那块介绍《新发病例情况分析》的屏幕上，至少停留了两分钟。

虽然我无法判断这位北京“抗非”最高指挥官此刻心里在想什么，但似乎能从其凝重的目光中看出他同样在期待着什么。

第二天，市民们从电视新闻中看到刘淇同志带着市委秘书长在北京与山西交界的延庆张山营交通路口检查工作，并且跟那些检查过往车辆的工作人员一一交代和示范着工作。自“抗非”战斗全面展开后，北京的百姓看到市委领导到第一线的镜头太多了，人们似乎并不在意这一天刘淇书记的一次又一次“巡查”。可我看了却非常感动，因为我知道他是为前一天与那个本该早早到来的“零”记录的失之交臂而专程来到延庆的。

26号晚上的“联合小组”会议结束时已近10时，我看到刘淇书记离开会场后直接回办公楼了，虽然不知道他当夜会办公到什么时候，可我却不曾想到当晚发现“防非”新问题后，他在第二天一早就又出现在距市区110多公里的山区要塞上。从27日到31日的5天里，我特意留意《北京新闻》，看到每一天都有他到车站、到街道、到社区、到民工工地、到郊区农村的报道。而正是在这样一组组百姓并不了解内情的镜头背后，北京创造了自3月以来“非典”新发病例的两个“零”记录。

曾几何时，北京市民们因为对疫情的不了解而埋怨情绪严重，这也导致了上任才几个月的新市长的辞职。然而如今的北京，市民们对政府又是怎样评价的呢？

市委副书记杜德印给了我一个数字：满意率达到90%以上！

我相信这个数字没有水分。因为经历了生与死岁月的北京市民才不买当政者面子，他们挑剔着呢！每天都盯着这座城市的一点一滴的疫情变化，也每天盯着自己身边的疫情和防治措施，稍不满意准会投给你反对票。

有件事很能说明问题：5月6日，北京安华西里的一个居民看到自己楼里的垃圾道堵了，也没有人来处理，于是一个电话打到“市长热线”。5月7日上午，这位居民下楼买菜，见自己的楼道里来了一群人，领头的竟然是王岐山代市长，说是来看这个楼道的垃圾处理情况的。那居民听了很感动，说我昨天虽然电话打到市政府，但心里想也就打打而已。谁知市长真的来了，而且来得这么快呀！王岐山说：“现在都是什么年月啊，垃圾问题可是大问题，我这个市长如果连垃圾问题都处理不了，还做什么市长嘛！”

90%的满意率，不是那么容易得到的。有人说，“抗非”的日子使政府和民众的关系达到空前融洽。这话一点不假。

北京市委办公楼，这是首都“抗非”的总指挥部。我因采访需要，那十几天中，时常不分昼夜地进出这里。每每走进大楼，感受最深刻的是：所有在这儿工作的人都特别忙碌，即使在就餐时也常见他们一手拿着盒饭，一手打着电话在工作。“唉，简直像打仗！”公务员们总用这样的话回答我的询问。

其实他们就是在打仗！打一场无硝烟的残酷战争。

从4月20日前后开始，指挥部里的每一个房间、每一个工作人员都是一个战斗单位，不分日夜，没有间隙，从市长、市委书记到打字员、材料员，他们被要求和自觉地执行着“随叫随到”的24小时工作制。听宣传部的一位同志讲，某处长的家属为给丈夫送几套换洗的衣服，竟然在市府大楼门口等了整半天——因为门卫的电话打不进去，她的爱人在指挥部就没有断过接打电话。

梁万年，一个多月前走马上任的市卫生局副局长，现在北京老百姓几乎都认识他了。作为政府疫情发言人，如今他成了“抗非战时电视明星”了。在市防控中心接受我采访时，这位大学副校长出身的学者非常感慨地说的话令我感动。他说：“过去我当学者，是出了名的政府批判派。可自从我4月22日被任命当了政府一名公务员并参与了整个抗非战役后，现在我最想说的一句话是：我对我们的政府工作人员有了全新的认识。他们真的是好样的！”

梁万年博士自己就是一个例证。从一个多月前被任命当卫生局副局长后，主持采集全市疫情信息，用他自己的话说：“我上厕所都得带上手机，休息时躺下了却不敢脱衣服。市长半夜叫我到他办公室，书记一早找我谈疫情，这已经是我每天的例行公事和习惯了。市领导们都这样，我敢有一分钟的怠慢？你看看我办公室的复印机，最多时一天打印一千多份文件，那纸放在手里是烫的！”

年轻的副局长第一天上班就有一个强有力的“榜样”：4月20日是北京“抗非”战役的一个分水岭。刘淇书记和新上任的王岐山代市长在前一天一连开了市委常委扩大会议和全市干部大会。第二天一早，两位“司令员”便到了市疾病防控中心。当他们得知中心的网络系统资源不足时，就在现场办公。这个后来被人称之为“北京抗非战役生命线”的网络仅用了几天时间便开通了，成为北京疫区24小时防控“非典”的一个畅通无阻的强大信息网络，对扭转前期疫情不明而造成疫情失控的被动局面起了关键性的作用。

疫情控制的好坏，体现在每天的发病数字上。北京人如今最关心的不是自己的钱袋、米袋和居室，而是每天从他梁万年嘴里报出的那个数字。“知道这数字是怎么来的吗？”梁万年说起这话题，眼睛就发亮：“光说我一个人的工作量，早晨八点半听CDC（疾病防控）各部门负责人的交班汇报，他们要将之前的24小时情况汇总并做出书面分析材料。一收到这些材料，就要再与全市另外几个防治小组通报情况，并收集他们的反馈信息，然后再充实自己的信息。这些数据是动态的，变化随时发生。我们每天对外公布的主要是3个数据——临床新发确诊病例、疑似病例和死亡数字。其实我们要收集和汇总的各种数据多达十几种。而每一种数据本身又是在不断变化的。尽管现在我们建立了数字化的网络平台，可以在几十分钟内将全市疫情的各种数据汇集到指挥部，但对负责疫情信息工作的战斗员来说，我们所掌握的不仅仅是简单的那几个对外公布的数据，而是这些数据背后的大量需要供政府决策的第一手材料。比如进入5月下旬后，全市疫情得到明显控制，大家都在期盼‘零’发病，可事实上总有那么几个新发病例在扰乱我们。要了解这些新发病例是怎么出来的，我们的工作范围就大了。有一天，突然增加了四五例民工患者，我得到这个数字后就要立即将情况报告市长、书记，市长、书记得到这个情况后他们的紧张程度可是老百姓不了解的。他们一发现这个情况，脑子里立即想到的是几十万农民工马上要返京回城后的疫情控制。因为如果这一环节抓不住，疫情可能再度大规模复燃。市长、书记要决策，我就得给他们准备各种有关民工患者的一系列相关数据，包括这些患者是从哪个地方来，他们现在在哪些工地施工，这些施工工地的控制预防情况又怎样，全市有民工的工地又是个什么情况？如果一旦施工工地出现疫情蔓延又该采取什么办法……总之一个简单的疫情数字，就会带出几十个甚至几百个问题，而且这些问题必须以最快的速度得到有效处理和控制。工作量和工作难度就这样产生了。在这种情况下，你想偷懒是根本不可能的。再说，市长、书记现在都成了防控专家，你若想在哪个地方偷工减料，就可能立刻被发现。你只有准备三五百个答案，才可能在他们面前回答好100道题。这就是为什么我们每一个指挥机构都在争分夺秒地忙碌着的缘故。”

梁万年在整个北京保卫战中充当的仅是一个师长或团长的角色，你知道作为全市防控大战中的司令员们的市长、书记肩头担子有多重！

王岐山，北京市代市长，人称“抗非市长”，从海南省委书记的岗位调任北京市代市长，仅一个多月，老百姓都说北京来了位好市长，他的个人魅力在于他的“平民化”：他有一颗装着百姓安危的火热之心。

有一个细节很能说明问题：一天，“出巡”的王岐山路过一所刚刚恢复上课的学校，见几个穿着防护衣的人把守在校门口，便立即下车上前询问。那几个穿防护服的人告诉市长，他们是学校的老师，正在对进入校门的学生进行体温测量。王岐山大呼：你们这副样子怎么行？孩子们还小，见了你们这个样还不吓出毛病来呀！防护是需要的，可也得根据情况做出适当的应对呀！学校觉得王市长说得对，很快纠正了。

我第一次面对面地听王市长讲的一番话是这样的："我这个人也爱发烧，一上火，扁桃体就发炎。到北京来上任，那是'非典'疫情最严重的时候啊！我能不上火吗？可我不能发高烧呀！真要烧了，人家把我拉去一'隔离'，我还怎么与市委、市政府的同志们根据党中央的部署带领大家'抗非'呀！我有办法，就是吃素，天天吃素，不让火上来。"

"我现在越来越有信心。可我的信心不在于数字上，而是因为全市人民都参与了'抗非'的战斗，现在的北京啊，到处可见村自为战，巷自为战，楼自为战，校自为战，家自为战，那情景能不让人感动吗？人民的威力啊！市民自身防范疫情认识的成熟，对政府的理解和信赖，多好啊！正是他们的行动才为我们解决医疗资源的不足和紧张，彻底赢得了时间。我的信心还在于中央的正确领导。看看中央的'抗非'方针，从一开始就没有变过，这说明中央决策英明而坚定。所以说，抗击'非典'战役的胜利是一定的！"市长的声音一直在我耳边回荡。

伟大的军事家毛泽东同志曾经表示：要取得一场战争的全面胜利，最终将取决于你发动民众参与战争的程度。王市长现在如此响亮地说出上面这番话，我想他和他的同仁们已经对自己前期在发动全市民众参与"抗非"战斗的程度非常满意。王岐山向我们透露过一件事：有一天他陪温家宝总理到郊区察看农民们的预防情况。遇到一位身体很硬朗的老太太，温总理问她："你认识不认识我？"老太太摇头，说不认识。总理又问她："你知道不知道'非典'"。老太太马上回答说："知道知道，'非典'是天灾，是瘟疫，发烧了就可能是'非典'，得马上到医院去瞅，得了这病就不能再跟别人亲近了。”温家宝事后很激动地对王岐山说：“你瞧瞧，现在‘抗非典’多么深入人心，人家老太太不认识我这个总理，可对啥是‘非典’，怎样预防说得一清二楚。不简单啊！有百姓这么支持，我对‘抗非’取得胜利更加充满信心了。”

那一天我见到王市长是下午 3 点，“北京地区医院院长联席会议”一直开到晚饭前，王市长的讲话激起了会场上阵阵掌声和笑声。要知道参加会议的都是处在一线的“战地指挥员”，能在“抗非”硝烟依旧的激战时刻，看到他们与市长一起有说有笑，还有谁会怀疑这场艰苦的战役终将取得胜利？

那一天，与王岐山代市长待在一起六七个小时，而且其中还有一段短暂的单独谈话，我强烈的感受是：北京的“抗非”最高指挥官们，他们为了人民的生命和北京的安危，可以用“呕心沥血”四个字来形容。

没有人知道他们在这些日子里是怎样的忘我工作，工作强度有多大！

年轻的副市长陆昊，只有 35 岁。说实话，当我第一次听说北京市出了全国最年轻的副市长时，我第一反应判断：此人是否是某某老前辈的公子？陆昊那天在“抗非”物资小组的指挥部里的开场白，不仅彻底否定了我先前的错误判断，更多地以他的坦诚和睿智及工作能力深深地打动了我。

1300 多万人口的城市，谁扛得起这么重的担子？而且是一场史无前例的突发疫情，每一分钟的延误，都有可能造成整个城市的瘫痪和无数生灵涂炭。“凭良心。只有一个想拯救百姓生命的良心在驱使自己！”这是陆昊的开场白。朴实、真切，不带一丝官腔。

“良心是什么？良心是对得起别人，对得起市民，对得起自己所干的工作。突如其来的灾难很多人都没有经历过，很多人也想象不到一个政府在短时间内要承受那么大的压力。靠什么？能力？能力可能是有限的，但只要凭良心去做了就行；办法？办法可能在某一时间是错误的，但凭良心去做了，市民也会理解，能够原谅的。有了这两点，我还有什么怕的？干吧！有中央决策在，有全市和全国人民的支持，我怕什么？”陆昊说。

当北京的疫情处在最疯狂的时刻，防护服几乎成了唯一可以抵御“非典”袭击的武装时，陆昊带领的物资保障队伍不仅以最快的速度调集物资并送到处在与“非典”肉搏厮杀第一线的医务战士手里，而且没有多花国家一分钱，相反还以最便宜的价格运到了北京指挥部。在此次“抗非”一线被称为“救命服”的杜邦防护服，平时的市场价为 40 元一件，陆昊买的是每件 27 元。这是这位学经济做市场出身的年轻市长在“抗非”战役中最得意的一仗。几百万套世界顶级防护服的采购，是仅用了小时为单位就完成了！而更令我感动的是这些被北京人称之为“救命服”的几百万套防护服发放时，陆昊向我们保证说：“虽然都是经我一人之手批准发放的，但每一件防护服到了哪个地方，给了谁，我都清清楚楚！在所有这些防护服的发放中，没有任何的后门与交易存在，只与患者和医务工作者的生命连在一起。”

铿锵有力，掷地有声。这就是“抗非”时期人民公仆的风范！

它不由使我联想起胡锦涛总书记在广东街头与市民们亲切交谈的情景。

它不由使我想起温家宝总理在北大学子面前热泪盈眶地说“在这些日子里我常常泪流满面”时的真情流露。

是的，任何一场战争的成败，没有最高指挥员的正确决策，是不可能胜利的。而一场人民战争的胜利，必定是我们人民信赖的领导者站在人民的最高利益面前，将其智慧和能力发挥到极致的结果。

人民的信赖，来自于最真切的感受。

北京市教工委负责人在谈到指挥部领导抢救大学生患者时，泣不成声。“在疫情高发时，医院的床位系着患者的生命。那天，北方交大的一名学生被确诊为新发病例，与他同一时段确诊的还有两名患者，一名是电影学院的著名导演谢飞，还有一名是北京医务系统的专家，当时全市所能腾出的床位只有两张，谢飞是教授，年岁又大了，应该迅速转入‘非典’医院。剩下的是在一位大学生与医务专家之间做选择。指挥部有关部门为这几乎绞尽脑汁反复权衡，最后还是把床位让给了北方交大的这名普通大学生。后来这位大学生和谢飞导演都得救并康复了，可那位医务系统的专家却……”他再也说不下去了。

段杰，北京“SARS 医疗救治指挥中心”的女调度。从 4 月 22 日进入指挥部后，没有一天睡觉超过 3 小时。她手中的表格和电话，掌控着全市各个医院的病床资源，用她的话说，“我打电话的快慢和做计划的速度，连着的是一个个患者的生命。在值班时我不敢耽误一个电话，可桌子上铃声四起时我又害怕去接，因为一接我就得给人家解决问题，那可是一条条命啊！”段杰有个儿子，快两个月没有见到妈妈了，想通过电话跟妈妈说几句话。有一次儿子听到那边妈妈的声音，刚说了句“妈，你还好吗？”段杰就把电话狠狠地一挂：“这孩子捣什么乱！”连轴转地经过三天最紧张的时间后，深夜段杰被同事拉到房间休息，这时她想起了前两天儿子要跟她说话的事，便拿起电话打到家里，电话叫醒了睡梦中的儿子，听到妈妈的声音后，竟说不出一句话，委屈地不停哭泣着。这使得在指挥部说话像机关枪的段杰，此时哽咽着半天说不出一句完整的话，就跟着儿子哭了好一阵。而就在此时，指挥部又打电话叫她赶快去处理一件应急事务。原来有个女患者被确诊为“非典”，医生们随即对她才出生 8 个月的孩子进行诊断，发现小孩也有明显的“非典”症状。在送不送八个月的婴儿到“非典定点”医院问题上，指挥部里的工作人员为难了，于是他们叫来段杰。“孩子这么小就送‘非典’医院？不行不行，我们一定得再想想办法，不到万不得已的时候绝对不能这么做！”段杰快言快语。“那又能怎么办呢？”同事们问。段杰思考一番，当即决定：“我马上调救护车到儿童医院，带上专家前往给孩子会诊。只要有一线希望，就把孩子留下作疑似观察。如果不行，再用救护车把孩子送到定点医院。马上行动！”之后的数小时里，段杰亲自出马，四处奔波，最后终于在专家们的共同努力下，对这位最小的患者作了疑似患者处理，如今这婴儿已经恢复健康。

当处理完这个小患者的事后，段杰又想起了自己的儿子，她的眼泪忍不住又溢出眼眶。

电话铃骤然响起……

“喂，喂喂，我们这儿又有一个疑似‘非典’患者，他说什么也不住院，现在正满大街上乱跑着呢！你们快想法子呀！”某医院发热门诊打来急电，万分焦虑地说着。

“啊？！在什么地方？什么地段？”指挥部人员犹如听闻又一个前线阵地失守，紧张气氛骤然而起。

“在雍和宫附近。”

“好，我们立即派人处理，请你们协助盯住患者！务必不能让他失踪！”指挥员放下电话，又重新拿起话筒，电话直接打到市委副书记强卫那儿。这位主管全市公安政法工作的医疗防控小组组长立即向公安部门下达命令：“派出警力，追踪患者，以最快的速度让他回到‘非典’病房！”

几分钟后，雍和宫附近的大街上便演出了一幕“4名警察护押‘非典’患者进医院”的惊心动魄的现场直播：患者是个外地民工，六七十岁，一腔听不清的外地口音。当4名身穿白色防护服的警察，前后左右出现在这位企图“逃亡”的患者面前时，他嘴里还不停地说着“没钱看病”4个字。

“大爷，治疗‘非典’，国家不用你出一分钱，不用担心，进去就行了。”警察苦口婆心地给老人讲理，可人家哪信，天下哪有瞧病不出钱的理？农民就是这么实诚。

老人不信，也就不愿去医院。警察只好一边跟其讲理，一边暗中引领他朝着医院方向挪步。

全程距离只有100多米，却整整用了3个小时！

5月31日，北京市“抗非”指挥部新闻发言人宣布：饱受“非典”疫情蹂躏的北京，至此已取得“抗非”攻坚战的阶段性胜利。他举了一组数据：5月最初的第一周（5月1日至5月7日），其确诊新发病例为666例，而5月底前的最后一周，新发病例仅为65例，两周相比，下降95%。治愈出院人数最后一周则比第一周增加了500%。

北京疫情关联着全国疫情。次日，国务院新闻发布会上，疫情暴发以来一向脸色严肃的卫生部党组书记高强，首度面带笑容地对中外记者说：“中国内地‘非典’疫情经过全国上下坚苦卓绝的战斗，现已得到控制。”

呵，那一天从北京“抗非”指挥部机关走出，看到久已冷清的长安街上车水马龙，大街两边是欢笑喧腾的人群和盛夏的鲜花，我的心头不由腾升起无限感慨：北京，在那过去的几十天里，你承载了太多太多的泪水与痛苦，那一幕幕景象实在令人心悸与颤抖……

第二篇　瘟疫之源

有人把发生在北京的“非典”疫情，比作二战时期的美国“珍珠港事件”。然而依我看，此次“非典”袭击北京，远比“珍珠港事件”惨烈。

没有一种现代战争比空气中的病毒袭击更令人恐怖。

与“非典”的厮杀，正是一场这样的决战。“救救我吧，阿姨，我不想死，我才 18 岁，我还没有对象呢！我要活呀……”一位花季的姑娘，从发热到确诊，从确诊到死亡，总共不到 50 小时。她离别人世时，那双无力的手一直拉着医生的胳膊，那渴望求生的一幕，让救治她的医生们心如刀绞，不敢直面。

这位姑娘全家 7 口，有 3 人相继在不到 10 天时间内被可恶的“非典”夺去生命。如今只剩下母亲，天天在女儿、丈夫和婆婆的骨灰盒前祭奠逝者。一年前，正是这位母亲怀着对北京的敬仰之情，送女儿进京打工。可才多长时间呀，女儿便死了，而且拉着爸爸和奶奶一起到了天国。这些日子里，悲痛欲绝的母亲天天在埋怨着那个曾经让她向往和仰慕的北京。

我的北京，你千年荣耀，何时受过这般屈辱？

而北京本来也是个干净的城市，一个健康强壮的城市。

北京不该接受不公正的指责。

北京是无辜的。

但北京没有避免一场史无前例的瘟疫袭击。

2003 年 3 月 1 日，301 医院。

初春的北京，阳光明媚。举世瞩目的第十届全国人民代表大会第一次会议和全国政协十届一次会议分别于3月5日和3月3日在这里召开，全市人民喜气洋洋地沉浸在一个特殊的春天里。谁也不曾想到，“非典”在“两会”召开之前已悄悄潜入古都。

历史可以记住这个时间：2003年3月1日，凌晨1点，著名的中国人民解放军总医院——北京301医院，迎来了第一例“非典”患者。

“我们有急病号，想住院，无论如何请帮忙给安排一下。”一位山西女患者在丈夫陪伴下，急切地请求医生。

医生指指日历：“今儿个是星期六，住院可不好办，怎么着也得周一才行。”医生对患者做了简单的诊断，说：“要不先到急诊病房。”“行行，只要能住下就行。”患者家属非常感激。

“非典”使年轻的女病人高烧不断，于是她又从急诊病房被转到了呼吸科病房。

“闺女，你咋样了？啊，吃点东西啊！不吃怎么能顶得住呢！”患者的母亲瞅着胸脯剧烈起伏的女儿，心急如焚。那是个56岁的母亲。此时她自己的体温已达39度！

丈夫在一边焦虑地看着妻子和岳母的这一幕，找来医生说：“想法子让我岳母也住院吧！”

医生一量体温：可不，烧着呢！住院吧！

大夫佘丹阳心细，说你们家几个患者得的病跟广东、香港的“非典”差不多症状，得分隔住好些。其后，已经同样被传染上“非典”的母亲被安排在另一间病房。

与此同时，年轻女患者的父亲从山西打电话说他也在发高烧，而且上医院输液几日后不见好转。父亲跟在病榻上的女儿说，他也想上北京来治病。“那就赶快来吧！”女儿用微弱的力气对父亲说。

3月5日，父亲乘飞机抵达北京，然后直接进了302医院。

这一家人在北京会合，其数量之多令人震惊：除女患者本人外，有她的丈夫、1 岁多的儿子、父亲、母亲、奶奶、弟弟、弟媳、大伯、小叔子、二婶，加上女患者公司的两个伙计，以及她在北京工作的舅舅，共计 14 人！

此时，这一大家人除女患者于某和其父母发高烧外，于某的弟弟、弟媳等也相继出现发烧症状。年轻女患者的丈夫急得团团转，跟医院商量怎么办？

“我们 301 不是呼吸病专科医院，最好转到专科医院。302 医院在这方面比我们要强。”医生说。

也好，父亲已经进了 302 医院，一家人在一起可以相互照应更好。女患者的丈夫立即向北京“120”急救中心求助派救护车。

就这样，这一家患者在自己的亲属和朋友的帮助下，或被抬着，或被搀扶着上了救护车，于 3 月 6 日住进解放军 302 医院。后来知道，302 医院在没多长时间里就有十几个医务人员被感染，成为北京最早的一批染上“非典”的医务人员。同时由于院方及时组织对“非典”的反击，涌现出了一群像姜素椿等英勇无畏的白衣战士。

3 月 7 日，女患者的父亲猝然去世。他是北京被“非典”疫魔袭击后第一个死去的不幸患者。

302 医院紧张了，从有限的经验判断，医务人员感到这一家人患的病与正在广东、香港肆虐的“非典”十分相似，于是向当地的丰台区疾病预防控制中心（简称 CDC）报告了，据说同时也报告了卫生部。随后丰台区 CDC 工作人员去了 302 医院，但无获而归。

此时正值“两会”召开之时，引起军方重视的病情，自然也使专司疾病预防的北京市 CDC 高度关注。在接到丰台区 CDC 报告后，他们立即派出专人，开始了与北京“非典”的第一例正式接触。

受命此任的是年轻的北京市 CDC 应急中心主任沈壮。

“我记得特别清楚那天打的冷战。”这位具有良好素质的公共卫生应急专家，后来参与了北京“非典”战役的所有前线战役，特别是三四月份，沈壮和他的战友投入了极其紧张和高度危险的战斗，参与了拯救每一位“非典”患者的现场工作。他因此成了整个北京“抗非”战役最知情的几个证人之一。

沈壮其实一点也不壮。在“非典”还在不断袭击北京的日子里我见到他时，见面第一句我就这样对他说。“大概这段时间被‘非典’吞掉太多营养了。”这位人称“SARS 毒王克星”的年轻疾病防控专家以玩笑回应我。

我们一见如故，而且是那种令当时北京人惊恐的“零距离接触”——有我们肩并肩的照片和数小时的面对面采访为证。说实话当时我不是心里没有顾虑，但我是采访者，职业和良心驱使我不能在这样一位拯救过无数北京人生命的英雄面前做出任何一点伤害他感情的行为。虽然我要向读者坦白，当时心里还是有点虚的。

沈壮和他同事的出现，使北京的“非典”疫情从此有了清晰的脉络，也使我的写作有了最真实的第一手资料。“我这里有北京每一位‘非典’患者的全部原始病情记录。加起来有这么长——”沈壮伸开双臂，给我比画了两个一人长的距离。

在我看来，沈壮是整个北京抗击“非典”瘟疫保卫战中最伟大的战士之一，尽管在本文发表之前没几个人知道他的名字，但我知道在北京“抗非”伟大战役的纪念丰碑上早晚会有他的名字。正是他和他领导的应急中心的战友们以及后来建立的 2500 多人组成的“流行病调查大队”的队员们，为北京人民和全国人民战胜“非典”建立了不朽功绩。许多材料是沈壮与他的战友们一次次冒着生命危险，在“非典”患者的病榻前、救护车上，甚至是太平间里获得的。

山西女患者父亲的死亡，拉开了北京“非典”疫情的大幕！

“沈壮，快到中心来，有紧急情况需要你去处理！”3月8日早晨四五点钟，刚刚因处理另一件应急事件才回家睡了不足两个小时的沈壮，突然被一阵急促的电话铃声惊醒。

“我马上到。”沈壮给妻儿盖好被子，轻手轻脚出了门。初春的清晨，寒气逼人。沈壮打了个冷战，“不知什么缘故，我记得特别清楚那一天的冷战。”沈壮在接受我采访时这样说。

当日上午，沈壮带着下属到了302医院。上午的会议是应302医院建议召开的，参加人员有北京市卫生局、国家CDC人员，解放军总后卫生部、302医院和沈壮代表的北京CDC四方人员。会议议题是分析和处理北京第一例“非典”死者及首例“非典”对北京的疫情的影响后果。此次会议就302医院当下的“非典”患者与死者的处理问题进行了分工：302医院负责救治患者，总后防疫部门负责对医院的易感人群进行追踪，国家CDC负责流行病调查，沈壮他们负责军队之外对接触过这家患者的人员的排查工作。上午的会议开到11点，死者被拉到医院太平间。

其实，北京市卫生系统在市政府的统一安排下在4月份疫情暴发之前做过一些工作。在2月11日广东省通过新闻发布会的形式正式对外介绍“非典”后，北京卫生局领导当即明确了5家有呼吸传染病医治能力的医院承担监测“非典”任务，它们是安贞医院、朝阳医院、海淀医院、友谊医院和儿童医院。市“120”急救中心也承担相应的任务。“那时‘非典’还没有SARS这个洋名，我们称其为‘广东非典病’。当时大家根本想不到这个‘非典’会有那么大的传染力。有人认为这种病毒传播跟其他病毒也差不多，每传一代就弱化一代，传上三五代就没啥感染能力了。

我们也认为不至于闹到北京来，隔那么远。有这种认识在当时不能怪谁，因为大家都不知道‘非典’到底是怎么回事！”沈壮的话代表了当时北京专业人员中的普遍认识。

“但作为北京市卫生局和所属的疾病预防控制应急专业部门，可以这么说，在广东、香港‘非典’疫情正式报道后，我们从来就没有放松过警惕。”沈壮拿出北京市卫生部门的材料给我看。

第一份是他们在发现北京第一例正式确诊为“非典”的于某一家的病情后，向上级写的一个报告，那报告中最后一段话是这样写的：“鉴于此次事件发生于‘两会’召开期间，而且病人有过赴广东省的可疑接触史，并高度怀疑其具有传染性，因此若不能及时有效地进行病例排除或诊治，将会造成一定的影响。”

第二份是《北京市卫生局应对“非典”型肺炎方案》。这个方案共有数页纸，其中特别对小范围的疫情、中范围的疫情和全市性大范围疫情出现时所要采取的“一级警报”“二级警报”和“三级警报”机制提出了建议。

这第二份“应急方案”写于3月8日，是沈壮在卫生局当天下午召开的应急会议期间，与市卫生局的几位领导一起研究碰头后写成的。

也就是在那时，一位局领导急匆匆地过来将他和同一单位的贺雄叫到一边，说：“你们两个，不管采取什么办法，必须在今晚12点钟前，把302医院的那几个山西患者的情况弄清楚，完后马上向局里报告。”

沈壮明白领导是在担心山西那几个患者的疾病传播。晚10点，他和市CDC副主任贺雄到达302医院。当他们走进一层的楼道，有医生听说他们是来调查山西女患者一家的病情时，便随手给了他们每人一个口罩，说：“你们来了，我们就不陪了。”说完就去了另一个病区。留下沈壮和贺雄俩，面面相觑。

“你们当时进去除了口罩还有什么防护？”我问。沈壮：“什么都没有。那时还没有防护服呢！”走入病房走廊的沈壮当时留意了一下楼道，见里面空空如也，只有山西女患者一家占着3个房间。

在那里，沈壮了解和记录了北京第一位输入性“非典”患者及她一家人的基本发病情况——用专业术语说，沈壮对这一家人进行了流行病调查。

据患者家属介绍，患者于某今年27岁，山西太原人。做珠宝生意的她在今年2月因生意上的事到广东出差。临离家时，母亲特意给广州工作的同行打了个电话，询问那边的“非典”情况到底怎样。人家回答得非常明确：“都是谣言，没那么严重。”“还是注意些好。”父亲特意为女儿准备了几包板蓝根。

于某就这样去了广东。记着父母叮咛的她，一到那边就很认真地打听“非典”病情，出租车司机带着嘲讽笑着对她说：“我每天拉这么多人，要得也该轮到我了吧！可你看我不是好好的吗？”

一次次地证实“没事”后，于某将原先的心理防御全然抛到了脑后。她该干什么，就照干什么。2月22日晚，于某乘车从深圳到广州时，便感到身体不适，浑身发冷。23日，带着这种不适的她，从广州飞回太原。一量体温：38.8度！

当天，于某走进太原一家医院。紧张地问医生自己是不是得了“非典”。“别那么大惊小怪。有那么巧就得‘非典’？”医生笑她。不一会儿又拿来X线片和血液检测结果。“没事。”

但“感冒”引发的高烧迟迟不退。于某内心有种强烈的不祥预感。她拉着丈夫的手，痛苦地乞求着：“我到底怎么啦？快救救我吧！”丈夫一咬牙：“别再耽误了。我们到中国最好的医院去！”

这一决定使患者后来终于脱离了死神的纠缠，却也给北京人带来了无法弥合的伤痛！

上级交给沈壮的任务有两个：一是弄清患者的病史，以便尽快切断传播源；二是让患者身边的那些还没有传染的人赶紧离开，离开北京，回到山西去。“CDC人员按通常的做法也该弄清病例全过程，以便获得最可能的控制。而当时让患者身边那些尚没发病的人回山西，是因为当时我们还不清楚到底‘非典’患者有没有潜伏期，潜伏期里传染不传染。只是知道‘非典’是传染的，不能让患者传染更多的人。”沈壮一肚子无奈的苦水。

山西方面在第二天就来了救护车。而沈壮在病房与患者家属做思想工作一直做了近10个小时。在于某的几位尚未发烧的亲属同意回山西时，北京下起了少有的春雪。

这一天下午，一辆救护车将于某的奶奶、舅舅、大伯和两个伙计拉回了太原。太原方面将这些人隔离观察，还算好，只有于某的一个伙计后来被确诊为“非典”患者。

留在北京的于某和其余的亲属可就惨了。继其父亲7日去世后，56岁的母亲也在15日死去。于某的丈夫、弟弟、弟媳妇、小叔子和于某公司的一个小伙计陆续传染上“非典”而倒在病榻上，于家陷入了极度悲惨和痛苦的深渊。（注：于某本人，一个多月后在302医院医务工作者的全力抢救下，与其他几位亲属一起从死神的魔爪中解脱出来，健康地回到了山西。但这位饱受疫魔折磨和给亲人带来痛苦的年轻女患者，再也不愿别人去打扰她。不久前她曾以“徐丽”的化名接受过记者的电话采访。这是后话。）

忧心事还在后面。在沈壮他们一再追问于某家人还与什么其他人有过亲密接触时，于某家人说她还有个舅舅就在北京，而且于某父亲死时这位舅舅也在场，据说于某的父亲是死在这个舅舅怀里的。

“这不要命嘛！”沈壮一听就跳了起来：“你们为什么不早点告

诉我们？啊？为什么？”

不为什么，为的是怕别人知道了，舅舅不好过日子。“他现在在哪儿？”沈壮一个个追问。

没人告诉他。就是不告诉。“你们，你们要为他的生命负责啊！”沈壮想发脾气，可看看一个个倒在病榻上的于某和亲属，心就软了。“你们无论如何要告诉他，一是让他不要再接触人，二是一旦有哪儿不舒服，马上给我们打电话。”沈壮没有其他办法。因为“非典”尚未归为法定传染病，就不能按照传染病法规强行让患者履行义务。

这一天应该是3月10日。之后的每一个小时里，沈壮的心一直悬在半空。12日，沈壮担心的事出现了——于某在北京的那个舅舅来电话，说发烧了。

坏哉！沈壮的心头“咯噔”一下。“你在家准备一下，我们和救护车马上就到。”“我们不敢把救护车开到于某舅舅住的家门口，远远停在一个不起眼的地方。然后我和一名同事手里拿着一件白大褂和两个口罩，但在到患者住处之前不敢穿也不敢戴，怕患者本人心里不好接受，而更怕的是居民发现我们在运送一个‘非典’患者，我和同事只能做‘地下工作者’。”沈壮说。

到目的地后，沈壮又忧又喜：忧的是于某的舅舅当时的症状已经基本可以确诊是“非典”，喜的是患者在同于某一家接触之后自己隔离了自己，没有与其他人一起生活。

于某的舅舅在沈壮等护送下直接进了佑安医院。

让沈壮感到宽慰的是于某一家良好的文化修养救了不少人的命。“我们问楼道的服务员小姐有没有接触过于某家人，姑娘说，于某的舅舅一住进来就主动对我们说他们家人得了传染性肺炎，让我们不要接近他们。所以后来也真没有发现楼道姑娘们传染上‘非典’。”

沈壮从佑安医院回到单位，异常沉重地在自己的工作日记上写下了这个普通而重要的日子：2003 年 3 月 12 日。

说它是个普通日子，是因为 99.999%的北京市民这时还根本不知道要命的“非典”已经稳稳当当地安落在京城的大地。这一天，还有一个特别重要的意义是，世界卫生组织正式将这种病症明确命名为“严重急性呼吸综合征”(Severe Acute Respiratory Syndromes)，简称 SARS，并向全世界发出了警报。

3 月 16 日，东直门医院。

沈壮还没有来得及对北京的第一例“非典”做一个梳理，3 月 16 日，晚上 9 点多钟，沈壮接到东城区 CDC 报告，说所辖的东直门医院向他们报告有一例“非典”，而且病情非常危急，区 CDC 扛不住，让沈壮他们过去。

东直门医院出现的病例让京城老百姓开始知道“非典”这只“狼”真的来了。

沈壮当即与本单位的黄大夫两人一起赶到东直门医院，在急诊科他们看到了患者，是个 70 多岁的老人。

“患者上午 11 点半左右到我们这儿门诊，那时 X 线片呈现为右下肺炎。可到下午 4 点多钟，X 线片检查结果成双肺炎。到晚饭时就不行了，我们刚刚才把他抢救过来，现在仍处在昏迷状态。”急诊科主任刘清泉，一见沈壮他们赶紧把情况作了介绍。

调查开始了。据家属介绍：这位 70 多岁的患者李某，是 3 月 15 日从香港乘 CA112 航班飞回北京的。在飞机上李某就觉得自己有发烧咳嗽的症状，晚上八点多钟从机场进城后直接到了某医院。此医院的门诊医生给他诊断为“重感冒”。结果李某开了点普通药就回了家。回到家的李某睡了一夜仍高烧不退，家属问他怎么回事，是不是在香港传染上了什么病？这一问让李某神经顿时紧张起来：可不，自己在香港时到过威尔士医院，看过正在那儿住院的哥哥。威尔士医院听说出现过“非典”，是不是我也传染上了“非典”呀？李某心头越发不安。吃完早饭，他就坐立不安地打听附近什么医院中医水平好些。家里人听说东直门医院是中国中医药大学的附属医院，随后匆匆送他上了东直门医院。

大约 11 点左右，东直门医院急诊室主任刘清泉大夫给李某作了初步诊断，认为可能是老年性肺炎——往常北京在这个季节里每天都有不少肺炎患者到医院就诊，李某已是 70 多岁的高龄，刘大夫的初诊无论在技术和情理上都很正常。更何况那时“广东非典在普通北京人心目中仅是个模糊的概念。就连刘清泉这样的急诊专家也知之甚少，他更不知道在同一个城市的解放军 302 医院就在前几天里已经有一批医务人员被北京第一例输入性“非典”患者所感染，而且就是 3 月 16 日这一天，李某东直门医院就诊时，302 医院的一名优秀医务人员已经死于“非典”。

信息的不透明，使刘清泉大夫和东直门医院乃至整个北京市民付出了惨重的代价。

虽然刘清泉大夫此时也不知“非典”为何物，也未诊断出李某的真正病理，但出于敏锐的医学职业习惯，他没有放跑李某，而是让他在急诊室输液观察。下午，李某病情突然恶化，体温骤升，呼吸困难，最后导致心脏停搏。

“赶快抢救！”刘清泉大夫和同事们迅速对李某进行了急救，那一刻参加抢救的医务人员有六七个……李某的心脏缓缓地恢复了跳动，但呼吸仍然极度衰弱。刘清泉为其上了呼吸机，而患者则一直处于昏迷状态。

“到过广东、香港没有？”刘清泉从急救室出来，一边擦汗一边问李某的家属。

“他刚从香港回来。”坏事了！刘清泉虽然在这之前从未见过“非典”什么样，但从有限的资讯中猜想到这个李某十有八九是传说的“非典”患者了。医院的电话迅速打到东城区CDC，之后也就有了沈壮他们的出现。

沈壮与东直门医院领导和刘清泉大夫等根据李某的病情，紧急召开了会议，并做出三点决定：一是患者现在不适宜转院，建议就在东直门医院本院救治。二是要对病人实行隔离，并在病房内开窗通风——沈壮说，这是从广东那边听来的唯一一点预防“非典”传染的经验。沈壮还在这一条决定中给东直门医院做了一些补充建议：不要再让医务人员换人了，谁参加过抢救李某的工作，就留下来继续进行救治，进患者病房要穿隔离服。三是对密切接触者进行登记和随访。

会议结束后，沈壮还做了一件现在连他自己都感到有些后怕的事——他走进病房，撬开昏迷中的患者李某的嘴，用一根棉签从他的嘴里采集了一份咽拭子。

“那是‘非典’患者身上毒菌最多的东西，而且你是从李某这样的‘毒王’嘴里取的咽拭子，当时你不怕？”我问。

“当时根本就没有想到怕不怕的问题，只是想从流行病调查的角度应该留下这种患者的病菌体，以便带回去让检验所的同志作分析用。另一方面当时确实我也不知道这‘非典’到底有多大的传染力。”沈壮说得很平淡，但可以想象当初他到“毒王”嘴里掏咽拭子的过程是多么的惊心动魄！

袭击设防并不多的东直门医院，对“非典”病毒是轻而易举的事。虽然医院方面采取了当时他们所能想到的所有措施，如迅速使用了ICU（危重病房），将李某单独隔离治疗，也给医务人员配发了口罩和防护服。“可那时的这些防护工具非常简单，而且都是平时我们用于对付普通传染病的口罩和防护服，哪知道‘非典’病毒传染强度那么大。再说也奇怪，当时我们想买一些质量高一点的口罩和防护服，竟然也找不着什么地方有这样的东西。”急诊科主任刘清泉感叹地说。

就在东直门医院的医务人员战斗准备严重不足的情况下，李某身上的“非典”病毒再次向他发起攻击。一直处在昏迷状态的李某又两次心脏骤停。肺器官功能严重衰竭，同时导致其他器官迅速衰竭，这是“非典”袭击人类的一个显著特征，尤其是对那些抵抗能力差并患有其他疾病的患者，特别是对年龄偏大的患者，他们之所以在“非典”袭击时很快死亡，这一因素非常突出。经过前后72小时的抢救，20日，“非典”还是夺走了李某的生命。后来我通过对重症专家的采访了解到，像李某这样的“非典”重患者，即便再努力抢救，生还的希望也几乎是零。

然而在当时东直门医院或者说在整个北京“非典”搏杀的殊死战斗中，广大医务人员发扬的是基本的人道精神，他们是用自己的身体与生命在构筑一道保护广大市民的长城，后来上级又要求他们为“减少死亡率”而战。因此，医务工作者在整个战斗中成为高危群体是一种必然。

东直门医院付出的代价比302医院惨重得多，因为他们遭遇到的是一个真正意义上的“毒王”。就在李某尚未结束生命时，该医院的医务人员中便有人出现发热高烧现象。护士姚小姐是第一个感染者，当日被送进自己医院的隔离室，次日转到佑安医院。在姚护士被确诊患“非典”送进佑安医院当日，又有7名医生倒下……

“这是怎么啦？”医务人员中出现了恐慌，庞大的东直门医院在一条条传言和确凿的事实面前开始倾斜。

20日得到李某死亡报告后，沈壮提出要对死者的尸体进行解剖和取样。

“我的直觉是这例‘非典’对北京防治和专家研究这一病因很有用。我们首先做家属工作，人家考虑了半天，说解剖可以，但必须重新将尸体缝合完整。这是自然的事。于是经过申请，21 日我们就把要对尸体进行解剖的事告诉了院方。开始希望有专业人员来做，但考虑医务人员还不懂‘非典’这个病的传染性，所以我就主动提出参与解剖工作。可这时的东直门医院内部已经出现严重的恐慌心理，再者他们确实已经没有多少人能腾出来顾及李某的尸体解剖一事。这时的东直门医院每天都有医务人员在倒下。”

“22 日我们去医院准备进行尸体解剖。但医院没有来人。我只好向市卫生局请求支援，希望他们能来一个专家，因为我毕竟没有做过尸体解剖，总不能胡乱给人家开膛破肚。后来地坛医院的刀大夫来了。他的姓名起得真是名副其实，一把‘好刀’，可这把‘刀’在那天没有用上。”沈壮说：“我们到医院后，医院给我们提供的条件就是太平间外面的一间破屋。解剖用具都生锈了。刀大夫是好人，蹲下身子，在一块石地板上磨了起来。那时还天寒风急，我心头感慨颇多。一句话：有点儿心酸！”

采访陷入暂时的沉默。

沈壮很快恢复情绪，继续说道：“事先有人告诉我们说李某的尸体装在 8 号大铁柜内。但扛到外面的小屋后，我们发现这具尸体上没有标死者的身份，任何标志也没有。刀大夫说，这不符合解剖尸体的基本要求，不能做。我赶紧找医院的人来认，看太平间的一个老头，远远地站在几十米外的地方，嚎着嗓门说，没错，就是他！刀大夫阴着脸看着我，说你决定吧。我想了想，还是觉得死者没有身体标志不能解剖，心想如果搞错了，采集的标本也失去意义，而且还可能是一种危害。鉴于上述情况考虑，我决定停止解剖。重新把尸体放入太平间 8 号铁柜。”

沈壮对没能将李某的尸体进行医学解剖十分遗憾。“因为李某基本上是个大家通常说的‘毒王’，对其尸体进行病理解剖，采集其标本是非常有价值的，可惜……”

“你们后来对李某进行没进行流行病调查？”我非常关心这个问题。

“当然做了的。”沈壮介绍说，后来他们对李某乘坐的那趟CA112航班进行了“密切接触者”的追踪调查，了解到以下情况：与李某同坐CA112航班的有一个香港旅行团，其中8人传染上“非典”或成为疑似病人；有4名台湾客人在这架航班上被传染；航班上有2名空中小姐被传染，她们是内蒙古民航工作人员，因此她们也成了内蒙古自治区“非典”传染源之一；该航班上另有3名普通客人被传染，其中一名是中央某部委的副司长。此人又于3月17日到泰国出差，23日回到北京。在从曼谷回北京途中，此人已经严重发烧咳嗽，坐在他身边的一位外国人，正是后来死在北京地坛医院的“非典”患者、国际劳工组织的派克·阿罗先生。那位副司长坐在B号座位，阿罗坐在A号座位，成为真正的“亲密接触者”（很奇怪，这架飞机上的另外290多名乘客都没有患上“非典”）。沈壮调查的结果证明：那位副司长已经知道自己可能得了“广东非典”，所以他一上飞机就比较注意用手和纸挡着咳嗽与透气，但派克·阿罗先生和他接触太“亲密”，则是显然的。阿罗先生是外国人，他从泰国回来就医自然要到平时专为外国人看病的地坛医院。据了解，北京市最初没有将地坛医院列为“非典”指定医院，由于阿罗的出现且抢救阿罗的过程中又有一些医务人员被传染，地坛医院也被列入后来的“非典指定医院”，并成为在收治众多“非典”患者中立下汗马功劳的战场之一。需要指出的是，阿罗从泰国回北京的时候，他乘坐过一辆出租车。而后面要叙述的那位经常到机场接客的出租车司机王某在几天后出现高烧，又成了一位奇异的“毒王”！

“但被李某传染最多的还是东直门医院的医务人员。”说到这里，沈壮这位刚强的汉子的眼睛里噙满泪水。“他们医院从接收李某之后的第三天，就开始有一批批的医生倒下。有一天我的手机突然响起，我一听是东直门医院的急诊室主任刘清泉的声音。清泉与我年龄相仿，我们在抢救李某的日子里成了朋友。‘你怎么啦？’我听到对方的声音是颤抖的，而且伴着轻轻的哭泣，心头便一下紧了起来。‘沈壮，我们是不是朋友？’刘清泉说。‘还用问？快说，到底什么事？’我急着问他。‘我妻子已经确诊被感染了……’刘清泉说到这儿便哽咽得说不上话。我一听眼泪也跟着出来了，我知道清泉在医院和他同事面前绝对不会掉眼泪的，也绝对不会用这种乞求的口吻跟人说话的。作为朋友，作为共同奋战‘非典’的战友，我当时忍不住责问他说：‘你怎么能回家呢？’我想说的是，你刘清泉是知道‘非典’厉害的呀！清泉在电话里诉说道，其实他没有回家，而且那几天根本回不了家的，抢救李某的战斗还在进行，而身边的同事一个个倒下时他怎么可能回家嘛！在一个个同事发烧确诊为‘非典’时，清泉他也感到了体温在升高。可他看到医院当时的情况，没有向别人说，他硬顶着。他凭自己所有的医学知识和在抢救李某过程中所了解的一些‘非典’情况，他判断自己可能是太累了才发烧的（后来证明他就是这种情况，可他忽视了另一个情况——他在抗非一线，接触的毒素太多，他的身体里也确实存有病毒）。清泉在自己不适的那两天，感到嘴干舌燥，于是给妻子说他想吃点稀粥。动完乳腺癌手术不久的妻子就煮好粥，送到医院。见丈夫有气无力的样子，就喂他吃粥。‘你救救她吧，帮帮忙把她送到佑安医院好吗？’清泉再一次哭泣着乞求我。当时我的眼泪再也忍不住了……我对他说，你放心，这事我来办。于是我迅速与佑安医院联系，并且以最快的速度将清泉的妻子转到目的地。那些日子里，清泉总觉得对不起自己的妻子，是自己害了爱人。正好这时的佑安医院由于接收大批患者，一线医务人员不够，清泉说让我去吧，我有些经验。

清泉后来真去了，他两头跑，一边是自己所在的东直门医院处在大面积交叉感染的危急之中，一边是包括妻子在内的大批确诊病人在佑安医院处在生死线上。可是苍天无眼，清泉的妻子最后还是走了，30多岁，身后留下一个8岁的男孩……”

沈壮说到这儿，几度语顿。

我们一起沉默着，以男人独有的方式，一支一支地接上烟头，猛烈地吸着。而此刻我们的内心像巨浪般翻腾……

“东直门医院的危机还在继续之时，我们CDC人员和北京市卫生系统的人都没有想到一个更可怕的袭击又在迅速形成。那就是前面提到的司机王某的出现。”沈壮把手中刚点燃的大半截烟掐在了杯子里，说。

一个更大的传染源出现了。

3月25日晚上，王某觉得自己不舒服，便开车到三里屯的武警北京总队医院就诊。童医生给王某诊断后，留下王某在单间病房观察。3月26日，王某的肺部阴影开始大面积扩大。当时武警总队医院就怀疑王某可能是“非典”，但大家都没有接触过，也不知道它的传染性，故建议王某到治疗呼吸道传染病技术比较好的朝阳医院诊治。

3月27日，王某从武警总队医院出来，到了朝阳医院就诊。“根据前面几个医院特别是东直门医院的‘非典’传染情况，北京市卫生系统已经重新布置了另一批医院开设发烧门诊，朝阳医院在王某去治疗时的前一天也开设了发烧门诊。所以王某去后，朝阳医院经过诊断，很快确诊此人是疑似‘非典’患者。医院一方面留下他在隔离室观察，一方面跟我们CDC联系送他到佑安医院。第二天我们把王某转送到了佑安医院。”但还是同样的原因，武警总队医院和朝阳医院由于都对防备“非典”缺乏认识和了解，像朝阳医院虽然有了发烧门诊，可并没有好的防护条件，医务人员仍然没有足够的防护意识，因此他们在收治王某之后所付出的代价比东直门医院更为惨烈。

“惨烈”这个词我是慎用的，但在此也只有这样的词能够形容这两个医院遇袭击之严重程度，而且需要指出的是后来像北大附属的人民医院及几个校园出现的“非典”传染与隔离，其主要传染源正是从这两个医院出去的。

王某被送进佑安医院后，经过一段时间抢救，最终没能活下来。但因为年轻和身体素质好，撑的时间也比较长，到5月初才死亡。许多被他传染的医务人员却死于他之前。像北京“抗击非典战役”中第一名被追认为烈士的李晓红，是4月16日牺牲的，年仅28岁。王某自己的家庭也受到严重传染，其父母、丈母娘和姐姐都死在医院。全家共有8人得了“非典”，后来有相当长一段时间还有他的亲属住在医院。

王某进入朝阳医院后，由于当时需要对他进行观察，所以他在发热门诊室待的时间比较长，这就给当时那些不了解“非典”到底有多大传染力的医务人员带来了巨大危害。在王某上朝阳医院就诊的第四天（3月31日），毕维杰、张锦等5名医务人员就患上“非典”而倒下，他们共为四女一男，都是在收治王某时与他有过接触的人。如23岁的女护士张锦，她是给王某扎针、采血和打点滴时被传染上的。第一批倒下的医务人员尚在紧急抢救之中，仅隔一两天时间内，又有刘菲菲等8名医务人员倒下，这回是七女一男。人们赞颂医务工作者为“白衣天使”，我想就是因为在一座座医院和一张张病榻前，出现最多的总是那些如花似玉的女子。

在王某就诊的第五天，李晓红医生就倒下了。这之后的一个星期内，武警总队医院又有十几名医生相继倒下。一天比一天严重的疫情，使得当时的武警总队医院陷入困境。医院所在的三里屯是外国驻华使馆的聚集地，一旦危及各使馆，就不是简单的疫病问题了。在4月初隔离后，医务人员和住院患者中又不断出现一批批的“非典”感染者。情况可谓万分火急，他们不得不以最快的军事化方式，将70多名患者转移至北京市郊的大兴武警某基地，以便获得完备的救治。撤离本身并没有错。撤离的目的就是想更快地控制疫情，更好地救治患者。

沈壮所在的CDC很快得知这一情况，他们和卫生局的干部火速赶往大兴。经过协商，做出如下决定：凡武警患者由武警部队自己转运到如302等部队医院救治，凡地方“非典”患者转运到北京胸科医院等指定“非典”医院救治。

武警总队医院在4月初对该院的患者进行大转移时，还有一些前期到过该院就医的散落于市民中的患者则流离于控制之外。4月7日到人民医院就诊且后来造成整个人民医院更大面积传染的秦某，就是其中的一个。她的母亲早先住在武警总队医院，治疗糖尿病，后感染上“非典”，死在了武警总队医院。秦某没等处理完母亲的丧事，自己便出现了发烧症状。于是急着走进了同样没有设防的北京市一所著名的综合大医院，这便是每日门诊量在千人左右的人民医院。

一场更为惨烈的“非典”袭击，正等待着北京市民。

那真是山摇地动！

……

作为一个突发事件，一种危及人民生命的疫情出现时，人民需要最及时最准确的相关信息，这是基本的道理和社会准则。只有把人民的生命和利益放在高于一切的位置上，这个政府才是人民信赖的政府，才是有作为的政府。

看看胡锦涛总书记领导下的党中央“抗非”决策，看看温家宝总理为首的国务院指挥下的全国“抗非”斗争，看看北京市委、北京市人民政府后来所采取的种种措施与做法，看看北京市后来为什么能迅速扼制疫情的蔓延，在短短时间内取得与“非典”战斗的决定性胜利，并且受到市民们的广泛赞誉和信赖，这就是党和政府采取了坦诚、透明、坚决、果断和认真负责的态度的结果！

人民因此无限信赖和热爱他们。

第三篇　“的哥”和我都哭了……

“妈妈，你怎么走得这么快啊？”4月初的一个早上，当秦女士接到武警总队医院通知她母亲患“非典”已死亡时，当场哭昏在地。她怎么想得到患糖尿病的母亲会在转眼间变成了“非典”患者并走得这么快！

那时“非典”患者的家属还不是特别清楚自己的亲人为啥突然死亡，而且死得那么快。因此，秦某的心境非常不好，加上前期在医院陪床，已经被拖得很累。母亲没了，秦某的心空荡荡的，也吃不下饭。到第三天，又是咳嗽又是发烧，当时她还以为自己是累的，想吃点药可能就过去了。哪知4月5日到人民医院门诊就医，医院觉得她的症状有点像“非典”。“当时虽然听说东直门医院等已经有‘非典’病人了，可到底‘非典’是什么样，说实话我们也不清楚，更不知道应该怎么收治。所以秦某上医院门诊后，我们就把她放在观察室留观。而那时医院的观察室没有什么特别的隔离措施，这让我们人民医院埋下了恶性传染‘非典’的祸根。”该院的一位工作人员事后这么说。

那是真正的恶性！

人民医院是北京著名的三级甲等医院，到2003年已经有85年历史，每年到此就医和住院的患者高达百万人次！为了能够让更多的市民到此方便就医，医院在设计时以尽量节省空间和方便快捷为原则，所有化验、门诊和收费窗口都尽可能安排在一起。“非典”就像一个杀手端着冲锋枪走进了人群聚集的地方。

秦某在留观期间，旁边是十几个其他病患者，他们后来大多没有逃脱“非典”的传染，其中有一位心肌梗死患者转到心脏内科，一人就传染了11名内科医生。那些内科医生哪知这位患者与“非典”重症者秦某有过“亲密接触”，完全在不设防的情况下又不断传染给其他的同事和家人……4月17日，在向外转出29名患者后，人民医院于当晚关闭了急诊大厅间的天井，意为安排成批的留观患者所用。哪知原本就通风不良的急诊环境更加恶劣，致使急诊药房、急诊检验、急诊收费和近邻的其他几个科室均处在由于空气不畅的状态，而形成了“非典”强大的交叉感染区。

人民医院终于哭泣了，哭得那么悲恸。人们目睹着患者一个又一个地倒下，一批又一批地倒下，却无能为力……于是，医院上下，医院内外，一片恐慌。那些来看病和正住在医院的患者听说“非典”蔓延后能逃的就逃，不能逃的也纷纷想法远离医院。原先在医院干得好好的清洁工和护工扔下一个月几百元的“瓷饭碗”，不辞而别，“非典”病房内的清洁工作和后勤工作不得不由医生护士来完成，这使得又一批医生护士感染上“非典”而倒下……

人民医院再也无法承受这打击，于4月19日、20日、21日，连续3次向上级部门打紧急报告，请求停止急诊和门诊。中国CDC派出首席专家曾光前去调查核实。“情况属实，建议立即关闭所有门诊急诊。”曾光的结论给灾难深重的人民医院带来转机。

4月24日，整个医院被市政府宣布隔离。5月初，人民医院向市、区两级CDC报告的“非典”患者高达200余人，其中本院的医务人员就有89人，年龄最小的20岁，最大的63岁，他们中有相当一部分是医院的骨干和专家。

与此同时，我们知道从人民医院那儿传染上“非典”的患者仍然在北京其他医院不停地就诊看病，先是中央财经大学出现“非典”暴发，继而是北京交通大学又暴发疫情，北京大学、清华大学、北医三院等地方的疫情也频频而起。

北京城彻底陷入了恐慌的状态。

学生开始成群结队地离校；民工开始成批地乘火车、汽车逃跑；有钱人驾着车、搭上飞机匆匆离开北京……

普通百姓扑向商场食品店，卷起米面油盐醋往家奔跑……

一个个机关大门开始关闭；一座座小区实行封锁；一条条街巷没了行人和车；市民们躲在居室不敢出门，惊恐地睁着双眼看着外面那个黑云压城的慌乱世界……

一天，一辆公交车上一个抱孩子的妇女咳了几声，全车人立刻吆喝司机赶快停车，随即争先恐后跳下车，路近的人干脆步行，路远的纷纷招手“打的”。

“的哥”问：“那公共汽车上出什么事了”？乘客说：“上面有人咳嗽咳得厉害，可能是‘非典’”。“的哥”一听，脸色煞白，忙推说：“车子没油了，我要去加油。”说着，车子“哧溜”开走了。

“喂喂，我又不是‘非典’！停车停车！”乘客一边喊着，一边追赶。

“的哥”早已溜回自家的巷口，想把车开进大院。

“不能进！你们出租车整天在外面拉人，谁知道有多少‘非典’患者上了你的车。为了你的家人和全院人的安全，我们不能让你进去。”几位老太太严防死守着铁门，任凭“的哥”怎么说，就是不让进人进车。

“的哥”直蹬脚，“我、我……这到底是怎么啦？你们不能不让我回家呀！要是我家有人得了‘非典’谁救他们呀？”

“啊？你家有‘非典’病人哪？”老太太们一听，吓得四处躲避，一溜烟人走巷空。

“的哥”抹干泪，走进自己家的楼门，敲了几下，没见动静。又敲：“我回来啦，怎么不开门呀？”

“知道你回来了！可你不能回家，孩子要被你传染了怎么办？”里面的女人说话。

“的哥”一愣，说：“你们怎么知道我会传染‘非典’？”

里面毫不留情地说：“我们怎么知道你不传染嘛？你整天在外面拉人……”

“的哥”有口难辩，只好问：“我总不能睡在门外面吧？”

这时门突然开出一条缝，缝里甩出一条被子，门又猛地关上。“你就今晚先在外面睡。不为大人想，也该为孩子想想。”

是啊，孩子比什么都重要。“的哥”想想也是，于是便无奈地卷起被子，蜷缩在墙旮旯。真的累了，不管怎么说，先睡一觉再说。

“你别睡这儿呀！离我们门口这么近不行！”突然，对门的邻居在里面高声嚷嚷道。

这是“的哥”想不到的事，他火了：“你们以为我真是得‘非典’了呀？”

“你不是‘非典’为什么你家里人不让你进屋？”

“我……”“的哥”有口难辩，抱起被子就往楼下走。

他重新回到车里，一狠心：上路拉活去吧！

车子发动起来，轮子向前飞奔。“的哥”突然发现今晚的大街上，行人这么少，车子这么少，一条平安大道，竟然从西到东，没遇见几辆车……

“这么大的城市，见不到人，见不到车，那种情景，不是亲身感受你是无法想象出来的。一句话，比进地狱还吓人。”一个多月后，这位“的哥”依然心有余悸地说。

我就是在那时看到了这位“的哥”，而他也看到我——准确地说是看到了我们全家。

我、女儿和家人，全副武装的几个人：都戴着双层口罩，都戴着厚厚的眼镜，都穿着臃肿的衣服。

“的哥”下车给我们开车门，他的超常规动作，叫我感动。而他的话却更让我意外：“谢谢你们，谢谢你们今晚给我开了彩……”

“北京这是怎么啦？大哥，你说这‘非典’到底是怎么回事？咋弄得大街上一个人也没有啊？”他竟然哭了起来，哭得那么伤心。

兄弟啊，你哪里知道，我们还有比你更痛苦的心路历程呀！我心里这样说，嘴上却不敢对他说，因为他不知道我们一家三口刚刚经历的一场“劫难”比他经历的更加恐怖。

“的哥”将我们送到目的地后，一连向我说了三个“谢谢”。

红色的“的士”消失了，长长的街头恢复了死一般的寂静。

回到家，疲惫的女儿入睡了，家人则在阳台上一遍又一遍地用高强度的消毒药水在我们刚刚脱下的所有内外衣上喷洒着。而我怎么也无法抑制波澜起伏的心潮，独自久久地站在阳台上，俯视着眼前这个正在被“非典”奴役和摧残的城市……

那一刻，我发觉自己泪流满面。

那一刻，我突然联想到了二十多年前自己在部队参加一场流血的战争时的情景。

我怎么发现眼前的“非典”竟然会让我感到比当年参战时的那种心境更加恐惧？呵，我明白了：与敌人拼杀的战场上，我去了，死的可能只是我一个人，死了也会很光荣。可这“非典”不一样，它让我看不到，它让我感到自己的生命不属于自己，而是属于我的家庭，属于我的同事和单位，属于周围的环境，属于这个城市，属于看不见摸不着的空气！

就在10个小时之前，当我居住的整个北京城人人都从单位和大街上躲进自己的家里，人人都关紧自家的门窗，以家为战，消毒反击，堵疾防魔时，刚因停课回家准备高考的女儿在下午3点左右，开始不停地咳嗽，不停地说她胸口难受。我和家人手忙脚乱地让她躺到床头。然后开始测量体温……

“37.5℃”，第一次测量，就吓了我们一跳。

家人忙着找药，而我则忙着打开电脑，上网寻找“非典”的特征。网上的“非典咨询”都这么说：体温在38℃以上，伴有咳嗽，肺部有阴影……

吃药，继续测量体温。半小时一次。

下午4点半以后，女儿的体温上升至38℃，而且居高不下。“我难受，爸爸，我难受呀……”女儿的每一声叫喊和哭泣都揪着我的心。我成了热锅上的蚂蚁。

家人守在床头，负责测量女儿的体温，而我则不停地翻阅网上的“非典”知识，又不停地想拿起电话咨询“非典”热线——可这一项又不敢轻易使用，因为知道一旦暴露家中有38℃高烧者，当时的情况下准会被视为“非典”患者。“120”急救车说不准马上开到家门口。

我不想这样简单地把女儿划进“非典”患者里去。

我们全家谁都不想这样简单地被划进去。

是，还是不是？如果是，该怎么样？如果不是，谁能保证？是送医院，还是不送？如果送医院，要是不是“非典”，不是自找传染的死路吗？可如果是，晚送了耽误治疗时间怎么办？

我和家人激烈地争执着，每一次给女儿测量体温后，都会在另一个房间里谁也不让谁地争执着。

我感到自己要崩溃了。我甚至已经做好一切心理准备：假如女儿被传染上“非典”，被急救车拉走，我一定毫不犹豫跳上车，与她一起走进病房，每一分每一秒都一起战斗。那一刻，我觉得什么都可以不要了，我只要比我的生命更重要的女儿！

女儿还在哭泣和叫喊。我无法在她床头待着，我的焦虑已经使我失去了作为一个父亲能够克制的情绪——我强装若无其事的表情走出电梯，又走出大楼，我看看周围没有一个人，于是躲到台阶的一侧，然后无比痛苦地扬起头，闭上眼，又合拢双掌，默默地祈祷了三声：老天，请你无论如何保佑我的女儿平安无事。

这是我平生第一次向苍天求助。

女儿的高烧不退，家人的药物治疗不见显效。我们全家需要做出选择——医院是唯一选择的地方。而医院在那时是最危险最容易传染“非典”的地方。

我们不能不去了——在无法自我排除“非典”的情况下，只能选择去那个最危险的地方——去医院在那时等于是在死亡阵地上寻找一根救命稻草。

深夜11时左右，我们一家几口全副武装地走出家门——其实也就是戴上两个口罩，多穿些衣服而已。出门后，好不容易打了一辆“的士”，还不敢对司机说上医院。

车至医院附近的100米处停下。我们一家人走进北大医院，发烧门诊大夫说还不能进去，“刚消毒，得等一小时。”

家人悄悄对我说：“还是上普通急诊去看吧，进发烧门诊不等于接触一次‘非典’嘛，不是‘非典’也会感染上‘非典’了！”

想想也是。于是我们带女儿上了医院一层的普通急诊室。当走进急诊室的那一刻，我的心猛然一紧：完了！

我眼前所看到的是楼道里的一个个疑似“非典”患者，他（她）们或是有人搀扶着，或是横七竖八地躺在走廊的椅子上哼哼着……

门诊的医生全副武装，我也在此刻看到了防护服。那医生穿的是罩式防护服，就像电焊工头上戴的那种。她每会诊一个病人就拿起消毒剂在空中喷射一次，一个十来平方米的门诊室，涌进长长的队伍，我想不传染上只能算是上帝开恩了吧……我已经把自己列入“非典”候选人。

排队半个小时左右，医生让我女儿到另一个诊室拍胸片。

20 分钟后，X 线片出来。“没事，肺部清晰。”医生递过片子。

我们一家人都不约而同拍拍胸口：老天爷!

紧接下来是验血。我让女儿和家人远远地在医院外等着，而我则回到化验室等着，一分钟一分钟地等着——因为这是排除“非典”的主要依据之一。

25 分钟后，化验单子出来。我赶紧出医院交给家人看。

“没事。”当过医生的家人这时恢复了自信。

又一个没事。那一刻，我的心——其实是我们全家的心才算定了下来。

上面的那位“的哥”就是在我们回家的路上遇见的……

第二天清晨，女儿的高烧已退。而我们的生活开始了新的内容：早晨起来，先是打开所有的门窗，再在所有的房间喷射消毒剂。特别是门把手，要进行反复消毒。再在与邻居的接触地段，“狠狠”地喷射高量消毒液；吃饭时，相互监督谁没洗手；出门时，检查口罩戴了没有——能不出门的尽量不出门。上班不能乘公共汽车，也不能“打的”——单位里已经这样明确规定了。有趣的是女儿一反常态，对还需上单位值班的我特别关心起来，只要一进门，就先让我站在门口，把鞋脱掉，再将外衣脱下搁到阳台。然后监督我到门口处用消毒液洗手，洗完后再进里屋在一只同样盛有消毒剂的盆中再洗一次。然后跟在我后面，不停地朝我身上、头上喷射由她妈妈配制的稀释消毒剂——我呢，每每女儿这样做时，都自觉地配合。这样的生活方式在北京这一年的四五月间，几乎成了常态。只是我们一家比别人多了几分紧张，因为我们全家都到过一次医院。那时得“非典”的人在别人眼里就是

“瘟神”，而发高烧的人则几乎都被视为“非典”患者，如果你到过医院，则仿佛已被死神抱住了——也不能怪公众有这样的恐惧，因为几乎百分之八十以上的“非典”患者都是在医院传染的。事后我才知道，那晚我们全家去的北大医院，那几天正处在“非典”患者就诊的最高峰。“24号人民医院被隔离后，在西城的‘非典’患者和发烧疑似患者全都涌到了北大医院，由于定点医院床位紧缺，那些已经确诊的‘非典’患者和需要留观的疑似患者送不出去，只能躺着等在门诊室的走廊内外。那些日子里，天天都是这个样。”西城CDC的张震科长在接受我采访时这样说。

数日后，我们全家安然无恙，逃过一劫。那种情况下我才有心境将精力和目光从自己的家庭转向外面的世界。

此时的北京城已经完全发生变化。

“国难当头”，成了许多官员和民众的口头禅。

那时北京城里的空气是凝重的，人们的脸上没有一丝笑容，相互之间看不清对方的表情——口罩将一切痛苦的表情挡在后面。

一条“短讯”，可以在不到一天之内，传遍全市。

“某某时间要封城了！”

“某某夜间要飞机喷药，请关好你家的门窗！”

谣言和消息就是如此迅速传播的。人们虽然不太相信有些玄乎的“短讯”，但采取的态度是“宁信其有，不信其无”。

那些日子里，市民们的生活这样度过：

有车的，想跑到市郊，但他们常常被当地的农民赶回来。“告诉你们，不能从这儿通过，更不能进我们村。”农民们警惕地把守着自己的家园。甚至有的村民手持菜刀，列队排在村口的路中央，电视里播出过这样的画面：一个村子不仅将全村四周全部用铁网和砖墙围得严严实实，而且把村口的那条通向外面的公路拦腰斩断——路中央挖的坑足可以填进两台坦克。

没有车的人，待在家里，成天开着电视——电视里整天是关于“非典”的节目。那时一天学的预防“非典”和“公共卫生”的知识比以往半辈子学的还要多出几倍。

人们的防范意识超出了想象。在管好自己的前提下，用全部的精力注视着周围一切可能出现的漏洞。大家有个共同的认识：要真正地保护好自己的生命，就必须关注别人的和周围的生命是否安全。

“一个僧人发烧倒在马路上，我们竟接到20多个电话。”120急救热线的工作人员告诉我。当急救车前往事发地拉走僧人后，他们又接到了30多个市民电话，是市民在打听那僧人是否是“非典”患者。市民说，如确诊那僧人是“非典”患者，我们所有近距离接触过他的人就都得赶紧消毒和防范呀！可不能有一丝马虎。“瞧瞧这警惕！”

家住东城的李某一家四口，突然发烧了。在犹豫去还是不去医院时，“120”急救车已经到了他们家门口。原来，邻居听到对门不停的咳嗽声，就打电话叫来了救护车。

这就是“非典”时期。个人的生命不再属于你自己，你要保护自己的生命，就得以同样警惕和呵护的心态保护别人的生命。

小黄是外地民工，负责一个居民区前的两条大街的清扫工作。这两条大街是人来车往密集的地方，有5路公交车的车站靠近居民区的大门口。平时的车站旁，满地都是扔弃的垃圾，小黄扫除时，常常被乘车的人口出秽言骂：“你没长眼？想往我身上扫？”

“非典”来了，大街上突然没了人影。公共汽车偶尔来一辆也不见几个人上车。小黄的活儿顿时轻松了许多。有些日子小黄也想歇了，据说“非典”能从空气里传播，大街上也不安全。可小黄发现大院前的马路边不知什么时候又堆起了垃圾，他扫尽后，刚想按常规倒入附近的垃圾箱。

一群居民追过来，询问他："喂，小兄弟，这垃圾不能随便倒，得放到安全的地方。"

小黄不解："那该倒在什么地方？"

居民："应该拉到垃圾集中的地方。"

小黄："那得有环保师傅拉走才行，我可没能耐叫他们来。"

居民们："这你甭管，我们来。"

不一会儿，环卫车还真来了。是居民们给卫生局打了电话。

小黄扛着扫把要回宿舍。

"慢着，"居民们将他叫住："你是住在地下室？"

小黄满脸狐疑："是。"

有居民送上两瓶 84 消毒液："每天在房间里喷上两次。"

当他回到地下室刚刚洗完脸，一群穿白大褂的人已经进来。领头的一个人对他说："我们要改造一下你这间房子的通风设施。"

小黄愣神之间，几位穿白大褂的人七手八脚地忙碌了起来……两小时过后，在房间里从来没有吸过新鲜空气的小黄，重重地做了几个深呼吸，那气儿真清新，他感到特别地惬意。

第二天，小黄举着扫把，正要出门干活，突然发现门口堆着两筐水果、蔬菜和一堆营养品。上面还有一张条子：小伙子，注意你的身体。有情况随时与我们联系。本楼居民每一刻都在关注你。

市急救中心的几十名司机，从投入战斗以后，不分日夜，天天都在与"非典"争夺患者的生命。每一次白色救护车所到之处，人们就像躲避瘟神似的远远躲到一边。如果迎面遇见一辆私家车，那车子的主人便会以最快的速度将敞着的玻璃窗摇起。有一次马师傅的车稍稍挨路边近了些，一位 50 岁上下的大婶竟然为躲他的车子，连人带自行车倒在了马路上，造成骨折。"其实当时我们的救护车离大婶至少还有 3 米远。"马师傅事后说。

"大婶，你伤着了没？"马师傅赶紧停下救护车，想上前扶一把受伤的大婶，谁知那大婶惊恐地连连朝他摆手 :“你别过来！你别过来！”

马师傅立即止步，开始他没有反应过来，后来一看自己全身穿着的白色防护服，终于明白怎么回事。

“我就是摔死了，也不要你来扶我！”那大婶一边在地上打滚，一边冲马师傅说道。

那一刻，与“非典”出生入死搏杀的马师傅只觉得鼻子酸酸的……

“孩子他妈，我今天到咱家附近的一家医院拉病人，我能看一眼你和儿子吗？”在又一次执行任务前，马师傅打电话给妻子。

“行啊，我带儿子去看你。”妻子兴奋地说，又突然疑惑起来，“你穿了防护服，又不能接近你，我们哪看得到你呀？”

马师傅说 :“你们在 100 米左右的地方站着，到时我向你们招手不就行了？”

“哎。”妻子显得很高兴。

马师傅和车队的战友们浩浩荡荡地开着救护车驶向那所收治“非典”患者的区级医院，行动是在深夜进行的。进去的时候，马师傅根本来不及环顾一眼周围的情况，每一次转送“非典”患者的行动就是一场突击战，分秒必争。

一场激烈战斗结束，几十名患者被安全转到急救车上。就在马师傅他们临登上驾驶室的那一刻，他看到了远远的地方站着他的妻子和儿子……

马师傅赶紧举起右手，向妻子和儿子的方向招手。

啊，她和儿子看到了他，也回应着招起了手。

马师傅的鼻子顿时发酸，一直酸到心窝窝……当他再抬头朝妻子和儿子望去时，发现她的手犹豫地放下了，稍许才又重新高高地举起。

马师傅赶紧再度举起自己的手，频频挥动着。

“上车吧上车吧，别再招手了啊！等战斗结束后，我放你们 10 天假！快快上车吧！”是队长在说话。

马师傅以为队长在说自己呢，可当他转头那一瞬间，马师傅惊愕了：原来他的队友们都一个个高举着双手在向他的家人招手呢！

“喂喂，哥们，那可是我的妻子和儿子呀！我们是有暗号约定的，你们都招手了，他们怎么看得见我是哪个呀？”马师傅有点急了。

“老马，你别太自私了，婶子他们是来看你的，可也是来看我们的嘛。在这个时候有人向我们招手致意，我们心头热乎啊！老马，你一定代我们好好谢谢婶子。”

这回，马师傅的眼泪终于忍不住了。他再次看到几十只战友的手臂高高地举向自己的妻子和儿子，挥动着……

第四篇　救命的“八味方”

什么叫战争？战争就是你死我活的战斗与争夺。

“非典”把过了几十年太平生活的北京人，在一夜之间卷入了全面的战争状态。承认也好，不承认也好，那一刻，对所有北京人来说，是那么的突然。无论你是普通百姓，还是国家干部。不宣而战的“非典”，牵动着亿万人的神经，这是一场全民的抗战，不能延误！

4 月初，惨遭“非典”袭击的东直门医院正处于生死存亡的紧急关头，北京市民通过各种渠道惊恐万分地传递着那个“SARS 疫魔不可治、患则死”的可怕传言。

有位叫姜良铎的中医专家，开出了一帖后来广为流传的“八味方”，亦称“姜八味”。这“八味”分别是：苍术、藿香、金银花、贯众、黄芪、沙参、防风和白术。

北京人在获得越来越多的“‘非典’是治不好的瘟疫”信息之后，在恐慌中见什么信什么。4 月 8 日，“姜八味”在《北京晚报》刊出，从此燃起了北京百姓心目中的“非典”战争硝烟……

下午 2 时，刊登“八味方”的首期《北京晚报》刚刚到市民手中，北京医药股份有限公司董事长陈济生的办公室内响起一连串急促的电话声。这位在医药界久经考验的“京城女药王”在那一刻突然惊呆了：“什么，中药房的药材全线告急？”

“走，去看看到底是怎么回事！”陈济生顾不得披上外衣，向自己的助手招呼一声后风风火火地走出办公大楼，直奔大街对面的公司所属“医保全新大药房安定门药店”。

“你们是怎么搞的，人都要死了，还不快点抓药给我们！”

“对啊，你们不是医保药店吗？保谁呀？是保你们自己，还是保我们老百姓呀？”

“能不能动作麻利一点嘛！我们已经排半天队了！”

陈济生人未到药店，却远远看到长长的队伍从药店的门口一直排到大街上。喧哗吵闹的顾客，说什么的都有。他们高举着报纸，充满焦虑地喊着、嚷着……

“老郑，库里还有货吗？”陈济生费力地挤过人群，气喘吁吁地走到柜台前，问正在与职工一起恨不得能多长出几双手去抓药的店长郑志新。

“哎呀陈总你可来啦！这可怎么是好呀！我们哪受得了这么多人来买药啊……”郑店长一边擦着汗，一边哭丧着脸嚷。

陈济生一把将他拉到一边：“其他的你什么都别说，我就问你：库里还有多少货？能供应到什么时候？”

郑店长一跺脚：“你看这一拨又一拨的人！我看最多能顶到明天。”

陈济生：“好，你现在就去告诉排队的人，说我们的药保证能让大家都买得上！”

郑店长用胳膊一抹额上的汗，说：“行，我去说！”他绕过柜台，踮起双脚，向排队的顾客大声说：“大家不要着急，保证都能抓上药！”

“喂，仓库吗？你们给我查一下存货，看看还有多少中药饮片，查清后让物流部门全部立即送到全市所有连锁店。听明白了吗？全部、立即给我送到店面上！”陈济生拿起手机，一连打了七八个电话。

几十辆“全新大药房”货车转眼间出现在北京的大街小巷。

陈济生和助手本想离开药店，却被眼前一拨更比一拨长的买药人牵住了。于是她将袖子一挽，走进药铺，与忙得满头大汗的店员们一起抓起了药……“别急别急，我们会尽量保证大家都能抓上药的。”她嘴里不停地向抓药的市民说道。

“你这位同志说得倒比唱得好听，你看看门口的人有多少嘛！”有人提醒她。

陈济生抬头向门外探望了一下，再看看墙上的钟：午夜12点整。还有那么多买药人啊！她的心头紧揪起来：这可怎么是好啊？！

黎明时刻，陈济生和店员们已经累得双手和眼皮都抬不起来了，刚想喘一口气，却见店门口排队抓药的人比前一日多出几倍！

“我们要订5000副！什么时候可以抓好呀？”

“8000，我们要8000副！马上就要！”

“给我们订1万副！大学生们都等在那儿呢！必须立即给我们，否则出了事你们负责！”

“我们也要1万副！我们是部队，你们不能不给啊！”

“我们是中央单位，你们也得保证！”

陈济生此刻才意识到自己这个“大药王”也是空有虚名。在几千万人口的大都市里，一旦人人都争着想要一样东西，这个世界上不会有哪家企业和哪个政府能够担当得起的。

但必须有人出来承担！

这时，满堂哄抢的药店里，挤过来一位年轻人。他本想向买药的百姓们说上几句安慰的话，他说了好一阵子，可没人听他的。人们依旧焦虑地拥挤着、争抢着抓药，仿佛抓上药就是抓到了求生的一线希望。

陈济生和郑店长认出了这位年轻的副市长。

这位副市长紧锁眉头：“看这阵势，还得准备更大的供应量！”

“除非你和药检局同意我们改手工抓方煮药为大机器生产方式煮……”

“不违反药检相关规定？”

“药检规定可以在特殊情况下如战时状态下变更，譬如可采用机器煮提药液。”

“现在就是战时状态，干吧！对了，通知同仁堂等一起上！”一锤定音。

陈济生受命后的第一时间内赶到双鹤药业公司，亲自看着成吨成吨的中草药装进大罐桶内浸泡、调配、起火、转动……好家伙，那是真正的大机器煮药啊！

巨大无比的炉桶，轰鸣震天！日夜不停，开足马力。

同一时间，京城百年“大宅门”——同仁堂老店的后院，更为壮观：原有的大大小小煮药灶、煮药房、小桶烧、大桶浸的所有药具全部用上，而新添置的十几口硕大无比的煮炉更是火焰旺旺，热气腾腾……

大机器煮提，一天能供应 10 万副“八味方”！

10 万副还不够！各药店告急。

10 万副不够就再加到 15 万副！

15 万副一天还不够！市民们骂死我们啦！药店老板向陈济生报告。

日供 20 万副！领导下令。

20 万副早晨送市场，午后便被一抢而空。

陈济生想哭，却哭不出来。要哭也没有眼泪，只有血水——百姓们把“八味方”当成了唯一的救命稻草，而“八味方”的疗效只有天知道。

“八味方”从 4 月 8 号一直供到 4 月底的 20 多天时间，全市共卖出 800 多万副！其中 23 号和 24 号最高峰时，日售量高达 29

万副和 29.5 万副！

北京市民疯了！但疯了并不要紧，要紧的是死了才真正可怕！

防护服 ：从几百套到 200 万套

“4 月 17 日中央开会，当晚市领导找我等人谈话，告知当时的疫情，我听后真感到害怕。18 日市经委通知我出任‘抗非’物资总指挥。19 日物资保障组升格，成了市‘抗非’指挥部的一个小组，组长也由一名副市长担任了。当日我出任物资组办公室主任。20 日卫生部长和北京市长被免职，我们‘抗非’指挥部的各小组成员正式上任。21 日我负责的物资供应办公室 62 名来自各个部门的人员全部到位。当日 23 部电话全部开通，30 多个网络建立，几百个联络电话列在每个工作人员的办公墙上。而那时遇到的第一件最重要最紧急的事就是前线急需的防护服……”张工，市经委副主任在日后接受我采访时，说起那段刻骨铭心的日子，一连报出几个工作日经历的战斗内容。

防护服太需要了！

每日 3 位数的确诊“非典”患者中有 6 成是医务人员！他们在抢救从四面八方涌向医院的患者时，由于没有有效的防护服而一批批地倒下了……

“什么，你们那儿又有 5 个倒下了？”

“我们昨天刚拉走 4 个，今天又躺倒了 7 个……”某院长哭着向市长报告。“要不惜一切代价，保护好我们的医务人员！医生假如都倒下了，百姓还怎么个活法？”指挥部里，市领导们的眼睛都红了，他们的声音里带着撕裂的颤抖。

市府热线电话里，市民们的骂声震天，那骂声里包含着恐惧，包含着怨恨，而更多的是焦急和期盼。

“八味方”还在热火朝天地煮提着，陈济生又受命组织防护服的采购与供应。

“陈总，你的任务重啊！重如泰山哪！”市长握住陈济生的手，同样充满期待和焦虑。

平时，举手投足都非常得体的“京城女药王”陈济生，此刻连别人喝过的水她都会端起来往自己的嘴里倒——时间在那个时候真的太宝贵了，每一分每一秒钟都连着市民和医务人员的生命！

“没说的，我们坚决完成任务！”领受任务后，她突然有种奇怪的想法：我一个非国有单位的股份公司，怎么市长们把我看作是他的一个局、一个国营集团来对待呀？如果换了平日，陈济生真会发笑。可现在她想到的只有 8 个字：国难当头，人人有责。

当年林巧稚大夫给她起名“济生”时，真的有先见之明？

“喂喂，老万啊，你听着：马上全力组织调购几万件一次性防护服！什么时候弄到手，就什么时候送到医院！千万千万！”陈济生对公司副总经理说。

“是。不过陈总啊，由于‘八味方’等药物与器件是贴本买卖，公司已经赔进了近千万元了！是不是向政府说一声……”属下吐出一颗酸橄榄。

陈济生没接，断然道：“现在都什么时候？就是把公司全部资产赔进去，我们也得干！”

陈济生还在市指挥部开着紧急会议，属下的干将们则全被动员起来搞防护服去了。哪知翻遍北京城的家底，也只有几百套防护服！

要命啊！

那时医院第一线全线告急。有些医生由于惧怕感染，已经出现穿好几层防护服还是不敢接近“非典”患者的情况。

十万火急！

“向全国、全世界订购！”

张工领导的物资供应办公室已经遵照市领导的决定在网上发出帖子。“这怎么行啊，咱们是政府，网上贴帖子不是有点那个嘛！”有人提出不同意，竟然还下令把张工他们发在“千龙”和“新浪”网上的“全球采购”帖子撤了下来。

“× 的，网上有什么不可以嘛！如今是全球化信息社会，我们不利用网络这样的优势，是傻瓜！”张工的手下有人气得直骂。

招标采购的帖子在一个小时后又重新上了网。那时一个小时也是关天大事啊！

“陈总，我们已经从深圳、河南、武汉弄到 2 万件防护服啦！”陈济生接到属下报告。她正想向市领导表一下功，却没想到市领导阴着脸对她说：“太少啦，2 万件救不了我的命，更救不了火线上的医务人员与患者们的性命啊！”

陈济生一听这话，眼珠立刻瞪圆了。那一刻她才真正知道了北京的疫情之严重！指挥部的紧急会议一直开到凌晨 4 点。陈济生不可能闭一下眼，回公司的路上，她的电话从北京打到上海，打到美国，甚至打到伦敦、南非……与以前所有认识和不认识的朋友与客户通了电话。每一个电话里说的第一个字，都是“求”字——陈济生一生难得求人，这回“北京女药王”低下了高傲的头颅。她要求人，要求所有的人——为了她的城市和人民的生命。

“什么什么，你再说一遍！上海有个公司是美国杜邦的代理？他们那儿能有货！太好了！杜邦的防护服是世界名牌。你告诉他们，有多少我们要多少！越快越好！”陈济生突然接到一个信息，高兴得热泪滚滚。

“那合同怎么个订法？”

“就用传真！我签字！”

“人家要 200 万预付款。”

“给。立即就给！但我的条件是：他们必须明天就把第一批 10

万套货给我发到北京！”

对方答应说“行！”

“妙！”陈济生的电话刚放下，市政府一连来了几个电话催她折回去再开一个紧急会议。

“口罩、体温计、消毒药水……一个都不能少！一个都不能迟！”市府会议上从来没有这么“不文明”过：市长们、局长们互相扯着胳膊，站着说话，甚至一不留神“他 × 的”也上来了！

“口罩 20 万个，上海市明天就空运过来！上海市的书记、市长亲自批示说，北京要什么他们全力支持什么！听听，多么动人的话语！还有其他省市，也都在想法支援我们。但我们的需求量实在太大，各位要使出吃奶的劲！想法再想法，直到把东西都运到北京、送到医院、给到市民手中才行！”市长又在发令。(我后来知道北京在抗击“非典”战役中所用去的 1100 多万只口罩多数是上海支援的，北京人民因此永远记得上海人民这份生死之交的情谊。)

“什么？防护服明天到不了？杜邦的公司在阜阳？那儿每天只有一个航班飞北京？”陈济生的电话连声响起，她只得从指挥部会议室起身到走廊接电话。

“我们的 10 万件货运到飞机场时被客航甩了下来，人家说不可能装运得了！怎么办呢，陈总？”对方说。

陈济生急得直搓双手。没货时急寻货，有货了运不过来更是急死人的事！

调民航专机！对，调专机！陈济生的脑子里蹦出个大胆想法。她让助手查到民航总局值班室的电话后，将手机直接打到那儿。

“你告诉我急到什么份上？”民航总局的值班同志问她。

“急到明早天一亮就必须把 10 万件防护服送到各医院！否则医生和患者成批成批地倒下啊！”陈济生泣不成声。

“那好，你让市政府出个公函。剩下的事我们来办。”

陈济生一听，快步走进指挥部会议室，本想当面找市领导说一声开公函的事，可一看里面的领导们在激烈争执着千头万绪的其他战事，那火药味浓得呛人。陈济生收住了脚步，迅速从挎在肩上的小包里取出一个记事本，撕下一页，“嚓嚓嚓”地写下几行字，然后悄悄交给一名领导。那领导也干脆，瞅一眼后，立即提笔改了几个字，随手交给市政府秘书长，回头对陈济生说：“还有其他事让你办，继续坐下开会……”

清晨两点，陈济生走出市指挥部，就接到了民航总局的来电，告诉她阜阳那边已有两架飞机在装运那批防护服，并将在早晨7点左右运到北京。

真的太好了！陈济生一连在手机里向民航的同志说了七八声“谢谢”。

“谢什么，都这时候了，只要用得上我们的，尽管说，我们全力以赴。”

陈济生的热泪又一次噙在眼眶内。

这一天8点钟左右，10万套防护服准时送到一线医院。

20万套！ 50万套！ 100万套！ 200万套！

之后的日子里，陈济生和市物资小组一起完成了共计200万套的防护服采购及配送任务。那时候的北京，防护服就是一线战斗人员冲锋陷阵的盔甲，当“白衣天使”们穿上它重新站立起来时，与“非典”搏斗的战场形势便发生了质的变化……

4天半30辆救护车

“什么，已经有几个菜市场和商店出现抢购风了？！”

“我没听错，一块上海药皂卖到了5块钱！有个老农说他拉了一车土豆卖了8万多元！ 5毛钱一斤的土豆现在变成5元一斤了！”

“方便面也卖空啦？真是全疯啦！”

“可不，市民们都在传明天要封城，所以见什么抢什么，了不得呀！”

物资组的张工和市商委副主任李胜利一通电话，两人都愣了：北京解放 50 多年来，啥时候见过市面上缺米少菜、店空人饿？但“非典”让北京经历了这么一回。

4 月 22 日下午，左安门大集市和南苑菜市场先后关门或贴出告示要闭市。一时间，成千成万的市民走出家门、单位和工作岗位，直奔商场和超市，凡见油盐米醋必抢。有一对年轻夫妇往市郊的住处运了两旅行车物品，“准备 3 个月不出门！”他们囤粮存库，甚至在别墅的后院挖了一个两米见方的大坑作“垃圾处理库”，因为物业人员早已各奔东西，再说业主也不想让外人接近他们。一位老太太见超市里人头攒动，急得当场昏倒。服务员将她扶到一堆装方便面的纸箱上休息。当老太太睁眼醒来时，指着身底下的那堆方便面，对服务员说：这些全归我了！

夜深了，市商委 158 房间内灯火通明。李胜利在指挥部才上任不到两天，嗓子已经哑得说不出话。

“老李啊，无论如何，明天你得从天津给我调拨 30 万箱‘康师傅’过来。对，明天一早就得运到，八点开门时我得让市民看到啊！”李胜利在手机里向天津市商委主任李泉山求救。

对方停顿了一下，然后说：“好，明天 6 点前我们在北京市郊见面！”

“我不知道李泉山主任他们是怎样在一天之内把 30 万箱‘康师傅’方便面调集成功的！ 30 万箱哪！堆在一起真是跟山一样高！天津的同志太了不起了。24 日清晨，李泉山主任亲自押着浩浩荡荡的几十辆卡车与我们见面时，我看到泉山主任走路都在摇晃，他却说：胜利啊，几天没见，你咋走路都摇摇晃晃的？我听完这话，跟他抱头痛哭起来……”两个多月后，李胜利说起那一幕时依然哽咽。

其实当晚在天津方面的大车队驶向北京的同时，一辆50节车厢的超长专列，正以最快的速度行进在京哈铁路线上——这是中央政府专为救助北京而动用的特快列车。50节车厢，每节装有60吨大米。上好的东北大米！

北京市民在24日便在市场上买到了它。

后来我知道，北京其实是有能够吃上半年时间的储备粮的，但它们至少得有15天的加工时间才能进到市民嘴里。突如其来的战争，给以往的备战物资管理提出了一个严峻的课题。

30小时？40小时？北京市民们发现，仅仅紧张了这么一段短暂的时间，全市商场店铺，在24日下午后便再没有出现大的波动。各商场超市的货架上琳琅满目，诸如方便面和油盐米醋等食品，你要多少就供多少！

硬气！人民政府领导下的首都北京就是硬气！

然而“抗非”之战并不因为人们不愁吃喝而停止，“非典”专门打击人类的生命防线。

“为什么到处买不到体温计？”

“不是让我们预防SARS吗？可上哪儿买消毒液呀？”

“我为了买几个口罩，竟然跑了70多家药店也没买上！”

市民们的惊恐和焦虑丝毫不减。

张工与陈济生联手从山东调集到130吨过氧乙酸，可那是200公斤一桶的大包装，怎么好卖给广大市民呀？

“我们找人改装2公斤一罐的小桶吧！”陈济生二话没说，把任务接过来，交给了所属的环科化学试剂公司。

“26万桶哪！我们全部靠手工一桶一桶灌装成的呀！那过氧乙

酸腐蚀性特强，可我们谁也顾不了这些，大伙抢着干，直到把最后一桶灌装好并送到各个零售店。”陈济生又忍不住要哭了。她看到自己的1000多名职工一个个疲惫到了极点：有人推着小货车竟然睡着了，有人手肿得连饭碗都端不起，却还在不停地抓药灌桶，有人一天十几次往“非典”医院送防护服……

“一天半，就一天半时间！”一位市领导告诉陈济生，小汤山所有的医疗设备和用品，必须一天半内全部运达，没有商量的余地。

一天半就一天半！这回陈济生不哭了，她咬紧牙关，豁出命干。她知道这时候叫屈喊冤也没人搭理。市领导和张工他们为解决呼吸机的问题，甚至连美国、德国、澳大利亚驻华的使馆都直接“照会”了。

她更不敢向商委李胜利他们求助。商委的“158”会议室此刻正经历着一场惊心动魄的“防守战斗”——好几名指挥部战斗人员突然高烧不止，又咳又吐，吓得商委领导脊梁骨直发冷。“非典”进入指挥部，岂不全盘皆输?

还好，是劳累所致的普通高烧。

“我不管你们想什么招，5天之内，必须按质按量把‘非典’专用的救护车给我送到急救中心。记住：第一批是30辆，第二批可能加倍！”张工给北汽福田公司下单的时候，是咧着嘴瞪着眼，凶神恶煞一般。

就5天。5天内要出一种全新样式的专用救护车！开国际玩笑嘛！

战争从来不开玩笑。北汽福田人也真是神了，一天半内把样车开到张工面前，4天半内又将30辆崭新的“非典”救护专用车开到市急救中心。

就这么神！战争状态下北京创造的神话有一千个、一万个。

第五篇　病毒室中的漂亮大夫

在我接受采访任务的那一天起，我心中一直有个愿望：想看看“非典”到底是什么样的。它真的就不能让人接近？接近者皆死亡？

机会终于来了。

6 月 19 日上午，我穿着普通的汗衫，普通的牛仔裤，没有戴口罩，什么预防措施都没有。我要独闯一下那个最恐怖、最神秘的地方——“非典”病毒的聚集地。我来到北京疾病预防控制中心的“传染病地方病控制所”。这里集中了从北京“非典”患者身上采集到的全部病毒样本，也就是说这里可以称之为“北京非典病毒大本营”。

“非典”魔巢！我终于找到你了！那一刻我又好奇又紧张。

我抬头看到一块牌子很醒目地写着 5 个大字：特殊工作区。下面还有一行小字：未经批准，请勿入内。我一乐：此地怕是怎么请也不会有人愿意进来的啊！只有我——一个想看看“非典”真面目的“傻瓜型”作家。不入虎穴，焉得虎子？

再往三楼走。右拐，向前十几步。到了，“非典”疫魔就在那个“331 室”！

我注意观察，看到上面有一块很小的牌子，写着“流感病毒实验二室”8 个字。

“非典”，流感病毒？对也，非也。估计那是块挂了很久的老牌子。其实也没错，“非典”本来就是属于流感型病毒嘛！

“不许进来！”当我靠近那个敞着门的“331 室”时，突然被里面一个穿着防护服的人大声呵斥道。

嘿嘿，再傻我也不会这么随便进去的嘛！心想：大夫，请你们放心。

我站在门口，往里看去，这里比我想象中的恶魔老巢要简单得多：一个不足15平方米的小房间。里面除了几张桌子和几台仪器外，还有一个大冰箱。后来知道视线反方向还有个能够观察到“SARS”的操作台，这是站在门外唯一看不到的地方。

就这么些东西！

但谁也想象不出就在这间“331室”房间内，我们的主人公在过去的近3个月里与“非典”进行了一场场惊心动魄、惊天动地的较量啊！

更令我意外的是：决定这场与“非典”恶魔决战成败的竟然是一位漂亮清秀的女大夫！

我们的主人公丁丽新，年纪轻轻，美丽清秀中带着几分纤弱。她有一个美满的家庭，丈夫是位理科博士，还有一个上小学二年级的宝贝儿子。丁丽新是个典型的贤妻良母。儿子长这么大从没有离开过她的怀抱，即使上学了，还是她天天接送，顿顿饭菜不落。如此温柔贤惠的女人本该在家做个全职太太，但她不是，当年她选择的志向是与病毒打交道。她从事病毒实验工作已经十几年，主攻呼吸道传染病中的流感病毒。

“流感病毒一直在变异，就像我们人类自身不断发展一样，病毒也是在不断优胜劣汰，留下来的和新出来的，绝对都不是些孬种，一定是对人类具有特别的杀伤力。”丁丽新说。

“你与病毒恶魔战斗了十几年，就没有过被击倒的情况？”

“当然有，好几次非常危险，差点丢了小命。前年我还有过一次险情，那次还把我身上的病毒传染给了儿子。当时我真的很紧张，我还拿儿子的血清做了分离，发现他传染的正是一种我正在实验的病毒。要不是采取措施及时，那我们母子俩就危险了……”女检验师的表情有些后怕。

丁丽新跟普通百姓一样，是在毫无心理准备和物质准备条件下接触“非典”病毒的。她说：“今年2月份听说广东那边出了一种叫‘非典’的呼吸道病，当时我们北京市CDC应急中心把我和细菌实验室的几个同志叫去说了这事，大家讨论北京怎么对付这种可能传染过来的流行传染病。当时我提出最好找个病毒来做实验。可由于北京当时没有‘非典’病例，我们只能等待机会。2月底3月初也做过几例疑似病人的血清分离，但都没发现什么新病毒。3月11日，CDC副主任，也是我们传染病地方病控制所所长贺雄同志突然过来对我说：以前搞的‘非典’都是假的，这回来真的了，你们一定要认真做啊！”

“我记得非常清楚，那天是3月11日晚，CDC应急中心的沈壮主任气喘吁吁地拿来七八个咽拭子病毒管交给我。他告诉我，这是北京发现的第一例‘非典’病人及受她传染的其他病人的咽拭子标本。从这一天开始，我一直在与‘非典’病毒打交道。我是检验师，实验室的病毒分离和细胞培养及传代等现场实验都是由我来完成的。我还有两位同事，一位是林长缨博士，一位是副所长刘海林先生。我们的上级单位CDC的领导们也给予了全力支持，使我一个弱女子能够面对强大的‘非典’恶魔而不胆怯，并且按时完成了一项项实验任务。”丁丽新把年轻博士林长缨介绍给我，其实在认识她之前，我已经先认识了林长缨，只是这位年轻博士在“抗非”战斗中承担的工作太多，那天约定采访他的时间里，他同时还在参加一个“非典”科研招标会。采访现场，他一会儿出现，一会儿去开会，因此多数时间我是在听女检验师讲述，而这也是我所希望的，因为整个北京“非典”病毒实验都是由这位女检验师做的，她的美丽外表和平静心态更使我感觉到与“非典”恶魔的搏杀，是那样的残酷和惊心动魄。

“有时我特别兴奋得意。”

“第一例病毒实验什么时候出的结果？”

“很快。我的分离SARS病毒实验结果大约是在3月13日就出来了。这个时间与香港中文大学医学院在一个多星期后的3月18日宣布‘非典’的源头是‘副黏病毒科’属同一时间，而要比欧美国家及世界卫生组织在一个多月后的4月16日正式确认SARS的病原体是冠状病毒的一个变种结果要早些。我所在的北京CDC传染病地方病控制所实验室只是一个B2实验室，像SARS这样传染力强度的病毒应该在B3实验室，也就是设备更完备和高级的病毒实验室进行。”

条件有限，责任无限。面对猝不及防的灾难，急切需要寻找病因，寻找疗效，寻找科学精髓……

女检验师的生活因与“非典”的战斗而发生了变化。

她离开了温馨的家，告别了心爱的儿子，与丈夫通了一次如同生死诀别的电话。

“我可能回不来了。”

“暂时吧？”

“不，也许是永远……”

“不许这样说！”

“可我知道……”

“无论什么时候都要记住：我和儿子都在家等着你回来，啊！”

她说不下去了。

这一天，她知道了几件事：东直门医院的段力军大夫死了，武警医院的李晓红死了，连第一个发现“非典”的世界卫生组织专家、意大利医生乌尔巴尼也死了，他们都是在拯救“非典”患者时不幸被病毒感染而死的……

女检验师也给自己做了最后的打算——她从侧面了解到此时单位领导给她和几位做病毒实验的研究人员悄悄买了“意外伤亡人寿保险”。买这样的“保险”在当时是很具悲壮色彩的。那些日子里，丁丽新奇怪地发现单位所有的人都对她特别地好，同事们跟她照面时总报以特别友善的微笑。虽然平时她与同事们相处也很和睦，可眼下大家对她的微笑里夹杂着另一种东西——那是一种对勇敢者的敬意？还是对行将死亡者的敬畏？

自 3 月中旬之后，“非典”的疯狂到达了顶点，整个北京城笼罩在凝重的气息中，人们连呼吸都感到极度困难。那段日子里，成批成批的“非典”患者的咽拭子标本被送到实验室，需要进行病源学实验和血清分离。丁丽新常常是刚刚做完一批“非典”病毒的分离和细胞接种，又一批患者的咽拭子也送到实验台上。按照规定，从病房或者其他地方采集来的患者的咽拭子，必须在 6 小时之内进行实验，否则就没有研究价值了。

女检验师简直是在与“非典”病毒赛跑。

“那时一天不知要进出实验室多少回，常常是这一批的病毒刚刚接种上，另一批新细胞的培养又得赶紧跟上。记得最紧张的一天，我在实验室共呆了约 15 个小时。那时‘非典’还属于未知病源，全世界都恨不得赶紧将它弄清楚，因为只有弄清楚它才能对付它。那些日子里，我们根本没时间考虑与 SARS 病毒零距离接触有没有危险，而是千方百计摸清病源的真相。做病毒实验不能急，每一道工序都必须严格按规程办，动作太轻太重、太快太慢，都有可能失败；时间也必须掌握好，太长太短了同样会前功尽弃。所以每一次从实验室出来，我的手指甲都被‘蒸’得紫紫的，眼睛以下的脸部则因为被口罩盖着，像猴屁股似的……”说到这儿，我看到那张美丽的脸庞上露出几分动人的羞涩。

“你们别以为跟 SARS 打交道尽是悲悲切切的，其实有时我特兴奋和得意。”女检验师忽然满眼发光地给我讲述起她的精彩一仗：“有一次我在一例实验中，发现SARS病毒跟一种小动物的红细胞凝聚了！这个现象太重要了！因为能够观察到SARS病毒与另一种动物红细胞发生作用，就能测出病毒在某种滴度情况条件下发生变异，而这种变化过程往往是我们征服病毒的一个突破口。我能不高兴吗？”

真是“战地黄花分外香”。当别人在疫魔面前闻风丧胆时，女检验师竟然能英姿飒爽，驰骋风云，指点江山。我怎能不佩服？

“还记得最危险的一幕吗？”

“当然。”我的提问，使她的脸色又凝重起来。

一阵沉默后，她说：“那次我在做北京第一例‘非典’患者于某母亲等人的病毒实验时就出了个意外。于某母亲的病毒非常厉害，其本人确诊后没几天就死了。外人可能不知道，我们对每一个病毒实验不是做了一次就完事，而是要反复做几次。所有病毒都需要进行分离，分离后还要接种在培养好的细胞上，看它成长变异，而且要保证病毒能够至少传三代，才算一次实验成功。那次我进实验室后先将于某母亲等人的病毒液从冰箱内取出进行冻融，即让病毒液从冰冻状态转化成能够做实验的适温状态。当时在做一批不同患者的病毒实验，因为在实验室时间太长了，当时又没有防护服，绑在耳朵上的口罩带子突然松脱了下来，我的鼻子和嘴有一大半暴露在外，而当时我的双手正在操作，是不能随便动的。为了不使实验中断，我不得不坚持下去，直到半小时后把一个阶段的实验做完后才走出实验室，重新戴好口罩。虽然当时我很紧张，可心里还自我安慰着，总不至于吧！哪知当我再次返回实验室，坐到操作台时，发现于某母亲的那只病毒液管里不知什么时候泄漏出了一点儿毒液汁！这就是说，在我刚才口罩脱落时，我的呼吸道口——鼻子和嘴恰恰正对着一例烈性‘非典’

病毒液！完了完了！当时我都能听到自己的心跳声。可那会儿我已经进了实验室，而且操作台上的一批病毒实验也正在进行之中，必须等做完了才能出去。一个多小时后，我从实验室出来，便手忙脚乱地赶紧消毒，然后坐在实验室对面的半污染区办公室里，我喘着大气，脑子一片空白，心想这回自己是跑不了啦！因为我知道自己所接触的可不是一般的'非典'病毒，而是比普通'非典'患者传染强度高出几倍几十倍的病毒液！绝对的超近距离！怎么办？怎么办呢？我的眼泪哗哗而下……"

女检验师满眼噙着泪花，让我仿佛身临其境。

"我敢向天发誓：当时我担心的其实不是我自己的性命，而是为我的丈夫和孩子担心，我怕他们因我而被感染。我爱人是搞学问的，正处于学术成就上升期时，他需要我；我最放不下的是儿子，他才不到10岁，从小没有离开过我，难道真的我就这样……我不敢往下想。这时，我想到了一个更严重的问题：我所在的单位是市CDC——北京与'非典'战斗的主要指挥机构之一，假如我倒下了，传染给了单位的同事们，那就等于让'非典'这个恶魔跑到我们的指挥部里来放下一颗大炸弹！这还了得呀！一想到这，我就赶紧坐起来，拨通了所长的电话。我把事情经过一说，问所长现在怎么办，我半天听不到对方的声音。我急得直跺脚问他怎么不说话呀？所长终于说了：'小丁你先不要为我们所里的同志想，至于所里同志的安全我们会采取措施的，现在最重要的是你自己的安全。'所长又非常低沉地说，'你先好好去洗澡，一会儿我跟沈壮过去。'沈壮是CDC应急中心主任，他在这次整个北京'抗非'战斗中一直冲锋在最前面。他是我们心目中的硬汉。我洗完澡后，所长和沈壮他们就来了，我看到他们的脸色异常阴沉，这反倒让我感到自己的事没什么可担心了！沈壮第一句话就带着命令似的口吻：你得隔离了！我问要多长时间，他说至少两个星期。我问跟不跟家里人说，他们两个大男人竟然面面相觑地不知如何回答我的问题。我知道他们太为难了，我丈夫和孩子听了还不急死嘛！不说吧，一旦我出了事，作为单位领导日后可怎么向我家人交代呢？我看他们为难，便说还是我自己跟家里说吧。可真要让我跟家人说时，我难住了……我说什么呢？那夜，我不知多少次拿起电话又放下，后来吞吞吐吐跟丈夫说了个大概。我问他怎么办，他在电话那头，一直不说话，最后只反问了一句：孩子还小，他怎么办？我当时听完这话，心都要碎了……”

“之后我被强制隔离。丈夫天天给我打电话，每一次电话总是打得特别长，他是在监听我咳不咳嗽。最让我感动和难忘的是副所长刘海林和沈壮主任，他们俩天天专门过来陪我一起吃饭。要知道当时我们市控防中心上上下下都为我捏着一把汗，因为一旦我被病毒感染，可能就非常危险，而且会祸及整个 CDC 指挥部系统的工作人员。可刘海林和沈壮偏偏来陪着我吃饭，怎么赶也赶不走！我知道他们的意图，他们是想用自己的行动来安慰我，关心我。可我是搞传染病毒实验的，我知道 SARS 的厉害，尤其是我直接接触的是已经致命的一例 SARS 病毒呀！刘海林和沈壮是专家，他们其实比我更清楚这种零距离接触的后果，每次吃饭时见他们俩，我就赶他们走，可怎么赶也没用。我一个弱女子能拿他们怎么办呢？我急得真想骂他们，但骂也不行，因为他们有意在朝我笑。沈壮还说，丽新你放心，真要有事了，就把我的血清献给你。我听了沈壮的话，忍不住泪水汪汪。沈壮是我们 CDC 的应急中心主任，从北京出现第一例‘非典’到 5 月初的两个月时间内，沈壮几乎接触了所有‘非典’患者，而且都是第一现场。他的体内是有‘非典’病毒的，只是他运气好，自身免疫力强，所以没有被‘非典’击倒。他和刘海林，还有小林博士，都是真正的男子汉。特别是小林博士，我实在拿他没有办法，他跟我在一起时连口罩都不戴。我说你别这样，如果我传染给你就犯大罪了，你林长缨是全北京市卫生系统第一位招聘的‘海归’高才生，我要传染给了你还不罪加一等？你猜他怎么说？他说丁姐你是美丽女神，一切魔鬼见了你都会吓跑的。丁姐假如你真有点事，那我们都会毫不犹豫地跟着你走……有句话叫患难见真情，我在最困难的日子里，CDC 领导和控制所的同事们给予了我最坚定和有力的精神支持。他们的行动给了我无比强大的力量，后来我甚至对所长这么说，我说大家都在研究对付‘非典’的各种办法，现在最缺的就是没有病毒人体试验。如果我真的被病毒感染了，那正好有了一个难得的人体试验。所长听了跳了起来，说‘你疯啦？’我当时确实说的是真心话，可我看我们 CDC 的贺雄副主任双眼泪汪汪地看着我半天说不出话。那段时间抗非前方特别需要病例实验，所以我的工作不能停。虽然与同事们在生活上隔离了，但实验室的事我该干什么还得干什么。领导们劝我停下手中的活，好好休息，注意提高免疫力。我说反正这个样了，闲着也是闲着。隔离 7 天后，我实在受不了。那天宝贝儿子给我打电话，他不知道我被隔离，说他在外面学画画，爸爸有事回不来，妈你就来接我一下吧。我一想离家的日子太长了，儿子就这么个要求，我该满足他。于是我就偷偷骑上自行车溜出了单位，把儿子接回了家。一路上儿子见我总背对着他说话，觉得好奇，说妈你是不是生我气了，又说妈你工作忙，下次我再不让你接了。我听到这儿，两眼完全被泪水模糊了，不到 10 岁的儿子似乎一下成了小大人。回到家，在一个醒目的地方我看到一套‘婷美’，这是丈夫特意给我买的。那是我念叨了很久一直想要的东西，可那时我连试都不能试一下，也许永远就没那福分穿它一次了……那天我真的很伤感地离开了儿子，离开了家。但一回到单位，我根本就没有时间想这些了。看到大家忙得 24 小时连轴转，我就又一头扎进了实验室……”

“后来你没事？”我焦急地问。

“没事。我命大，可能‘非典’也是属于欺软怕硬的那类货。这个时间我可能进入了那种无私才无畏的境界了，你说是吧？”女检验师的脸上露出灿烂一笑。

我不由长长地舒了一口气：与“非典”之战，仅在方丈之域，竟然也有你死我活的激烈拼杀！

“你能给我和读者形容一下与‘非典’病毒打交道的现场情形吗？”我说。

“那可真是短兵相接，刺刀见红。”女检验师告诉我，4 月下旬，他们从 CDC 应急中心主任沈壮手中拿到他特意从太原取回的北京第一例输入性“非典”患者于某的康复血清后，如获至宝。“当时我们真的太兴奋了，因为对付‘非典’至今全世界还没有找到一种有效的方法，疫苗研制至少也要几年时间，按照传染病毒学原理，用康复者的血清来对付同一种的病毒应该可以视为一条途径，但这也需要进行实验室试验。在与‘非典’激战的紧要关头，特别是为了抢救倒下的医务人员和危重患者，能够做出血清抗击‘非典’病毒，这样的试验意义非同一般。当时我们真的又激动又紧张，因为于某是北京出现的第一例‘非典’患者，现在又有了她的康复血清，这对当时整个‘抗非’战役鼓舞士气和拯救危重患者有着特殊的作用。但这样的试验又相当危险，是要用于某的康复血清，注入实验室培养好的‘非典’病毒，然后再做各种稀释条件下的病毒变化实验。整个程序很烦琐，先要将血清稀释，同时也要把接种在细胞内的‘非典’病毒进行稀释，再将它们一起放在培养板上进行观察比较。这个培养板是不能密封的，必须处在半敞开的状态下进行，因为要保证病毒细胞接触足够的二氧化碳。这样才能看到康复血清中的免疫细胞与病毒细胞之间展开决战的全过程，而我们做实验的危险性相对就要大多了……”

“你们当时的防护是不是已经相对好些了？”

“对。那次小林博士弄来一套防化服给我穿上，就是防化兵穿的那种头罩跟猴脸一样的防护服，有根长长的呼吸管一直能伸到几十米外的地方。是我先进了实验室，把血清和病毒液都进行了稀释，然后一一放在培养板上，眼睁睁地看着‘红军’和‘蓝军’厮杀……由于这样的实验要求特别高，观察又得仔细，当时天气闷热，实验室又不能开空调，不到一个小时，我就感觉全身上下已经汗水淋淋，跟泡在水里一样，可又不能动弹。就这么一直坐在操作台前。后来小林博士见我一直不出来，也实在忍不住进了实验室。我们两人又配合着一边观察战况，不时又清洗培养板，再分批接种新病毒细胞。经过 3 个多小时的实验，我们终于获得了成功：在用于某的血清接种到一个‘非典’病毒细胞上后，很快出现两种血液细胞的凝聚现象，也就是说，‘非典’康复者的血清立即阻止和击败了另一个‘非典’病毒！”

哇，这可是了不得的成就！“非典”之所以让全人类恐惧，就是因为目前还没有任何有效的疫苗或其他对付它的手段。北京 CDC 传染病地方病控制所成功进行的血清病毒实验结果，为在目前条件下救治“非典”患者提供了一个重要途径。74 岁高龄的解放军 302 医院姜素椿教授在抢救北京第一批“非典”患者时不幸感染，像他这样高龄又身患癌症的老人，如果不是用“非典”患者的康复血清治疗，要想逃脱死神几乎是天方夜谭。丁丽新告诉我，姜教授用的正是北京第一例输入性“非典”患者、山西于某的康复血清。当人类对付“非典”袭击的一切手段都无法从根本上摧毁它时（现在所用的治疗均只是支持性疗法），丁丽新和同事们所进行的“非典”病毒实验成果就具有了特别的意义。

丁丽新告诉我，从北京发现第一例输入性“非典”患者至今，她共做了1000多例“非典”血清学与病源学实验，细胞培养数百次。知道这些数字背后是什么概念吗？就是说，我们这位美丽俊秀的弱女子——北京CDC女检验师在过去的几个月里，与“非典”病毒先后进行了1000多次生死搏斗！这是整个北京保卫战中一个伟大而壮丽的战斗篇章！

让我们一起记住这个数字，一起记住“丁丽新”这个名字吧！

6月中旬，在北京“双解除”之前，世界卫生组织的专家到丁丽新所在的实验室考察，当了解到这儿所做的“非典”实验及成果时，惊喜万分道：“太了不起了！全世界还没有一个机构像你们做了这么多的‘非典’病毒实验，也没有谁做得这么快，这么有成效！”世界卫生组织官员口中的这些“这么多、这么快、这么有成效”的评价，是对丁丽新和她同事工作的充分肯定，也是对北京抗击“非典”疫情的另一个战场的热情褒奖。

女检验师的脸上放着光，而这种喜悦的光芒只有劫后逢生的人的脸上才会绽放和洋溢的。

走出“非典”病毒实验室，我心中涌起一股崇敬，在将此篇默默地献给眼前这位清秀俊美的女检验师的同时，也把它献给她的那些勇敢、勤劳和充满智慧的同事们。

第六篇　生死突击队

我们的人类自远古到今天，从来没有停止过与各式各样的灾难和敌人的斗争。“非典”仅仅是无数灾难中的一种而已。当疫情过后，我们发现，其实“非典”唯一令我们恐惧的就是它摸不着看不见的强大传染力。至今日，“非典”虽然已经在我们生活中基本消失，可是我们赖以取得战胜“非典”的全部技术能力，还远远没有达到人类征服天花、麻风病那样的水平。一切对付“非典”的临床医疗技术仅仅是支持性疗法。

但在与“非典”的交战中，我们可以欣慰的是人类胜利了。这个胜利如果从战术上分析，我们真正可以引以为自豪的是我们在切断“非典”传染源上取得的成绩。除了广泛运用传统的“人民战争”武器外，我特别想介绍在北京保卫战中一支特别的队伍，他们便是一直在“非典”战役中冲锋在前、使得“非典”这一恶性传染源无机可乘的英雄——流行病调查大队。

这是一支百姓并不熟悉的特别行动大队。如果不是“非典”的袭击，人们也许从来就没有听说过他们。而“非典”具有的特别传染强度，使得这支英雄的队伍一直处在“抗非”最危险、最紧张和最激烈的战斗前沿。他们因此是我异常关注的采访对象。

我把他们比作战前的侦察兵，比作对敌人实施“斩首行动”的敢死队，比作扭转战局的狙击手，比作发起总攻的冲锋号。当今天“抗非”战役取得阶段性重大胜利之时，他们又在承担着“后非典”战役的“排雷”与拯救心灵的任务。

他们的事迹让我感到非写不可。

战役之初，他们像一支“地下游击队”。

北京在与“非典”的战斗中，组成了一支共有2500人的流调队伍。通常意义上讲，这样一支散布在一个1300多万人口的大都市里的队伍，人们可能根本感觉不到他们的存在。2500人的队伍，还是在“非典”全面袭击北京时才被应急临时组织起来的。他们中多数人以前没有搞过流行病调查，甚至连起码的知识和技能都不会。需要一提的是，北京的流调队伍中绝大多数是些柔弱的女性，她们占了全队总人数的85%！

谁说战争让女人走开？在与“非典”之战中，女人比男人承担的战斗要多得多！她们是战神，是克敌制胜的战神！

宁芳，1978年生，首都医科大学2002年毕业生。这位文弱的小姑娘坐在我面前，漂漂亮亮、文文静静，你怎么也想象不出她是北京第一位接触“非典”患者的流调队员。

“你什么时候接触‘非典’患者的？”我问。

“3月11日。北京第一例‘非典’患者出现时，我就跟同事进行了对她和她一家人的流行病调查。”宁芳说。

“你有姐妹兄弟吗？家人知不知道你一直在干这个危险性极强的工作？”

“我是家里的独生女。爸爸妈妈开始一直不知道，直到6月初才知道我在整个抗击‘非典’战斗中所做的事。”

“他们听说后对你说什么？”

“他们什么都没说，只是流了很长时间的泪，然后又给我做了一顿特别好吃的饭菜……”

我发现自己的眼角噙着泪珠。小姑娘反倒很平静地看着我。“还记得第一次出去搞流调时的情景？”

“忘不了。就是北京第一例输入性‘非典’患者、山西的于某。当时她一家好几口躺倒了，后来她父母死得很惨。”

“你不害怕？”

“有点。可我是学医的，而且当时还不知道‘非典’到底是什么东西，更不知道它会有那么厉害的传染力。再说，我大学毕业到单位还不满转正期，所以领导让干什么比较积极主动。”姑娘腼腆一笑。

玻璃一样透明的心。

“感觉搞流调最难的是什么？”

“别人不理解，像在干地下工作。”宁芳脱口而出。

从姑娘嘴里我知道了这支英雄的队伍，他们在抗击“非典”的生死搏斗中，冲在最前线，却又常常不被人理解和支持。百姓们对“非典”的害怕和恐惧，使流调队员们遭到的非难和对抗，比比皆是。

吴红，西城区福绥境医院大夫，53岁。她瘦小的样子让人感觉比实际年龄要老些。她所经历的一件事让我听后感到非常堵心。那一天她和另一位女大夫获悉一个高干大院内有户人家的小保姆为给主人拿药，在人民医院传染上了“非典”。吴大夫她们不敢耽误一分钟，便当即赶到那个大院。严密把守的保安就是不让她们进去，吴大夫她们好说歹说近一个来小时，磨破了嘴皮方才进了院子，却又在上楼梯时被人挡住。

“不行，你们穿着防护衣，又到处接触‘非典’病人，肯定身上不干净。知道我们这儿住的是什么人吗？这电梯上上下下多少人要乘坐，出了事你们负得了责任吗？”开电梯的、管电梯的和上下电梯的人一个个瞪着眼睛，恨不得将吴大夫她们吃掉，可又不敢接近。唯一的目的是坚决不让吴大夫她们上楼。

16楼啊！身穿防护服又背着几十斤重的消毒药水等东西的吴大夫，望着紧闭的电梯和层层围住电梯口的居民，无奈只好沿着楼梯一层层地向“非典”密切接触者所住的十六层高楼攀去。穿过防护服的“抗非”战士们都知道，就是平时人高马大的人，只要一穿上几层防护服，就会感到肩头像是压了几百斤重的担子。而流调队员对密切接触者所要做的是：在知情后的第一时间内迅速隔离他们，尽快帮助其进行环境消毒。这是流调队员必须完成的一项“规定动作”，而且这样的“规定动作”只要密切接触者一天不解除隔离，队员们就得天天上门，重复消毒和测量体温。

“那一次攀 16 层楼梯，就像重新走了一回 50 年的路……”年届 53 岁的吴大夫长叹一声，说：“怎么上去的，用了多少时间，现在我都记不得了，反正当时我只感觉特别特别的漫长。可没想到我们费了九牛二虎之力上到 16 层的密切接触者家时，人家闭着铁门，就是不开门。不开门也罢，我们在门外向里面又是交代政策又交代注意事项，哪知那位密切接触者突然隔着大铁门嚎着嗓子嚷嚷说我们是有意在楼道里坏他家和他本人的名誉。那人说他是政协委员，如果我们还不赶快走的话，他就要告我们去！随后听到铁门里面叮哐乱响一通，像是在操什么家伙砸东西。我们怕出什么事，只得下楼。”

“慢着，你们已经踩着我们的楼梯了，以后让我们楼里的人怎么个进进出出？你们得把走过的电梯道消毒！”那密切接触者半开着门，冲着下楼的吴大夫等大声吆喝道。

已是双腿发抖、气喘吁吁的吴大夫他们只好往楼下退一步，就在踩过的地方喷一下消毒水。“上去的时候像攀喜马拉雅山，下楼时像入海底。当我们退到一层地面时，两条腿实在站不住了，‘咣当’一下瘫倒在墙根，恨不得躺下算了。可不行啊，我们还得走。楼里的居民见我们倒下不起，以为我们也得了‘非典’，那又怕又怒的表情，真够受的！当时我想宁可死在马路上也不想多赖那儿一分钟……”吴大夫又是摇头又是叹气地对我说。“可是我们刚回医院，脱下防护服还没洗完澡，那个楼里的居民却打电话来火急火燎地让我们赶紧过去，说他们听说16层有小保姆得‘非典’了，大伙不放心，让我们把楼上楼下还有院子都消毒一遍。去吧，人家现在又需要我们了。于是我们又重新穿好防护服，背起消毒药水，再到那个大院，一直又忙里忙外干了3个小时……”

流调队里的黄大夫给我讲的经历更让人又好气又好笑。

那天她和同事接到CDC通知，说某写字楼内有5个“非典”密切接触者。黄大夫先用电话与对方联系，那边说你们现在不能来，要是你们来，我们就集体逃跑。这怎么行？黄大夫苦口婆心地跟对方做工作。对方说，不是我们不想配合，可你们不知道，要是你们穿着防护服的人一到写字楼来，我们公司就要完蛋啊！黄大夫不明白，问为什么？对方说，这不明摆着，你们一来，整个大楼里的人都以为我们得了“非典”，他们一定要赶我们走的。我们公司才开张半年，业务刚刚有个头绪，你们一来，我们先前做的一切，不全部泡汤了嘛！投资人还不把我们这些人的饭碗砸了才怪！黄大夫她们一想也是，因为大家对“非典”都不是特别了解，流调队去一趟人家的公司，真要砸了，也是个事。可留一个“非典”传染源的危害更大呀，黄大夫跟对方商量，说那你们想个办法，按照传染病法规定，我们流调队的工作是必须做的，比如消毒呀，对你们几个人隔离什么的，不管什么情况都得做。对方说，能不能你们不进楼，约个地方我们派车去接应你们。

黄大夫一想也成吧。于是她和另一个流调队员带上消毒用品等先坐上自己单位的救护车，然后在一个路口等密切接触者代表开车来接。到写字楼后，人家没有让她们进楼里，而是将车开到了地下停车场。

“你们先不能出来，等天黑了，楼里没人了你们才能进去。”人家锁上车门，对黄大夫她们说。就这样，黄大夫她们在地下车库内被锁在车里不得动弹。

那地下车库是车子待的地方，而非活人久待的地方，更何况黄大夫她们穿的是防护服，不一会儿浑身上下就如泡在水里似的难受。难受点也就忍了，可关在车子内总不是个事吧！黄大夫一看时间已经过去了两个多小时，咋还不见接应的人？黄大夫赶紧又打手机给楼里的人。楼上的人说别急别急，现在写字楼里还有人哪，他们正在想法引开别单位的人，让他们早点离开大楼。“再坚持一两个小时就差不多了。”楼上的人说。

“啊，还要一两个小时呀？”黄大夫心想，到底是我们去隔离人家，还是人家隔离我们呀？

又过 1 小时 40 分钟，接应的人总算神神秘秘地将她们引上楼。黄大夫她们顾不上喘口气，就支起喷射工具，开始为密切接触者的办公场所消毒。就在她们向几位密切接触者交代完隔离事宜时，有个爱串门的外单位女人一边咋呼一边正往黄大夫她们喷药消毒的那层楼道走来。

“快快，你们俩快进厕所躲一躲，不叫你们就别出来。记住！如果被外人发现，我们就说你们是我们公司专门请来的清洁工，正在给房间消毒呢！其他的不准多说一个字！”黄大夫等不由分说地被人关进了又闷又窄的厕所内。

半个小时过去了，黄大夫她们不见有人来“解禁”，倒是外面的屋子里又说又笑地没个完，就生气了，在里面一边敲门一边嚷着叫人放她们出去。那个串门的女人好奇，说你们的厕所里怎么还关着人呀？公司的主人忙说是请来的清洁工帮着他们清毒呢！串门的女人又问：消毒就消毒吧，干吗还把人关在厕所里？公司的主人忙说可能锁厕所的门坏了，这时有人悄悄将厕所门打开。黄大夫她们走出厕所的那一瞬，串门的那个女人吓得大叫：“呀，你们这儿有‘非典’啊！”然后像见了瘟神似的转身奔跑而逃。

不得了啦！不得了啦！楼里有“非典”啊！女人一边奔跑，

一边嚷个不停。不出几分钟，整个大楼的人全都知道了。

知道就知道呗。黄大夫心想，这样也好向写字楼里的人进行一次宣传预防“非典”知识。“不行！你们不能随便走动一步！待在原地别动。我们会派车子将你们接出去。”黄大夫她们还没来得及挪动脚步，写字楼的经理已经将电话打到她们消毒的那个楼层，并且下了一道“必须执行”的命令。

就这样，黄大夫她们又被秘密接到地下车库，在那儿又足等了一个多小时，等她们被人接上一辆玻璃窗全拉着纱布的小面包车送回单位时，黄大夫她们这一天整整做了近七个小时的“地下工作者”。

在“非典”袭击北京的残酷时刻，有一些家庭由于突然惨遭传染而瞬间有数人进了医院，有的不幸去世。留下那些孤独无援的人该怎么办？这给流调队的工作带来极其烦琐的难题。地处京城心脏的西城区，就遇到了这样的事。

“找块地方，将这些孤独无助的密切接触者集中隔离起来。”有人建议。

“主意挺好，可西城地处城中央，哪儿找地方呀？”有人对此质疑。

于是一项秘密计划迅速在决策者中形成。

“房子是有，但要让周围的百姓一点不知道，可不是件容易的事。现在的市民，对‘非典’的警惕性太高了，想在他们眼皮底下放个‘密切接触者大本营’，怕比登天还难。”又有人质疑。

再难也得做。不把有生活困难的“密切接触者”隔离，就极有可能造成“非典”传染源的扩散传播。区政府“抗非办”成员一商量就这么定了。

定归定，但执行起来又是另回事。隔离密切接触者容易，可要隔离住百姓的眼睛则是件比登天还难的事。西城区的“密切接触者隔离区”就设在四周居民密集的小西天一带的一栋大厦内，周围的居民平日里可以在自己的窗户前看清那栋大厦内的一切活动。

于是，流调队又接受了一项更为艰巨的“地下工作”任务：他们要随时随地将全区范围内那些需要隔离的密切接触者，在不露声色的情况下将他们从四面八方汇集到这一秘密地点，而且不得出现一丝差错。这可怎么做呢？

医院副院长出身的西长安街一带的流调队队长俞蓓蕾说，在担任这一任务时，他们完完全全成了“地下工作者”。上级严格要求，凡接受这种任务时，流调队员不能穿防护服，更不能开救护车，只能穿着便装，像去看一个老朋友似的将密切接触者从所在地方，悄悄接出来，再送到“隔离区”。一路上，谁也不会看出是流调队员在紧张地执行着护送“非典”密切接触者的任务，倒像寻常亲朋好友一起外出活动办事。

“这样不是很危险吗？”我问。

“危险也得有人去做。”俞队长介绍说：在“非典”袭击最危急的时刻，这样将没有生活能力或自我隔离有困难的密切接触者集中起来管理，是万不得已的办法，也是政府采取的一项不得已而为之的应急措施。可又因为城区条件受限，更主要的是不能造成周围百姓的不安，所以整个隔离工作，只能秘密进行。

流调队员们在执行这一特殊任务时，完全置自己于“非典”袭击的危险境地。但谁也没有退缩过。队长俞蓓蕾以身作则，先后亲自接过十几个这样的密切接触者。她在不能有任何防护情况下，以情以礼，亦善亦友地将那些处在“非典”袭击前沿的人在安全而又无心理阻碍的前提下，送进“隔离区”，一些日子后又以笑脸将一个个解除隔离者送回他们的家。

“隔离区”从建立到撤销，前后近两个月，可是西城小西天一带的居民和众多单位，谁也不曾发现，就在他们居住的附近有座大厦在抗非战斗中曾先后接待过几十上百名“非典”密切接触者，并在这儿安全地接受了隔离期的数十天留观。

这样的秘密使命正是由流调队一手完成的。

4月至5月初的40多天里，是北京“非典”战役最为激烈的阶段。能否控制战局，关键在于能否切断传播源。

流调队员把那些日子的战斗比作与“非典”激战的“上甘岭战役”。最初有600人的防病队，以后迅速组建成的2500人的流调队也冲锋在前。

“喂喂，你们快来，这儿又发现一个‘非典’患者，是一个外地民工，现在正躺在大街上，我们不知怎么办！”有人打电话到“120”热线。流调队迅速赶到现场，只见数十名街道干部和公安人员远远围着一个直挺挺躺在街头的民工，惊恐万分，又不知所措。

“请让路！让路！”两名流调队员扛着担架，丝毫没有犹豫地直奔患者，并迅速将其抬上担架，送进救护车内。

“流调队吧？这儿有个确诊‘非典’患者是刚从另一个医院跑出来的，现在扣在我们这儿，听说他满城转悠了一圈，了不得呀！你们赶快过来！”某医院紧急呼吁。

流调队的吴疆小组刚刚在市郊做完一个“非典”患者流调，返程半道上又接到十万火急的新任务。

“我在被确诊的那个医院是活不了的，他们那儿堆满了患者，连个坐的地方都没有了，我要活命呀！所以不得不跑出来想找个能够好好收治我的医院……”吴疆走到患者病榻前，那患者哭诉着自己的经过。

“打了两次出租车，上过两个医院。是这样吗？”吴疆心急如焚，一边记录，一边核实。

“是。我是满街跑了……”

吴疆知道一个重症患者这样满街跑的后果意味着什么。“走，立即去找他的所有接触者！”

茫茫人海，何处寻觅？吴疆小组离开这位患者后，迅速出击，四处追踪，整整奋战了一天一夜，最后将50多名密切接触者全部找到，并又一一调查，逐一布置隔离，发现其中一个出租车司机已被传染并开始发烧……

“吴疆，你那边完事了没有？快到海淀那儿去一趟，有个老年患者真难缠，死活不配合！”

又一个紧急任务。吴疆赶到患者家中，一看是个老太太。

“你们来干啥？我这把年纪了，死就死吧！死也要死在家里，你们别操那个心，我不会上医院的。”老太太果真软硬不吃。

“大娘，你可以不把自己的生命放在眼里，可你也得为家里其他人想一想，万一传染上他们不就麻烦了吗？”吴疆好言好语。

“我就一个人，家里没其他人。你们走吧！”老太太一边拍着发闷的胸口，一边满屋子找药。

“大娘您先躺着，我给你找。”吴疆当起了亲生儿子。

“我要打点滴。”老太太又说。

“我是学医的，我给你打。”吴疆又拿起医生的本行。

“哎呀，我得上厕所去。”老太太又有事了。

“慢着慢着，我扶您起来。”吴疆这回要当闺女。

老人终于感动了，对吴疆说：“看你们这么实诚，我进医院也就放心了。走吧，我跟你们上医院去。”

吴疆赶紧又给老太太穿衣备物。

上医院的路上，老太太说出实情：有过两个保姆照顾过她，三个子女也来看过她……吴疆小组的工作人员大汗淋淋地将这位老年患者抬进医院之后，迅速扭头对5名密切接触者展开调查，等落实到人时，黎明的鱼肚白天色已经出现在他们眼前。吴疆一看表：到密切接触者居住地的消毒时间定在早晨5点半……

这30小时里，吴疆小组共截获4名“非典”患者，调查和隔离密切接触者86名。这样的战事纪录，在激战时的流调队里，仅是普通不过的战况。

第一时间到达现场，近距离与“非典”患者交流，必须准确无误地记录下“非典”发病的时间、地点、所接触的人群等等近五十多个问题……人们因此称流调队员们是英雄，他们专堵敌人的枪眼。其危险程度不言而喻，肆虐的病毒随时在他们面前晃来晃去。

4月25日早上，西城区CDC流调队的李若岚睁开眼睛，想到的第一件事是打个电话给妈妈，向老人家问声生日好。可就在她拿起电话的那一刻，出征的命令下达：某医院刚刚收治一位“非典”患者，马上前去进行流调！

“是！”李若岚迅速穿上防护服，提起流调专用箱，一步跨上车。

躺在医院“非典”病房内的患者是位八十多岁的老人，垂危的老人处在半昏迷状态。“大爷，我是流调队的，能告诉我你得病前后跟谁接触过好吗？”李若岚站在床前轻轻说道。

没有回答她。

“大爷，你能说话吗？”李若岚往前走近一步。

老人的眼睛微微睁开，迷茫而疑惑地看看李若岚，颤颤巍巍地问：“是不是我要死了？”

“不会的，只要您配合医生治疗，会好起来的。”李若岚说。

“我听不到你的话……”老人急躁起来。

李若岚再往前移，一直贴在老人的床头。“大爷，你不会有事的。我们想问问你得病前后跟谁接触过？”

“我跟……”老人的嘴在张，却没有一丝声音。他的手做了一个很小的动作，意思是让李若岚靠近他。

李若岚只得把头靠过去，将耳朵尽量贴近老人的嘴边。

老人在缓缓地讲着一个个名字。李若岚的后背、脖子和整个身子上却像有无数只小虫在爬动，痒得厉害，可又不能抓挠。

老人突然中断讲述病情，说：“我要翻一下身。”他吃力地支撑了一下，却又根本动弹不得。那双哀求的目光转向李若岚。

“好，大爷。来，我帮你。”李若岚俯下身子，用双手托起患者的后背……就在这一刻，老人“噢”的一声后突然大咳起来。一惊之间，李若岚的脸正好与老人的脸面对着面。

这是不曾想到过的意外：李若岚的两眼所看得到的是自己防护镜上厚厚一层的痰渍——那是一个“非典”患者口中喷出的痰渍！

会有多少个“非典”病毒？百个？千个？万个？那一刻，李若岚只感眼前一片漆黑，天地在旋转……可她没有倒下，也没有离开老人病榻半步。

“好点了吗，大爷？您继续给我讲谁跟你接触过好吗？”李若岚定定神，声音依然那样和风细雨，并且微笑着给老人递上一杯水。

此刻，老人的那双混沌的眼里，滴出一颗泪珠：“好闺女……”

这一例调查，李若岚在病房整整待了两个多小时，而且几乎都是与患者面对着面。当她微笑着退出“非典”病房，轻轻掩住那扇玻璃门时，竟然“咣当”一下倒在了走廊的墙根边，足足20分钟没起来……

在北京的“非典”事件中，有一个患者是不能不记住的，他就是家住西城福绥境地区的孙某。孙某是北方交大的二年级学生。

4月1日孙某在军训时得了感冒，那天回家顺便去了人民医院看病，之后又去过多次，拿药就诊期间他被感染“非典”，北京交通大学也因为他而引发了一场惨剧——65名学生发烧、之后又相继被确诊为“非典”患者或疑似病人，222名密切接触者被遣至校外隔离，万名学生逃离学校，校内的嘉园A、B、C三座学生公寓也被迫整体隔离，里面的400多人因此不得出去。

孙某的病情传到他家所在的福绥境医院流调队，立即使这个小小的流调队陷入了异常激烈的战斗之中。从居委会获悉的情况得知，孙某家里生活比较穷困，几个人挤在两间70年代盖的旧居民楼里，楼上楼下都是密集的居民。而孙某导致北方交大集体大面积感染就是通过电梯和宿舍等途径。

“想尽一切办法，封锁孙家的病源！”流调队几位女大夫接到任务后，立即奔赴孙家，严防死守在那个狭窄的旧楼里……

第一天，孙某的母亲发烧，被流调队送到医院，确诊为“非典”。

第二天，孙某的奶奶发烧，又被流调队送到医院，又确诊为“非典”。

第三天，孙某的一个住在楼底做小工的亲戚又发烧被确诊是“非典”。

第四天，孙某的父亲——那位长年瘫痪在床头的老病号也在发烧。那时北京正处危急时刻，根本无法联系上一辆救护车。流调队面对居民区内如此严重的传染毒源，将自己的生与死放在一边，他们不分日夜坚守在孙家的现场。“院长，救护车总算来啦，可谁都不敢去接孙某的父亲下楼呀！”前方的流调队员给正在另一个地方忙活的医院副院长兼任流调队队长李硕打电话。

“我马上到！”李硕火速赶到孙家，见救护车前后围了不少人，大家都不知如何是好。

"孙某父亲瘫痪，200多斤重呢！他家下楼走的那个小梯子只能过一个人，弄不下来呀！"救护的人正跺着脚、搓着手，想不出个办法将孙某父亲从屋里接出来。这时周围的居民们则在远远的地方喊着嚷着，说什么的都有，一句话：赶紧快把病人弄走呀！

"我去吧！"李硕抬头看了一眼通向孙家的梯子，三步并作两步地直往上冲。"我一进孙家才知道自己真的面临一场特殊的战斗：那老孙头，又胖又壮，躺在床上就像一座山似的，却又连翻个身子都不成。再看看满屋子乱七八糟的环境，你不知道里面有多少'非典'病毒！我当时顾不得那些了，伸开双臂，一步上前就把老孙头从床上托起来，然后抱起他就往楼下走。当我把老孙头从楼上一步步抱下时，在场的人全都惊讶不已，说李硕你个头不大，怎么能抱得动一个200多斤的大块头，而且是从好几层的狭窄楼道上下来的呀！你抱着患者也太危险了！我开玩笑地对同事们说：那也是慌神之下，没了理智思维，反而也有了超常力气呗！"两个多月后，我采访李硕时，他来了回幽默。

正是李硕他们迅速有效的出击，才使这个深埋于居民群里的毒源后来没有波及周围的楼宇和街道。

决战时刻，他们以赤诚抚慰着受伤的灵魂。

一场"非典"之灾，像一面透镜折射着这个世界的万般景象。不同的灵魂表现着不同的光与色。

某女士文化水平不低，但在"非典"面前变得过于敏感和蛮横。流调队得知她患上"非典"后，紧急求助"120"急救中心调来救护车将其送到医院。可半夜里这位女士趁医生不注意时溜回了家。

流调队李队长接到街道的报警时，已值深夜11点半。这一天老李跑了8户密切接触者，流调对象达18人，累就不用说了，光一次次冲澡他就有些受不住了——流调队规定每外出执行一次任务，回来必须全身清洗一次。

“患者擅自回家，对家属和居民威胁极大，得马上动员其回医院！”老李接到命令，立即奔赴那个女患者家。

半夜里不能狠命敲门，可声音太小了里面又听不见，老李只好压低嗓门不停地朝患者的屋里叫喊起来。

“是周扒皮啊？半夜三更嚷嚷什么呢？”防盗门“咣当”一声打开，闪出一个高大的男人和一条“汪汪”乱叫的狼狗。

老李定神后问那男人：“你爱人是不是从医院跑回家了？”

“回不回家关你们什么事？”男人粗声粗气，一脸不高兴。

“她可是确诊的‘非典’患者，如果从医院跑回来了，就得赶紧回去。如不抓紧治疗是很危险的，对你们家属也不好呀！”老李像自己家着了火。

“好不好都是我们家里的事，你们别在这儿嚷嚷了。走吧！”男人瞪圆了双眼，猛地掩门。

“不行！”老李双手扳住铁门，严厉道，“传染病法有规定，不将患者送到医院治疗是要负法律责任的。”

男人似乎从来就是“老子天下第一”的君王。愣了片刻之后，连推带搡地将个小瘦弱的老李支出几十米外的院门外。“我看你是不是吃饱撑的啊？我们得了病没着急，你这猴子看电视里打架——用得着吵吵嚷嚷吗？”又高又猛的男人耍起威风来。

老李的防护衣都快被对方扯破了，可他还是有节有礼地耐心说：“你自己不着急，是因为你不太懂得‘非典’的传染有多厉害。可我们不行啊！我们是‘非典’病源的流调队队员，我们知道这种病的传染性呀！所以必须告诉患者，既然传染上了就得赶紧上医院治，否则会耽误时机的。我们还有一项任务，就是要让患者的密切接触者注意防止感染上‘非典’。现在你爱人已经确诊‘非典’了，她很危险，你不想看到她更危险的情形吧？”

“你能保证她到医院会得到最好的治疗吗？”男人要老李保证。

老李胸脯一挺：“我保证。”

“拿什么保证呀？”

“我陪她一起去医院，如果她住不上病房，得不到好治疗，我甘愿将自己锁在‘非典’病房受罚……”老李想不出还有什么可以让对方相信的事了。

“大夫，我去。我回医院去……”那男人正在犹豫不知如何对待老李的保证时，那个从医院跑回来的女患者一边哭着一边走过来对老李说。

后面的事顺利多了。三个多小时后，女患者终于回到医院，也住上了较为满意的病房。由于她配合医生及时治疗，很快在一个多月后出院。可她同病房的另一个“非典”患者就是因为跑回家不肯再上医院而耽误治疗，最后在不到一个星期内便离开了人间。

康复的女患者和她丈夫事后万分感激老李的“救命之恩”，多次备厚礼要酬谢老李。可每次都被老李退回。他给这个患者和家属只留下一句意味深长的话：当自己落难时，特别要看看是否会对周围和别人造成灾难，这样留下来的生命才更有价值。

那一天吴大夫正在流调队值班。一个年轻的女子打来电话，说她的妈妈在发烧，希望流调队马上过去把老太太送到医院。

“我妈身边的保姆几次上人民医院去拿药，准是小保姆传染上了‘非典’又传染给了我妈。你们得赶快把我妈送到医院，如果耽误了我可要找你们算账！”年轻女子说话冲着呢！

吴大夫一听可能是“非典”，赶紧问年轻女子：“快告诉你的地址，我们一会儿就到。”

“哎呀，我又不跟我妈住在一起，她可能传染上了那个病，我们哪敢挨着她呀！”年轻女子说。

原来如此。人家亲生闺女都远远躲着不敢去见重病的母亲，却要一群陌生的流调队员去拯救她妈妈的生命。

疫情就是战斗任务。吴大夫她们没有想那么多，立即跟患者本人联系上，后又迅速拿起电话，向一切可能寻求得到的指挥救援机构求助一辆救护车。那时的救护车就是患者的生命。吴大夫等在忙碌了一夜之后，终于安全顺利地将老人送进定点医院。

“丁零零——”早晨，吴大夫等刚想合一会儿眼，一阵急促的电话铃响起。又是那个年轻女子的声音：喂喂，是流调队吗？真是太谢谢你们了！要不是你们帮忙，我妈怕是没命了呀！谢谢，谢谢啊！

甭客气，我们昨晚是为“自己的妈”忙乎了一夜。应该的，你甭谢。吴大夫放下电话，朝自己的同胞挤挤眼。哈哈哈……几位流调队员开怀大笑。可不，如果不是待“自己的妈”那种感情，吴大夫她们怎么可能做得到如此耐心、无畏和体贴入微地关心一个不曾相识的“非典”患者？

流调队员的故事还在继续。

“你们别来管我，知道吗？别来管我！呜呜……”50 岁的苗先生做梦都不会想到一转眼的工夫，全家四口人中除他之外竟然一连三人住院，而且两人死亡！先是老岳母去世，后是爱妻去世，20 岁的女儿也不知是死是活……

“我不想活了！活着还有啥意思？啊噢呜呜……”苗先生绝望哀号，完全失去了理智，在他作为密切接触者的隔离日里，因悲切而不堪其扰的他，选择了狂躁的街奔——他一刻也不能安宁地待在家里，“待在家里不如让我去死！”

苗先生的不幸和他四处乱走的街奔，让许多人害怕和恐惧。

“太危险了，一定要看护好他，不能让他乱跑，更不能让他再出现意外！”厂桥流调队大夫李治竞又一次接受这样的艰巨任务。

“大哥，您有眼泪，我也有眼泪。我们大家都为您的不幸难过。可是大哥您想想，您还有女儿，她现在正处在生命最危急的时候，她需要力量，需要自己亲人的力量支持！您现在是她唯一的亲人，这个时候，大哥您怎么能再甩手不管女儿的生死呢？大哥您说呢？”李治竞大夫面对着苗先生，像是自己失去了亲人一般悲痛欲绝地流泪。

苗先生愣了。他被一个陌生的女人如此真情的同情而愣了：我还有希望？真的还有希望？

怎么没有呢？您还有女儿，还有正挣扎在死亡线上的宝贝女儿呀！大哥，您现在的一份平静和安慰，对您女儿来说，就是生的希望，生的力量啊！李治竞用心在呼唤一个因过度悲哀而迷失方向的生命。

苗先生慌乱的脚步开始停止，瞳仁中透现出一丝亮光。

李治竞以女性特有的温情和细腻将苗先生引领到正常的生活轨道，为他保持清醒，为他稳定身体，为他恢复理性，为他关照需要的一切，点点滴滴，涓涓雨露。

在接通女儿的电话前，李大夫教苗先生如何说，怎么说。在通完话后又教他怎么做，做什么。

隔离日里，李治竞大夫的电话和身影，是苗先生呼吸的清新空气、生命的不竭源泉。

女儿康复出院前一天，李治竞大夫和流调队的众姐妹们一起来到苗先生家中帮他重新布置了一番，让这个不幸的家庭换上了喜色。

“闺女，你虽然失去了一个妈妈，可你得到了一群同样深爱你的妈妈……”苗先生拉着女儿，让她向李治竞等流调队员施礼叩拜。

“妈妈——”逃脱“非典”魔掌的女儿这一声凄婉动情的呼喊，让天地动容。

流调队以赤诚拯救着受伤的心灵，向世界展现了中国精神。

一个特殊人物的特殊经历

这是个奇人，寿命近百岁。20世纪30年代就以“阿迹子”的笔名与鲁迅等人共同在上海、南京等报刊上发文抨击蒋介石而颇负盛名；抗战时，他将自家的近3000亩地卖掉，为在著名的“沙家浜”地区养病的新四军提供医疗和打鬼子所需的枪支弹药经费；土改时，他却因家中尚有几百亩土地而被定为“恶霸地主”；不可思议的是，他竟能始终如一地坚持以雷锋精神走完了他自己的百年悲喜人生……

我认为，雷锋精神就是包含在中华民族传统文化里的最宝贵的真善美思想。

写在前头：2013年3月5日，是毛泽东同志为雷锋题词50周年的日子。不知什么缘故，我常常会想起一个人而内心突然滋长起无限惆怅而复杂的情感——

他算什么人？一个革命者？还是一个反革命？一个土得从里到外掉渣的农民？还是一个满腹经纶的大知识分子？是一个恶霸地主？还是一个好得谁见谁都尊敬的善人？他为什么能够在自己人生的漫长岁月里以雷锋精神激励自己并影响他人？

他叫陈月盘，江苏常熟何市人氏，是我的同乡。他的一生颇有些悲情和可笑，构成了一个小人物的彻头彻尾的百年孤独史。

1."变天账"竟然是学雷锋的诗赋

第一次见到他是在一个特殊的夜晚。

那天月光很亮，只是有些秋夜特有的寒意与惨淡。那天夜里生产大队基干民兵值班，只有13岁的我加入了站夜岗的行列。那时年岁小，外加我天生胆小，只是为了显示"革命小将"那天不怕地不怕的精神，我勇敢地报了值夜岗的名。

"× 的，今天太冷了，风又刮得那么厉害，'牛鬼蛇神'们肯定又要蠢蠢欲动了。走，我们去查查他们！"我组的头儿——副营长对我和几位民兵说道。然后他又问我："小明，你是待在大队部还是跟我们一起去？"

"我也去。"这其实是不用问的话。因为我还没有真正近距离地见过一个"恶霸地主"呢，所以我自然不会放弃这样的机会。另外我还想表现一下自己的"革命战斗意志"呢！

我就是在这夜认识"恶霸地主"陈月盘的。

陈月盘是我们生产大队里唯一的地主分子。在这之前，"地主分子"在我的头脑中的形象极其清晰：就是刘文彩家中的水牢、狗腿子、任意强奸民女的恶霸，就是在风雪交加的农历大年三十夜晚上门逼债并抢走白毛女的黄世仁。不知从哪儿来的"阶级仇恨"，一提起"老地主"，我和所有的贫下中农都有同样的心情，从心底里憎恨刘文彩和黄世仁这样的恶霸。

不知是不是有意，"老地主"祖上就专挑"阴暗角落"钻，陈月盘的家很偏僻，在大队最东的一个村子里，我和他虽然一个大队，但却是一东一西相隔三四华里的两个自然村落。因为年岁小，在这之前，我没有去过陈月盘那个生产队和见过他本人。多半是好奇心驱使我加入了民兵查夜的行列。

惨淡的月光下，我们一队民兵真的像要面临一场战斗似的向陈月盘家逼近。在一座破落的农家屋檐下，持枪的民兵副营长突然压低嗓门轻轻地向我们发出指令："不许出声，注意敌情！"由于第一次同"阶级敌人"交锋，我当时真是很紧张，也有些害怕。现在想起来觉得特别可笑，一个死猫似的老地主有什么可怕的？然而那个年代和那个年龄的我，有这种紧张和害怕的心理实在太正常了。

"咚咚！咚！——"副营长突然用拳头猛砸破木门，嘴里大声喊着："开门开门！"

这时，屋里传来一个又弱又颤的声音："谁？谁呀？"

"少啰唆！我们是无产阶级专政！快开门！"民兵副营长有些不耐烦了，"咚咚咚"又是一阵砸门。

"噢噢，别敲了，我马上开门……"听得出，里面的人在忙着起床穿衣衫。

大约几分钟后，门"吱嘎"一声开了。里面探出一个上身披着一件破棉袄，下身用草绳系着裤子，一边咳嗽一边哆嗦的干瘪老头，令我惊诧的是这个干瘪老头鼻梁上竟然还架着一副眼镜！

"陈月盘，这几天你在干什么？快交代！"民兵副营长压着嗓门像训斥三孙子似的问起话来。

什么，原来这个干瘪老头就是"恶霸地主"？那一瞬间颠覆了在我脑海中根深蒂固的地主形象。这么个干瘪老头怎么可能是刘文彩、黄世仁式的恶霸呢？当时我有一句话一直不敢说出来，那就是我觉得这个戴眼镜的干瘪老头太可怜了，丝毫没有一点让人畏惧，更谈不上可憎……

"快交代呀！"副营长的声音一下高出几分贝，我对自己心头刚萌发的一点点想法而紧张不已：这不行，这不是同情“阶级敌人”和“牛鬼蛇神”吗？13 岁的我，第一次感到了“政治”的压力。那一瞬间冒出的对“阶级敌人”和“牛鬼蛇神”的一份怜悯之情，使我不由全身直冒冷汗。

“我？我这些日子没有干过什么坏事呀。天天都在生产队耕耘劳作，别无他事可求。”黑暗中，“老地主”的话竟然如此文绉绉，这对“大跃进”年代出生的我来说，又是一件惊诧不已的事，也许那一次之后一直留存在我内心几十年的同情和好感就是从这个时候开始萌生，然后深扎在心头的。

“恶霸地主”怎么会是这样的？我幼小心灵里的“阶级立场”开始出现不可抗拒的动摇。

“少他 × 的斯文腔！”副营长的话使我在黑暗中第一次感受到的一点文明马上变成了野蛮味和火药味。“你交代交代，最近写没写变天账？”

虽然月色下谁也看不到谁的脸色，但我一下子感觉空气顿时凝固起来。

“老地主”还是一腔斯文地回答着“无产阶级专政”的问话：“岂敢岂敢，我仅作了几首未成品的小诗……”

“恶霸地主”还作诗？我太惊叹了。然而这回惊叹的不只是我，连我们的民兵副营长都感到紧张异常：“啥？你还作小史？不会是当年的剥削史吧？快交出来，快快！”

这回轮到“老地主”紧张起来，他一听这赶紧返身进屋，一会儿，干瘪的“老地主”哆嗦着身子去里面又走了出来。“都在这儿”，说着，他伸出双手向民兵副营长交上一个小本本。

“有火柴吗？”

“有。”

等有人“嚓”的一声划亮一根火柴。我已经好奇地钻到了民兵副营长的胳膊前第一个看清了“老地主”递过来的那个小本本。油腻腻的，上面密密麻麻不知写了什么东西，我正想顺着民兵副营长翻页的手细看时，火柴灭了。什么也看不到。“什么乱七八糟，正是变天账！”又是民兵副营长的声音，“好了，你老实回屋去，等天亮我们看看你的这些小史……”

“是小诗。”“老地主”陈月盘胆怯怯地轻声纠正道。

“知道知道，你他 × 还不老实？小屎大屎，谁不知道你老地主屁股蛋里能拉出的都是狗屎？”民兵副营长火了，随手将站都站不直的老地主往屋里一推，然后朝我们一挥手：“走！”

没走出多远，民兵副营长又叫人划亮火柴看了看“老地主”的那个小本：“什么竖一行横一行的，我看不懂狗 × 的诗，反正老地主的嘴里唱不出好歌腔！见他 × 的鬼！”只见他顺手将那个小本本扔进路边的渠沟内。

老地主恶霸？说话斯斯文文的，能写诗的一个干瘪老头！那一夜我久久不能平静。第二天天亮后，我悄悄独自到那个渠沟里捡起了那本被民兵副营长扔掉的那个小本本。当我打开那个小本本，翻阅里面写的那些小诗时，我又一次震惊了，“恶霸地主”写的竟然都是些“学雷锋诗抄”：

学雷锋

二三月里杏桃红，人在微风碧浪中；
正是春耕生产热，广播高唱学雷锋。

热汗

入夜拖拉机响急，插秧就趁黄梅节；
汉子嬬妇争能手，雷锋精神化雨滴。

春更好

阴次晴冷暖无穷，月未西沉日又东；
梅花桃花春更好，千枝万朵泼新红。

……

老地主的“小诗集”写得密密麻麻，足有上百首。我似懂非懂，当我看完这个“大恶霸”写的学雷锋诗篇后，留在我记忆中的是个解不开的谜团……

2. 原来他还是“左联”时期的老作家

“文化大革命”10年正值我不懂事的少儿时代，虽然我的家庭也因为父亲是个“走资派”和爷爷曾在解放前当过一阵小贩而有不少牵连，但我检点自己时常常因为那一夜参与将“老恶霸”的诗集扔在渠沟里的事而内疚很多年。

那件事过去20多年后的一个春天，早已在京城像模像样当了军官的我，有一年回老家探望父母双亲。一日，与父亲从小镇返家途中，一位有些面熟的老人与我父亲打招呼后擦肩而过。我问父亲此人是谁。

“他就是陈月盘，以前我们大队的老地主。”父亲说得很随便，我听后却大为吃惊。

“怎么他还活着？”

“活得好好的，现今他还是市政协委员呢！”

我扳扳手指，也该快30年了，当年我看到的“老地主”也至少有60来岁了，怎么可能30多年后他还活着？！

那天我缠住父亲，希望他满足我的要求，说说他所了解的有关陈月盘的事。

“提起来就叫人气愤。”想不到父亲竟对这件事耿耿于怀。“怎么不？你知道我为什么在‘文化大革命’初期就被人赶下台？最重要的一件事就是说我阶级阵线不清，对‘老地主’陈月盘过于亲近关照。他们那些人哪里知道‘剥削阶级’的分子中也有人对我们共产党、对革命做出过很大贡献的人呀。我们应当实事求是，不能太不人道。就说陈月盘，他在刚解放时就申明自己曾为共产党做过有益的事，那时我是生产大队长，对他自己说的事做过调查，问过上年纪的人，也还当面询问过与陈月盘一起从事敌后斗争工作的县委某领导同志，得到的结果是，陈月盘确实在解放前为革命作过很大贡献。在‘大跃进’时期，我们全县动员大战太湖流域的望虞河水利工程，他当时已经年过半百，却跟着我们年轻小伙子一起挑灯夜战，还为提高功效提出了不少合理化建议。就因为我是生产大队长，曾在社员大会上多次表扬过这么个‘老地主’，‘四清运动’和‘文化大革命’运动来后，有人就说我为‘剥削阶级’唱赞歌、不分阶级阵线而把我打倒批臭。再后面的事你自己也经历了。总之世道对有些人太不公平。”

父亲一生刚烈自信，但自被“造反派们”打倒后，就变得对什么事都没有了信心。然后最令我震惊的是我自己后来遇到的诸多不幸竟然会与“老地主”陈月盘连在一起！如果不是父亲上面的这些话，我恐怕这一辈子都真不知其缘故呢。

陈月盘自然不清楚这个世界上，竟然会有很多与他毫不相干的人的命运跟他的沉浮有关。

“爸，我很想见见‘老地主’。”我刚说完，又自觉再称陈月盘为“老地主”似乎不太合适了。因为早在80年代初，党就已经取消了阶级成分，“地富反坏右”便永远成了历史。于是我问父亲：“现在你们叫陈月盘都怎么个叫法呀？”

“还是叫‘老地主’呗。”父亲解释说，“陈月盘这个老头子很开朗，他自己说过去别人一叫他‘老地主’他心里就有气，现在如果别人叫他大名反而觉得不舒服。他说当了一辈子‘老地主’，如今别人不再叫他‘老地主’，心理就有一种失落感。因为现在改革开放后，在农村真正当‘地主’的人都是些先富起来的人，他陈月盘说‘我戴地主高帽子时穷得连饭都吃不饱，而今那些富得流油的人却轻轻松松不费一点皮肉之苦就要把老地主的帽子拿过去，我心里不平衡’。你说他这个人……唉，也只有他才能经得起如此折腾。”父亲的话里隐含着几分敬佩之情。

“一定是个性格独特的乐观主义者。”我决意找到陈月盘，以了结我的一桩心愿。没有想到的是，第二天一早，父亲却把陈月盘接到了我家来。

“作家，哈哈哈，想不到快 70 年了，我又同作家打起交道来了！”一个穿着老棉袄，虽然手持拐棍但身子骨依然十分硬朗的老人稳稳地走过来与我握手。

“呀，小何同志，我早听说你在北京当作家，了不起。我一生梦想当个大作家，可就是命运不佳，偏偏当了个真正的‘作家——在家做活的人’，哈哈好……”这是我第一次与“老地主”对话！而且令我诧异不已的是“老地主”竟然如此幽默开朗！

他旁若无人只管自己说着：“我们这一带的人，只知道我是个地主，或者只知道我是个为共产党干革命的地主。其实大家都不知道我在二三十年代还是江南一带颇有名气的文人墨客哩！不信你们可以翻翻当年上海的《申报》，那个曾经跟鲁迅先生在同块版面上撰文的‘阿迹子’就是我陈某人的笔名呀！他们都不知道呀，小何。”老人抚摸着银色的山羊胡须，很是得意地指着站在我身边的父亲，连声对我说：“你爸他们都不知道，都不知道的。”

“左联，你小何同志肯定知道左联吧？那时我在上海用笔名写文章攻击蒋介石国民党后，上海左联的同志几次找我谈话让我加入左联，后来要不是常熟一带的抗日救亡运动急着要我到乡下来进行地下工作，我肯定也是左联的一分子了。那样的话，小何你们的中国作家协会是不是也可以吸收我为中国作协会员了？唉，时间过得真快哟，不知现在作家队伍中还有没有当年左联的同志……”老人抬起一双眼皮耷拉但仍有几分光泽的眼睛看着我，期待着我的回答。

“有，但已经极少极少了。”我这样回答老人，其实我根本不知道现在我们中国作协到底还有没有当年左联的老同志了。

这回是我主动站起身握他的手——我知道我握的是一双文坛前辈的手也是位曾经为中国革命做出过特殊贡献的世纪老人的手。

“我想知道您的一切，并且能早一日把它写进我的作品之中……”我怀着敬仰之情看着他。“有价值吗？我仅仅是一个再普通不过的人了，而且还是个‘老地主’呀！”他的眼里半信半疑，随即是几分期待。

我坚定地朝他点点头，肯定地回答他：“我要为走过20世纪的普通人立传，您老是最合适的一位……”

他激动地站起来，颤抖着双唇，说：“那我就把一切都告诉你……”

3. 惊天奇闻：没有他，就可能没有“沙家浜”革命传奇

老人一张口就告诉了我一个令我吃惊的秘密：“共产党在江南抗战时，如果没有了我，可能就没有了后来那出曾经轰动一时的革命样板戏《沙家浜》。”

“这是怎么回事？”我着实吃了一大惊，因为几乎像我这样三四十岁以上的人都太熟悉《沙家浜》这出戏了。就是在今天，每当有人问我是哪里人氏时，我都会自豪地说一句“沙家浜就是我的家”。这是一句戏中的台词，但它却可以简明地告诉别人我是哪一方人氏。《沙家浜》几乎是共产党人在江南革命抗日战争的写照，它作为历史的真实再现，早已深深扎根在中国人的心中。然而一名“老地主”怎么可能与这样一出具有代表意义的革命现代戏连在一起呢？

陈月盘淡淡一笑，捋了捋那撮花白的山羊胡须，说：“这得从我祖上说起。”从老人的口中我才知道了陈家的地主成分来历。早在乾隆年间，陈家在江南的第一代人就在常熟东乡一带成了当地的富裕人家。到第二代时，便成了小地主。到第三四代时已经是相当富裕的大地主了。仅他们陈家的土地，就占了当地土地总数的 80% 左右。陈月盘的曾祖父陈若渔是陈氏家族在江南常熟东乡的第五代，也是陈氏家族中最勤劳、聪明的一位。所以到他这一代，就财产而言，是顶峰阶段。陈月盘的“阿太”曾祖父在当时便是当地有权势的人了，但因为几代人都靠种田起家的，祖上没有官位的，到了陈阿太那一代也是一介平民。那时有钱人家的人

死了后都要建大坟、竖石碑。为了“升天”能得福造化，陈月盘的曾祖父就出钱托好友、上海俞平伯的父亲俞翰林从朝中买了个官。俞翰林做过曾国藩的秘书，这事自然很容易办成。后来阿太陈若渔死后真的入了有石碑的大坟。当然这一形式对陈家来说，更重要的是从此象征着不仅家有万亩良田，更有一红顶官帽。陈若渔有个女儿嫁给了邻近的支塘乡的一个名医，这位名医的小儿子就是后来成了中国原子弹、氢弹和中子弹研制的主要功勋人物、我国核物理学家王淦昌先生。陈月盘比王淦昌大一岁，但辈分却小了一辈，因为王淦昌的母亲与陈月盘的祖父是亲兄妹。1997年我在北京见到“中国核武器之父”王淦昌时，说起陈月盘的事，这位科学家还清楚地记得外婆家有位与自己年龄相仿的“陈才子”亲戚。陈家到陈月盘的祖父那一代便开始走下坡路。不过陈老爷子虽然抽大烟，但却喜欢读上海的《申报》一类的思想进步的报纸。由于受家庭影响，陈月盘从小养成了爱看书的习惯。有一次他看到一本白居易的诗书，那里面田园式的诗情意境让幼年的陈月盘着迷。陈月盘自己说，他后来一辈子没有离开农村，就是因为受了白居易诗中那种让他刻骨铭心的意境的影响。

陈月盘的父亲也是位思想进步的地主。他送儿子上学却不让他读四书五经，而是选学国文的学校。陈月盘读了7年国文后考上了太仓师范。母亲一听学费每年要花400块大洋，就不同意儿子再上学。可儿子说啥也要去上学。也巧，陈月盘念书不足半年因吃生栗子闹了一场大病，母亲借机说你就别上学了。儿子一听哪儿肯！后来他考上了南京的江苏省立师范，这是所公立学校，不要学费，于是家人就不再有人反对他上学了。5年的学校生涯，陈月盘见了大世面，毕业后他回到家乡常熟何市乡当了一名乡村小学的代理校长。可第二年北伐战争就爆发了，受新潮思想的影响，陈月盘从此开始了他那20多年轰轰烈烈的革命生涯。他借上“新华艺大”之名，离开家乡，先到苏州，后到当时的“国民政府”首都南京。他在南京的公开身份是“新街口小学”教书匠。这日后的5年多时间里，陈月盘作为一名具有鲜明特点的革命知识分子，用“阿迹子”这个笔名，与国民党反动政府展开了无情的斗争，并曾风靡一时。他公开骂蒋介石是“你赶走了野猫，你还要吃我”一类的民族败类。特务分子对这位“阿迹子”警惕起来，到处想抓捕他。无奈，陈月盘逃回了乡下的老家。此时恰逢老父亲去世，他便挑起了陈家的重担，当起了地主乡绅……

不久，抗日战争爆发。江南大地沦为侵华日军的天地。充满爱国热情的陈月盘不甘做亡国奴，他利用其特殊身份，积极组织民众起来进行抗日斗争。后来新四军著名将领叶飞同志带领部队来到了苏南一带开展抗日游击战争，并成立了著名的“江南抗日游击纵队”。陈月盘是当地有势力的头面人物，又是思想进步的爱国者，叶飞自然先找到了他。“陈先生，我们是一家人，应该携起手跟小鬼子干！”叶飞第一次见到文质彬彬的陈月盘时，就高兴地拥抱这位江南才子加财主的陈月盘，显得异常兴奋。那时叶飞才26岁，又对当地情况不熟悉，于是把陈月盘当作十分可靠而亲密的挚友看待。地方上和场面上的事，少不了交陈月盘去办。当时武装斗争的条件十分艰苦，有许多困难是部队上无法克服的。“江抗纵队”的经费便是一大难题，而且叶飞的部队初来乍到，谁都不认他们。

“这是500块大洋，你们先用着。”一日，叶飞正在愁眉不展时，陈月盘将自己家的“存货”送到了部队。

“老陈同志。”叶飞激动得不知说什么好。而他的一声“同志”使陈月盘这位地主出身的革命分子从此把自己的那颗火热之心也交了出去。

白色恐怖下的苏南一带，革命武装斗争十分艰苦，革命者常常要冒生命危险。许多胆小的人几次下来就再也不敢投身革命了。而作为当地有名的财主陈月盘则一如既往地参加了“江抗”的革命斗争。正当敌我势力不相上下之时，叶飞率领的“江抗纵队”奉命转移到了江北。陈月盘本来是要随部队北上的，可就在此时，新四军的一批伤病员从前线秘密转移到了常熟的阳澄湖来了。

“老陈，你是最合适给新四军伤病员提供帮助的人士，革命需要你留在江南。”叶飞深情地握住陈月盘的手，饱含无限期望之情。

就这样，陈月盘告别了叶飞，继续留在常熟一带。于是也就有了后来的《沙家浜》这一出戏。

于是也有了《沙家浜》这出名戏的很多不完整的地方——一切皆因为陈月盘是个老地主的缘故。

这儿有必要向年轻的朋友交代一下《沙家浜》这出戏的一些背景：此戏取材于当时在常熟一带养病的新四军伤病员的真实故事。

话说1939年5月，正值抗日战争进入特殊年份，我新四军在党中央指挥下，东进江南，横渡方圆千里碧波荡漾的阳澄湖，几百条大木船浩浩荡荡穿过明澈如镜的湖面，气势磅礴。叶飞领导的“江南抗日义勇军”，像一把锋利的匕首直插日本侵略者的心脏。“东进！东进！”战士们高唱斗敌战歌，威震江南大地。当年9月，叶飞的部队奉命西撤，在常熟境内的阳澄湖横泾（后来改为沙家浜乡）一带的村庄留下了一个后方医院和100多名新四军伤病员。盘踞在阳澄湖的当地土匪头子胡肇汉（即《沙家浜》戏中的“草包司令”胡传魁）投靠了国民党“忠义救国军”，与日寇勾结，多次袭击新四军后方医院，沙家浜地区的军民团结起来，奋勇抗敌。于是就有了后来崔左夫写的纪实文学作品《血染着的姓名——三十六个伤病员斗争纪实》；于是就有了上海人民沪剧团在1958年根据崔左夫作品改编成的沪剧《芦荡火种》；于是也就有了由著名老作家汪曾祺根据《芦荡火种》改编成的京剧“革命样板戏”《沙家浜》这部名戏。

“《沙家浜》的戏如果在编剧和排演时能听我讲讲当年的实情，可能更会千古不朽。”陈月盘说到这出名噪一时的京戏时，竟然如此直言不讳，着实令人吃惊。

“《沙家浜》对普通观众而言，是一部戏，可对我们这些当年直接参与同日寇和国民党反动派军队斗争的当事人来说，那是一段刻骨铭心的经历与回忆。”陈月盘抖动着每一根白须，就像梳理和扯动着深埋心头的一团带血的思绪……他以当事人的亲历细说起构成这出京戏的那段真实往事：

常熟有阳澄湖，但常熟过去并没有“沙家浜”这个地名。但阳澄湖边有许许多多“沙家浜”一样的村庄。郭建光是《沙家浜》里的戏中人物，可新四军队伍里却有一个真实的“郭建光”，他的真名叫夏光。夏光，1909 年出生于湖南武冈。在北伐时参加革命，1927 年进入毛泽东主持的武昌中央农民运动讲习所学习，同年加入中国共产党。抗日战争爆发，夏光参加新四军，任陈毅领导的新四军第一支队参谋，第三支队第六团作战参谋。1939 年 5 月随叶飞到了江南苏常一带，同年 8 月，我新四军在江阴与国民党的“忠义救国军”展开激战，夏光时任“江抗”第五路军参谋长。由于连续作战，过度疲劳，夏光体力不支而病倒。在“江抗纵队”奉命西撤时，叶飞令他留在敌后治病。夏光随即将所有作战文书交给参谋处，化装成便衣，只带一名通讯员，通过土匪头目“胡司令”控制区深入到敌后，与“江抗”政治部主任刘飞率领的后方医院的 30 多位伤病员会合后，从此开始了演绎《沙家浜》之戏的原型生活。1940 年，叶飞率部队西撤后，党中央又派谭震林同志来到苏南开展敌后斗争，夏光时任“江抗纵队”司令，后又改任新四军苏中军区一分区参谋长、苏浙军区第四纵队参谋长等职。解放战争期间，夏光任华中、华东军区参谋处长，参加过淮海战役、渡江战役、解放上海等重要战役，其战功卓著，智谋过人。解放后担任过几所海军军校的负责人。可惜因1955年被错误处理，从此离开部队，直到党的十一届三中全会之后才平反昭雪，后一直任江苏省委党史资料征集委员会负责人。“文化大革命”中在《沙家浜》大红大紫的时候，这位戏中高唱“要学那泰山顶上一青松”的英雄人物的原型，却被造反派关在牛棚里连听戏的资格都没有。

说起《沙家浜》里的另一位主角人物“阿庆嫂”，我看到陈月盘那双混沌的目光里顿时流出一丝光芒。他的声音有些颤抖，他这样说：“你知道我跟‘阿庆嫂’什么关系吗？”

“什么关系？”我怀着一种莫名的好奇心问。

“呵呵，这要你们当作家的去想象了！”不想90有余的陈月盘依然留存几分浪漫。“那真是不一般的关系哟——”他意味深长地留下一个破折号让别人去回味，而给我讲述的却是生活中真实的那个“陈庆嫂”。“真‘阿庆嫂’叫陈二妹。我们当年都叫她二妹。陈二妹的家其实也远离阳澄湖，不过她家确实开茶馆，只是不叫‘春来茶馆’，叫‘涵芬阁’。在常熟董浜镇上。陈二妹开的‘涵芬阁’茶馆确实是地下交通站。二妹家的男人是地下党员，但二妹开始一直不知道自己丈夫的真实身份。二妹家的茶馆前门挨着街，后门通着一条河，那河里长满了芦苇，所以新四军和接任叶飞来苏南指挥抗日救国的谭震林将军经常在那儿开会碰头。我和二妹及她男人陈关林都是乡里乡亲的熟人，有一次我到‘涵芬阁’给谭震林他们送一笔枪支弹药款，碰上二妹正好在茶馆铺面，就向她打听新四军和林俊（谭震林的化名）什么时候到她那儿，二妹吓得双腿直哆嗦，说你们别瞎嚷嚷，我这儿哪有啥新四军和林俊什么的。二妹只知我是当地有名的开明地主，却不知我一直是在为新四军做事的，所以弄出了这样的笑话。后来当她看到谭震林将军跟我手拉手的情景才知道我是自己人。二妹确实像戏里的‘阿庆嫂’一样聪明机智，多次为了掩护新四军伤病员和地下党开会，与敌人做机智的斗争。1941 年的一天，她的男人陈关林突然被驻地日军抓走了，敌人用残酷的毒刑逼陈关林招认新四军伤病员的下落，陈关林就是不招。日本鬼子换了一种招数，先让他吃下三大碗饭，然后又挑来一担水让陈关林喝下去，当陈关林喝得肚胀如鼓时，鬼子就将他按在地上叫人踩在他肚子上。陈关林宁死不屈。后来恼羞成怒的鬼子就把他和 62 名新四军伤病员一起押到苏州虎丘山，装进麻袋，再用刺刀活活刺死后又用镪水灭尸于荒野之中……丈夫的牺牲对二妹刺激极大，中共常熟地下党县委决定将陈二妹送到江北暂避敌人的追杀。3 个月后，二妹又在地下党的帮助下，悄悄从江北回到了常熟。但茶馆是不能再开了。党组织便给了二妹 200 块大洋，希望她做点小生意度日。二妹因为还要带身边的两个小孩，所以生意也没做成，便从小镇搬到了乡下，一住就是几十年，直到 1997 年她 83 岁时去世。”

“《沙家浜》的戏出名后，常熟一下冒出了好几个‘阿庆嫂’，在‘文化大革命’时还弄出了不少笑话：当地一个演阿庆嫂的女演员竟然也称自己是真正的阿庆嫂传人，说她娘当年就是开茶馆的，也掩护过新四军伤病员。真真假假那时谁也搞不清，只要谁在台上红，谁就是真阿庆嫂了。结果那个女演员还真被军管会捧到了天上，可惜她不自重，跟几个军管会头头不清不楚，最后死了。而真阿庆嫂陈二妹则被造反派挂着‘历史反革命分子’的牌子在田间地头挨斗挨批。唉，‘文化大革命’呀，什么事都给颠倒了。”陈月盘对天长叹道。

“生活中的胡传魁真的那么草包一个？”我对戏中几个主角原型特别关注。

“那可真不是！”陈月盘的两只眼睛立即睁得好大好大，连连摇头说，“那是戏。戏里的土匪司令胡传魁长得肥头大耳，是个真草包，但‘沙家浜’历史上的国民党‘忠义救国军’司令是个比刁德一还狡猾的家伙。胡司令真名叫胡肇汉，说来也巧，他跟郭建光的原型夏光都是湖南人。胡肇汉兵痞出身，1926年起担任国民党‘保安特务团’团长。日本人占领上海后，胡肇汉的部队溃不成军，作鸟兽散。胡肇汉后来便带领一批手下败兵流窜到阳澄湖一带避风。那时苏常地区正属政治真空，各种土匪势力蜂起，胡肇汉便被一保长收留，雇佣为地方治安队长。日久天长，带兵出身的胡肇汉在跟当地的土匪的交手中屡获胜利，于是其名声大振，成了当地方圆几十里的一股重要势力。加上胡肇汉生性暴戾恣睢，又同国民党勾结，后来出任三青团京沪行动总队司令。1939年春，新四军东进江南，袭击虹桥机场，炸毁敌机数十架，威震四方。善用心计的胡肇汉一看形势有变，便脚踩两条船，忙与新四军搞联合，接受‘江南抗日义勇军’的收编。但胡也有没想到的事，1939年，叶飞的部队奉命西撤，结果胡肇汉的队伍被一下拉走了。胡气得天天大骂新四军使他上了大当，并借口有病留在江南没有西撤。叶飞带部队走后，胡肇汉便坐不住了，开始收罗一些地方残匪，重新组成了一支四五十人的小队伍，自任司令，主要流窜于阳澄湖一带。不久，夏光任‘江抗’东路部队司令的新四军队伍来到常熟后，为了执行党的统一战线政策，积极争取胡肇汉继续抗日，决定让胡肇汉出任新四军东路军副司令。但这回胡肇汉变得更狡猾了，他心想你们新四军共产党不就想要我的队伍嘛，好吧，我就偏偏不让你们收编，什么副司令我也不要。就这样，夏光多次给他写信，胡就是不理不睬。正在夏光他们犯难时，有一天我知道了胡肇汉的下落后，便向夏光报告了。我从一个朋友那儿知道胡肇汉在阳澄湖北岸的车渡娶了个小老婆，所以他常常到那儿去。共产党为了达成抗日救国的统一战线，急需同胡肇汉当面做工作，所以对我提供的情报异常重视，夏光同志当即带部队移驻到车渡。部队刚到车渡，夏光与副司令杨浩庐便到湖边瞭望，见到一只非常漂亮的篷船正向岸边驶来。村上的老乡便说这就是胡肇汉的船。夏光一听很高兴，可谓无巧不成书，船上正是胡肇汉。听夏光后来说，夏光未等船靠岸，就先喊了声'副司令'，胡肇汉还不知是怎么回事时，就无可奈何地当上了'江抗'东路部队的'副司令'。胡肇汉心里有算盘，所以对这个'副司令'实在有说不出的几个不情愿，但那时抗日是全民大事，谁敢公开说我不愿抗日？碍于这层理由，他胡肇汉无奈装出一副哭笑不得的样子，接受了新四军江抗指挥部关于统编部队一致抗日的指令。出于对统一战线和抗日的大局考虑，夏光提出第二天由他带领的新四军和胡肇汉的部队举行一次联欢。

次日，阳澄湖畔喜气洋洋，一片欢声笑语。新四军特意给胡肇汉的队伍送来了两头猪和其他慰问品。胡肇汉一看夏光他们如此抬举自已，心头洋洋得意，摆出一副副司令的架势，大有与新四军共产党平起平坐之势。

可与戏中的草包司令不一样的是这个'忠义救国军'的胡司令十分狡猾，在1940年后当抗日形势于中国共产党人极不利的时候，他便又开始投靠国民党，不断袭击新四军后方医院的伤病员，同年夏天，胡肇汉勾结日本鬼子，在吴县陆巷村，向我新四军发起突然袭击，造成夏光部队110余名新四军战士伤亡，活埋新四军伤员十余名，继而又在阳澄湖边烧杀抢夺数日，枪杀进步抗日青年和渔民36人，犯下了血腥的罪行。从此胡肇汉在阳澄湖一带就有了'杀人魔鬼'之称。1949年4月，人民解放军渡江南下，胡肇汉像丧家犬似的到处逃窜，最后躲到了阳澄湖千里芦苇荡之中。他凭借着水中优势，几次侥幸逃脱了解放军的水上追捕。

江南解放了，可大土匪胡肇汉却一直没有落入人民的手中，并且仍不断地对百姓和新政权造成危害。中华人民共和国刚成立，吴县湘成公安分局的干警接受了追捕胡肇汉残部的特殊任务，由局长包振家亲自率领该局 7 名精干的同志化装成渔民，开始了千里追捕胡肇汉的行动。那时刚解放，胡肇汉的势力还不小，他手下有几个土匪大队，行踪诡秘。后来包局长他们从一位曾在胡肇汉手下当过一大队大队长的土匪头目那儿知道胡肇汉有个小老婆与胡仍有来往，于是迅速采取措施找到了那女人，果然那小老婆交代了胡的行踪，说胡在上海浦东有一家布店是他的秘密交通站。而这个浦东秘密交通站，正是《沙家浜》中刁德一的原型王群生给胡肇汉安排的。当时的上海浦东，就像一片谁都不会注意的野荒滩地，恰好被胡肇汉他们一帮国民党残渣余孽给利用上了。但胡肇汉没有想到的是共产党的公安干警这么快就追到了他自认为'绝对安全'的浦东。据说追捕胡肇汉的场面特别惊险，公安部门组织了两个梯队进行攻击。结果措手不及的胡肇汉及残部被一网打尽。1950 年 11 月 28 日苏州行政区人民法院宣判了胡肇汉和他的参谋长王群生的死刑，并当场押赴刑场执行枪决。"

"看来历史上的胡司令要比戏中的草包司令更具戏剧效果嘛！"我不由感叹起来。

"野鸥忽啼春雾绿，澄波倒影远舟遂。平生只爱水乡居，到处芦湾风与月。"不想九旬老翁独自吟起诗来，当我问此诗出自谁作时，陈月盘捋着他的山羊胡子呵呵笑起来："老生也。"他说这是他在 30 多年前特意为生产队的一名叫洪生的渔民老弟所作，可惜比他年少 20 多岁的"洪生弟"已在前年去世了。

自从新四军进入常熟和阳澄湖一带后，日本侵略者与国民党投降派对当地民众进行残酷镇压，特别是对新四军等抗日进步力量进行了血腥镇压。夏光领导的"江抗"部队不能公开活动，只得整天东躲西藏，进行有限的抗击斗争。由于敌人的封锁，新四军和伤病员的弹药和药品很难搞到手。谭震林和夏光便多次找到陈月盘，请他出面帮助解决问题。于是陈月盘不得不整天在敌后抛头露面，几乎过几日就要到“阿庆嫂”的茶馆里跟地下交通站的共产党员接头，送弹药和医疗用品。有意思的是共产党内的许多同志还以为陈月盘这位大地主也是一名党的重要领导呢。可一细打听陈连党员都不是，便觉得十分奇怪。为此陈月盘先后找到叶飞和谭震林谈此事，希望自己能加入中国共产党。可叶飞和谭震林都希望他留在党外，说那样更容易出面为革命工作。“你的情况我们党组织非常清楚，是我们自己的同志。入不入党都一样的。但眼下革命形势非常复杂，你不参加组织，更能为革命做事，所以不要有什么顾虑。”谭震林的话说得更明白。还有什么说的，陈月盘从此就一直按照党内的同志标准要求自己，所以在残酷的对敌斗争中，他从来没有想到自己不是革命队伍的一员，相反以更高的要求将自己放在严酷斗争的最前沿忘我地工作着。

然而正是他这种忘我的投入，敌人很快注意到他。日军和伪军经过一段秘密追踪，误认为陈月盘就是他们梦寐以求想抓到的江南共产党头目。无奈，陈月盘不得不暂逃上海。在十里洋场上，陈月盘既有不少往日的文友，也有已经执掌着不小权力、时下在日本人统治下无所作为整日闲得只知“搓麻”的同窗显贵。可陈月盘与那些人不一样，他心里一直装的是芦苇荡里的那些新四军和伤病员同志。于是在上海待了不到半年时间，他便急着要求回到了常熟老家。这回他带回了一个同窗学友，即后来成为国民党驻上海的实力派人物熊剑东。此人行伍出身，生性暴烈。日本人占领上海后，熊剑东在上海滩待不下去了，便跟着陈月盘避到乡下。可他见到日本人就血性上来了，一连几回把在常熟做生意的日本商人给拖到野地里杀了。

"你恨日本人，这一点我同你一样，可我们不能采取这样的手段，那太残忍了！"陈月盘说。

熊剑东便哈哈哈大笑起来，"月盘啊月盘，生性文文绉绉，只能一生做个被人奴役的月盘呀。"

"五六十年前，我对同窗学友的话并没有理会，不想后来还真被他言中了。唉，人哪，本来父母给你起个名字完全是一时的一种念头或灵感而已，可许多人却真的因为一个名字的缘故而命定终身。我就是。一个月字一个盘，命里似乎注定永远掌握在别人的手里……"陈月盘说起往事，不由感慨万千。熊剑东如此杀人不眨眼，没多久也无法在乡下待下去了，陈月盘只好送他回上海，劝他另谋出路，后来又帮助熊与国民党方面取得了联系，使这位"野马"有了比较好的归宿。经过一段时间敌我之间的拉锯战，我"江抗"队伍度过了最困难的时期。新四军的敌后斗争形势出现了相持状态。这时，根据中共江南特委的批示，常熟地区准备成立自己的政府组织。江南特委在研究常熟县长人选时，首先想到了陈月盘。

"老陈有开明地主的公开身份，文化程度又高，又是当地有影响的人物，非他莫属。"江南特委的负责同志这样评价说。

"在当前敌我斗争十分复杂的条件下，陈月盘这样的人出面当我们自己的政府负责人是合适的。"特委同志意见一致。

可江南特委没有想到的是这个决定传到常熟地下党组织，当组织向陈月盘本人征求意见时，他自己却首先否定了："不行不行，我连一个共产党员都不是，怎么能当共产党的县长呢？不行，你们一定要找位坚强的'江抗'领导同志担当此任。"

由于陈月盘的再三推辞，中共江南特委最后只得另选了"民抗"司令，在常熟一带声威显赫的民族抗日英雄任天石出任常熟县长。说起任天石，陈月盘禁不住老泪纵横，这是我没有想到的。“50多年了，可就像是昨天的事呀。”陈月盘用那双颤抖的手，抹了抹眼角淌出的泪水，说：“任天石在我们常熟近代革命史上是位最了不起的英雄。他就是后来《沙家浜》中的那个以中医身份到‘春来茶馆’送情报的县委书记‘陈天民’。我听写《沙家浜》的作者说过，戏中的‘陈天民’就是照任天石的名字搬过来的，陈和任音相近，中间的天字没动，陈天民的‘民’却隐含任天石‘民抗’司令的‘民’字。任天石是我们土生土长的常熟梅里塘桥人。1913年出生在一个中医世家。初中毕业后，任天石回家学医。‘九一八’后，思想进步的他，积极投身到抗日救国运动中去。从那时起，我们这些激进人士经常在一起碰头。1932年任天石考上了上海的中国中医学院。3年后他完成学业后回到家乡，在常熟城里开了一个诊所。这时他认识了常熟的地下党负责人李建模，从李建模那儿看到了不少马列主义进步书籍，任天石从此走上了革命道路。1937年初，任天石参加了中共地下党组织的常熟人民抗日救国武装自卫会。1937年常熟沦陷后，任天石就开始职业革命生涯，与敌人展开地下武装斗争。次年原红军团长赵伯华回到常熟，任天石便与赵一起开办了革命武装军事骨干训练班，不久便成立了常熟地区第一支由共产党人掌握的武装队伍，简称‘民抗’，任天石任负责人。1939年叶飞率领的新四军‘江抗’来到苏南后，任天石的‘民抗’与‘江抗’会合，两支革命武装队伍沉重地打击了敌人的嚣张气焰。任天石的名声也在当地响了起来，成了人人皆知的英雄。1940年任天石已是中共常熟县委书记了，由于我坚决不出任常熟县长之职，结果任天石又兼任了常熟县长之职。在他的领导下，常熟人民在阳澄湖一带与敌人展开了艰苦卓绝的斗争，特别是夏光他们的新四军伤病员队伍，既要养病，又要打仗，难得很哪，要不是任天石和我们坚定有力的配合，新四军伤病员这支队伍是无法坚持到革命胜利的。”

“老地主”的这段回忆，使我对《沙家浜》的戏有了很多联想：“陈天民，这个我党的地下领导者形象，可以是任天石，但我倒有另一种联想，作者当时是不是也考虑到您在常熟抗日战争中所起的作用，所以就将地下工作领导者的名字前面用了您的陈氏姓？”

陈月盘一听惊骇不浅，连连摆手说：“不会不会。从早先写的《芦荡火种》，到后来改编成京剧《沙家浜》，我早已是戴帽地主和当了一二十年的‘牛鬼蛇神’了，怎么可能有人敢冒天下之大不韪，敢为一个地主恶霸树碑立传？”

听了老人的解释，我只得嘿嘿自乐，心想这是肯定的。但我仍然希望自己的猜测可能有一些是对的，因为我了解一些中国文人的独特写作心理。汪曾祺在世时，我就曾问过他《沙家浜》里的人物姓名是怎么出来的，他说大部分是根据你们常熟抗战时期那些民族英雄组合起来的，有时用张三的姓，有时用李四的名，总之别看什么阿庆嫂、郭建光啥的，知道内情的都明白那是写谁的。

据后来我回老家采访了解到，在抗日战争时期，陈月盘在常熟的影响同任天石不相上下，陈是公众熟知的人物，任是百姓心里的英雄人物，两人都为当地抗日斗争做出了特殊的贡献。问题是由于后来的社会发生了质的变化。任天石后来在抗战结束后便改任京沪路中心县委书记，1946 年 9 月，他又任华东十地委常委兼社会部部长。1947 年十地委机关迁至上海。任天石刚到上海市区，就被人告密，被国民党逮捕了。在狱中的任天石宁死不屈，同国民党展开了坚决的斗争。在新中国黎明前的 1948 年，任天石英勇就义于南京雨花台。

可是活着的陈月盘的情况就大不一样了。

在抗日战争最激烈的岁月里，陈月盘以自己独特的身份，进行着同任天石他们同等重要的斗争。他多次利用自己的公开身份，解救了数十名新四军伤病员和党的地下工作者。陈月盘最引以为豪的是他为后来成戏的在“沙家浜”养病的36个伤病员及后方医院的新四军们送枪买药的许多事。陈月盘说夏光第一次找他时，开口就问“你是不是有枪”？他便告诉夏光，“你应该问：‘常熟是不是有枪’？因为常熟有了枪才能动员百姓起来打东洋人，保卫自己的国家”。陈说从那次见面后，夏光就经常找他，只要伤病员有什么困难，就来找陈月盘帮忙。为此陈月盘说，他祖上留给他的3000多亩佃田，最后到解放时仅剩了300多亩，那几千亩佃田大半是为帮助新四军伤病员买枪买药和营救地下党员卖掉了。

《沙家浜》中的新四军伤病员队伍经历的是与日本侵略者和国民党的“忠义救国军”的严酷斗争，演绎的是一曲军民鱼水情及苦斗顽敌的战斗凯歌。历史上的阳澄湖地区的那支新四军伤病员队伍确实有过比戏中更残酷的艰苦斗争，特别是队伍初来“沙家浜”时，人生地不熟，伤病员多数是闽南人，他们中间还有好几位是红军战士。叶飞和谭震林领导的“江抗”正规部队西撤后，夏光率领的这支连医务人员在内的100多人的队伍，既缺少必要的武器装备，又对当地情况极不熟悉，所以曾屡次受到敌人的袭击，先后有几十名同志英勇牺牲。

“必须建立自己的武装！”身经百战的夏光同志十分清楚这一点，于是在他的主持下，养病的后方医院很快组织起了一个特务连。一方面负有保护后方医院中的重病号责任，一方面利用丰富的作战经验同敌人展开针锋相对的武装斗争。先后与日军和胡肇汉的“忠义救国军”多次交战，取得了“沙家浜大捷”、“阳沟桥战斗”和“八字桥围歼”等战斗的胜利，使新四军威震四方。尤其是新四军队伍与当地老百姓紧密配合，利用阳澄湖一带水面自然优势，狠狠打击了敌人，谱写了一曲曲动人的赞歌，为日后《沙家浜》的诞生留下了动人的历史原型。

8年抗战，新四军在阳澄湖一带的后方医院，创造了我军抗战史的辉煌一曲。而对一个爱国主义的革命者来说，陈月盘一直认为这是他一生中最值得自豪的岁月。那8年间，他陈月盘由一名握笔杆子的激进文人，变成了“半职业革命者”，成为当地名噪一时的风云人物。他为此舍弃了自己的家庭，赢得了党的信任和人民的拥戴。然而抗日战争胜利后的陈月盘万没有想到自己的命运发生了戏剧性的变化。

在日本人举手投降的日子里，中共江南特委和新四军队伍为了遵照党中央关于防止内战的指示，纷纷撤到了长江以北的解放区，苏南又成了国民党的天下。本来陈月盘是准备随大军北撤的，但当时一位姓仲的地下党负责人找到了陈月盘。这人曾是陈月盘的学生，他的恳切要求使陈月盘放弃了跟共产党大部队北上的心愿。历史就是这样无情，陈月盘的这一走一留，使得他这辈子完全有了两种截然不同的命运。

“如今，蒋家王朝已奄奄一息，但国民党反动派企图借助长江天险，从而拖延我们解放全中国的伟大目标。所以党指示我们要做好敌后革命工作，准备迎接解放军渡江。党中央和毛主席指出，我们敌后工作的最重要的任务是争取敌人内部的策反工作。陈先生您是有身份的人，以前的同窗学友不少在国民党军队里做大官，听说上海的国民党军队的实力派人物熊剑东就是您的同窗好友是吗？”姓仲的地下党负责人又找到了陈月盘。

“是，我同熊剑东不仅是同窗学友，而且我还从日本人手上救过他一命呢。”陈月盘说。

“太好了。这您就更容易去熊部为我党进行策反工作。怎么样，有困难吗？”

“没有。只要对革命事业有利，我一定努力去完成。”

就这样，陈月盘又满腔热情地为我党我军展开了对国民党军队的策反工作。

陈月盘再次来到了上海。

“好啊月盘兄，你来了正好，奶奶的这日子简直不知怎样打发了。你来简直太好了，可以帮我出出主意，日奶奶的国民党政府越来越不行了，往后我们这些人的后路不知怎么个弄法。唉！”熊剑东见老朋友投他而来，真是喜出望外。稍假思索，便叫来副官做记录道：“从今起，这位陈先生就是我的私人秘书，他可以参与我部的一些重要会议和决策，要把陈先生，不，现在应该是陈秘书的生活和工作安排好，不得怠慢。”

“是。”副官毕恭毕敬。

不用说，凭着熊剑东在上海的势力和往日的生死之交，陈月盘在熊部的工作非常顺利。加上由于我军在各个战场频频大捷，熊剑东内心充满了矛盾与焦虑，不时与陈月盘倾心相谈。陈月盘借机不时向熊灌输共产党的政策和对中国未来的前途认识。然而就在陈月盘不断以好友身份向熊做工作的同时，身在南京的蒋介石也一直没有放松对熊剑东的拉拢。有一次熊从南京回来，陈月盘发现他一反常态，默默地一个人跟谁都不说话，尤其让陈月盘担忧的是以往熊大小事都会主动同陈月盘吐露，可这一次一丝不透。陈月盘思忖着情况可能有变。果不其然，不出多久他知道了内情，原来蒋介石为了达到拉拢熊剑东的目的，承诺要让熊当浙江省省长，并且暗地里给了熊个人不少钱。鬼迷心窍的熊剑东从此很难再听得进陈月盘的话。有一天，陈月盘刚刚躺下，一位被他成功策反的军官就来向他报信，说熊剑东要在下半夜带着部队开往江边准备迎战解放军。陈月盘听后心如火焚，当即去敲熊剑东的门。熊剑东就是不开门，并令警卫拉走陈月盘。熊剑东不听同窗好友的劝告，结果出师便大败，一向好胜的熊剑东自知无脸在主子蒋介石面前交代，便一枪自尽了。

消息传来，陈月盘自责自己既没有完成好共产党交给的任务，又没规劝好同窗，使其最后落得弃尸荒野的下场，心头顿时极其沮丧，一气之下，回到了老家，从此再也不愿抛头露面。

“我自知没多大本事，但自尊心却极强。干什么事都希望能有个圆满的结果，可天不助我。策反熊剑东没有成功，我总觉得自己很对不起共产党，对不起革命事业，所以一气之下，再也不想折腾了。从此了断了一二十年的革命生涯，因为策反熊剑东工作的失败对我刺激确实太大。本来我自认为是完全有把握的，另一方面我个人也有打算，一旦策反成功，我准备正式加入共产党，并且已经同在革命队伍中做到相当级别领导的学友商量好了，准备上北京去见我一向敬佩的周恩来同志。但熊剑东一事使我的自尊心受到了极大打击，觉得自己再也无脸见共产党了。所以横下一条心，回家种地当农民。”时近百岁的老人陈月盘回想起当年这彻底改变他后半生命运的“一气”，真是颇多感慨。他说：“人哪，有时就是聪明一世，糊涂一时。要是我当时能想开一点，照样继续参加革命工作，或者同中共华东地下党组织说清楚，自己也许照常可以为后来的革命斗争做些有益的事。可我没有那样做，一气之下的后果，便是我永远与革命事业脱离了。但令我无论如何想不到的是，我本人也曾经为之出力流汗的革命事业在胜利之后，竟然使我这样一个无私的革命者在解放后成了革命的敌人，并且被无产阶级专政的铁拳弹压几十年……”

陈月盘讲到此处，那双早已失去光泽的眸子闪着泪光。

很久，我没有向他问话，因为我们面对面地坐着时，我已经能感受到此时这位风烛残年的老人内心世界的那份痛楚。

4. 为新中国成立而策反未成回家当了“恶霸地主”……

有时人的一闪念，便是对天堂与地狱的选择。我品味着陈月盘的一生似乎更相信哲人金言。

“老地主”陈月盘的命运就是这样！

“人的一生中有许多事可能真是命里注定的。”陈月盘突然冒出一句宿命的观点，但马上他又作了自我否定，“其实我这个人是最不相信命的，只是有时碰到那些无法理解的事后绕不过弯时，不得不这么去想，想一下似乎心头就能少一份沉重。”

自策反熊剑东失败后，陈月盘回到老家常熟何市小镇的陈家宅子。这时，除了那座标志主人曾经是位财主的大房子还留在那儿外，实际上陈家已经沦为破落户。革命几十载后的陈月盘从父亲手里接过多少佃田他至今都记不得。后来在他手里就没有哪一年正经收过全额的佣租，所以陈月盘自己都搞不清自己的家底到底有多少。陈月盘自家门里有位叔伯，在陈月盘教书和参加革命时期，家里的事都由这位叔伯代管。那时不少陈家的佃农到年底时经常不交租，陈月盘的叔伯就愁心得很，问侄子怎么办，陈月盘便大话一放：“够我们陈家大小吃的用的了吗？如果够了，就别为难佃农了，都是乡里乡亲的，大家都不易，免得伤和气损财嘛。”他这么一大手大脚，渐渐陈家不收租像是成了当地佃农的习惯似的，所以后来新四军断药缺粮，夏光向陈月盘求援时，他只好一次又一次地卖地。到底经陈月盘自己手卖了多少地，他都搞不清。总之自打从熊剑东那儿回到老家，当陈月盘自己真想“以农为生”时，一盘点自己的家底：仅剩 300 多亩田产，再就是一幢空荡荡的大房子。

“月盘，你跟共产党干了几十年革命，最后落得什么好处？一点也没有！听说共产党搞什么社会主义，镇压有钱人。你大小也是个地主，留下来肯定好不了，还不如和我们一起到台湾去发财。”就在国共和谈破裂前夕，曾在开滦煤矿当老板的同乡学友王崇植，在赴台湾之前回到老家见到了陈月盘便动员他说道。

陈月盘听后笑着摇摇头，说：“我骂了蒋介石几十年，到台湾能有好日子？”

王崇植拍着胸脯对老同学说：“这个你只管放心，老蒋这人就讲老乡观念，他对江浙人有天然好感，你只要愿意听他话，不会吃亏的。”

陈月盘说：“我既然跟共产党干了几十年革命，就不想把后半生交给国民党了。至于说到跟着蒋家王朝发财，我看还不如回家种田。谢谢老同学的好意。”

王崇植后来到了台湾还真发了财，并且官至蒋介石的“社会局”局长。可他却没有劝动陈月盘一起赴台。没几日，陈月盘的嫡亲表兄也要迁到台湾去。

月盘的这家嫡亲表兄不是别人，正是前面讲过的后来成为闻名世界的大科学家、中国“两弹元勋”王淦昌的堂伯侄。王淦昌的母亲便是陈月盘的祖姑妈。陈月盘虽比王淦昌辈分小，年龄却大几岁。王淦昌在我采访他时亲口说过这样的话：“月盘是好人，我们小时候就很要好，那年我背着家人报考了学校想走德国留学，家人极力反对，他听说后便跑到我们家来做工作，我对这事印象很深。”陈月盘对比自己年龄小几岁的“阿伯”王淦昌走科学救国的道路也十分推崇。而今亲戚家的表兄要到台湾做生意去，这是时势变化的结果，陈月盘不好多加阻挠。但他心头异常沉重，因为他清楚此次一别，便是天各一方。王家的这位表兄也是位知识分子出身，后来靠了陈月盘在上海与熊剑东的关系，才开始把生意做大的。自然这位表兄十分希望此时很“背时”的陈月盘跟他一起到台湾，意在回报陈的往日恩情。陈月盘面对表兄的好意又一次回绝了。只是这一次惜别对陈月盘心灵刺激很深。那天他从上海回到偏僻的乡下老家，当他走在自幼熟踏的那条村头小路时，举目村头路边，袅袅炊烟，忍不住勾起心头万般情结。当晚，他写下了一首《西江月》：

瓦灶石台绳凳，纸窗竹径泥墙；风微日暖豆花香，沽得南邻新酿。

再不关怀世事，从此老死家乡；芒鞋箬笠立斜阳，呼鸭绿蒲塘上。

陈月盘告诉我，他此时年值四十有三。后来9个月里，他这位革命出身的“地主分子”第一次正式当起种田的农民，学会了锄田，学会了牵牛犁地。一句‘再不关怀世事，从此老死家乡’，是不是对以往自己的革命生涯有些懊悔之感或者说看破红尘的意思？我吟着陈月盘50多年前的诗句，总感觉当时他的心态很灰暗。

陈月盘老先生听完我的话后，不屑一顾，说：“错了错了。如果说当时我一点也没有伤感之情，那不客观。但从那时起，我确实发誓‘再不关怀世事’和‘从此老死家乡’。因为经过几十年的风风雨雨，我发觉自己可能本来就不能成为革命和时代中那些力挽狂澜者，所以干脆就省了那份心思，老老实实当个靠自己双手自食其力者。这不是赌气。我从小爱读古人的诗作，尤其是欣赏陶渊明笔下的那种田园生活。可我觉得陶渊明还不是一个纯粹的乐农派。我可以说比他要更多一层对田野和土地的情感。因为我从小生活在江南水乡，对这儿的一草一木，我觉得太恬静太美丽太适合我这个人了。故当轰轰烈烈的大事情做不成后，当不能实现个人理想中的那种大成功后，我的心一下又回到了原始的那种田园式的理想境界之中。因此我觉得自己比陶渊明更少了几分知识分子的清高，多了几分对泥土的亲近。与其说对泥土的亲近，还不如说我对家乡的那份抹不去的眷恋。陶渊明不为五斗米而折腰，那么如果给他五石米呢？可能情况就不一样了。但我不一样，当我立志后半生与土为伍时，我心头极其坦荡自然，绝没有一点为难自己的地方，否则之后50多年经历的事，特别是解放之后一直当‘老地主’的非人经历，我就早已挺不住了，不知死过多少回了。你想想是不是这样？”

我只有点头的份儿。因为我只能相信这样一个简直有点怪的老头的话，我扪心自问：假如我像他经历的几十年多舛命运，能像他那样挺得过来吗？挺得如此乐观自如？还挺得如此延年益寿？我想我肯定做不到，我想不是我一个人做不到，而是绝大多数人都做不到。”

陈月盘的人生魅力就在于此。这便是一个小人物的不一般之处。

芸芸众生，命运各不相同，有些事是无法比较的。这世上找不出第二个与陈月盘的命运相同的人。

一顶“地主分子”的帽子，使当年的革命功臣蒙受的不白之冤非常人所能想象。而让陈月盘最寒心的也并非在土改时被评为地主成分，恰恰是这过程他所感受到的那种切肤透骨的世态炎凉。

新中国还没成立的时候，由于陈月盘自己早已接受共产主义思想的教育和影响，当他着手接管家产后，便开始整理以前祖上留下的佃田，加上他的思想深处从根本上清除了剥削阶级意识，因此在短短的时间里，他把绝大部分的佃田该卖的卖掉了，该送给那些贫苦乡邻的就送出去了，最后只剩下几百亩地作为自己生活和耕作留在名下。解放了，土改运动便在全国展开，第一件事就是按地划成分。轮到陈月盘时，土改干部不知如何执行政策了，因为按政策，他当时的地大概就够个富农。但是谁都知道他陈家是历代富裕大户，那些政府准备划在地主成分线以内的地主分子就向土改工作队施压，甚至放言说你们要把我们划为地主，那他陈月盘就应该是第一个划地主成分的人。如果他漏划了，证明你们共产党有偏心眼，就是看在陈月盘曾经为你们共产党办过事。要是那样的话，既然在陈月盘问题上你们共产党可以不按政策办，那凭什么非要我们执行你们的政策呢？

当时执管陈月盘所在地区的区委领导正是当年陈教过的姓仲的那个学生。于是仲来找陈月盘，说你看大家都盯着你，不好办呀，再为革命事业贡献一次吧。

陈月盘想得太简单了，心想划地主成分也是劳动种地，不划地主成分也是劳动种地，不都一样嘛！还谈什么贡献不贡献？评，就评吧，谁让我是个名声在外的开明地主嘛！

就这样，陈月盘怀着“再为革命事业贡献二次”的纯真心愿，被“光荣”地划入了地主阶级。当时他并不知道这个“地主”成分到底对他后半生命运有什么利害关系，而且他心头明了的是，反正共产党了解我，再说我自己的学生不就在管我的地方上当干部嘛，他出来说一句，我这个“地主”自然就同别的地主不一样了。

然而陈月盘大错特错了。在无产阶级的眼里，所有被划归为剥削阶级的地主是一样的罪恶累累。

一顶“恶霸地主”帽子让这位为新中国革命做出特殊贡献的知识分子饱受了屈辱的人生……

5. 他几十年的悲情命运

“老地主，今天生产队有只粪缸破了，你下去修一修！”

第一次有人叫他地主，陈月盘说，“我有名字嘛”，人家愣了一下，说“你就是地主，有什么不能叫的？快去把活干了吧！”

陈月盘心里闷了一口气，可干完活，累了个半死，就忘了这口气，反倒乐滋滋地自我总结道：“我又在做农民的长征路上迈出了一步。”

“老地主，今天是元旦，社员们放假了，生产队的母猪要生崽，没有人管，你搬到猪棚去管一管吧！”生产队长说此话时连商量的口气都没有，完全是一副命令式的。陈月盘话到嘴边，想说一声自己也希望能在元旦假期里去儿子那儿看看孙儿，可他刚刚开口说话时，对方早已人影都没了。

“老地主，最近上面有话，你们‘四类分子’以后出门要请假，另外你也不要每天到镇上上早市了。”又有人通知说。

陈月盘站在原地想说又不知说什么，因为他越来越感到只有别人在不断地向他下达各种命令、各种限制，而自己想表达意见的机会都没有了，即使能吐半句话，人家也根本不听不回答。

地主？我真的是地主？为什么地主就得受这么多限制？凭什么对我也这么限制？

“凭什么？就凭你是大地主一个，你说凭什么？笑话。”总有一天陈月盘可以说话了，可人家就这么回答他。

这回陈月盘真生气了，他回家就抄起笔给那位当过自己学生又一起在抗战时期干过地下工作的已经当上常熟县委领导的学生写信，他想问个究竟。

一天过去了，十天过去了，一个月两个月过去了，陈月盘始终没有盼到那位当了县官的回信。有次陈月盘听说那个姓仲的学生到大队来检查工作，陈月盘瞅机会跑到检查队伍前面，想亲自当面问一声自己的学生，可人家远远看到“老地主”向他走来时，就问身边的公社武装部长：“你们这儿对‘四类分子’（即地富反坏）怎么管的？”随行的公社武装部长随后便气势汹汹地跑过来用手指戳着陈月盘的鼻子骂开了：“你这个老地主怎么贼心就不死？回去给我罚三天苦力！”

悲愤之中的陈月盘又给他当年一起革命和抗日的如今都在政府和军队里当领导的熟人、同学、战友写了一封又一封信，他想：过去与自己一起战斗的那么多人中总有那么几个人是了解我陈月盘的吧，总该出来为我说几句公道话吧？于是他等啊等，突然有一天，大队民兵营长找到了他，手里拿着一大沓信件，毫不客气地朝陈月盘一扔，板着脸说：“以后你给外人写信先交我们，然后再由我们看是不是该发出去。”

那天，陈月盘听这话后，半天没有从惊呆中回过神：怎么，我连写信的权利都没有了？

从此，他再也不给任何一位过去曾经与他并肩参加革命或被他救过命的同事、战友、同窗写一封求助信。他心里说：你们眼高，我陈某心高。

此后，明细人情世故的陈月盘做出了一项重要决定：老婆和孩子们，你们以后再也不要同我来往了，我一个人过，你们都过你们自己的，不要管我这个“地主分子”！

陈月盘有 3 儿 3 女，大儿子也是地下党出身，其他几位读书的读书，参加革命的做革命工作，本来就远离他，这回他向孩子们发出一道“家规”叫他们不得“犯规”，否则就不是陈姓。

最让陈月盘难作决定的是与自己往日相依为命、相濡以沫的妻子。自己已经50多岁的人了，还恋什么儿女情长嘛：“你的路长着呢，该怎么走就往下走。”他对妻子说了绝情话。可是真当妻子挥泪向他告别时，陈月盘这回可忍不住眼泪哗哗而下……俗话说，50出头，病魔纠缠。人生悲剧，莫过于在年迈的日子里孤独度苍生呀。可一个“老地主”，还有什么值得别人费心思的呢？陈月盘望着贤妻的背影，往事顿时浮现在眼前——

妻名玉彩，是位贤惠女性。比陈小4岁。当时两人的婚姻是大人们包办的，结婚时陈月盘只有17岁，还在苏州上学。由于受新思潮的影响，陈月盘当初有想逃婚的念头。结婚前3天他还在上海徘徊，后来因为想到自己9岁时父亲就去世了，是母亲很不容易才把自己拉扯大的，如果当了新郎就想逃婚，母亲准会跳河自尽，为了这份孝顺，陈月盘勉强接受了这桩婚姻，可就在入洞房的那天晚上，陈月盘以颇带赌气的口气责怪新娘子为什么接受包办婚姻？他要她离开他另去寻找幸福。后来新娘子哭了。陈又哄着说：“我给你想个法子：等我上学去了，你就偷偷跑出我们陈家，只要留个条子便可。那样我就可以把一半嫁妆送到你娘家。”14岁的新娘子玉彩听着“小官人”的一番话，反觉他和蔼可亲，所以等陈上学去了，她不仅没有走，而且正正经经当起了陈家儿媳妇。半年后，陈月盘从苏州念书毕业回家一看，婚姻既已成不可改变之势，也就死了那份心。从此他教妻子认字。陈月盘在乡下当小学校长时，妻子也成了学校的一名老师。之后，陈月盘一直在外参加革命工作，妻子便带着孩子、照顾婆婆，一直留在家乡附近的一个小镇上教书。就是在陈月盘策反熊剑东失败后从上海回到乡下的日子里，妻子带着孩子一直住在镇上，只是一到假期就搬来与陈一起住。那些日子对陈月盘是温馨的，然而现在一切都得改变，并且是永远的改变……

陈月盘感到揪心的痛。可又有什么办法，因为自己是无产阶级专政的对象，是让人仇视的地主分子!

别了，一切儿女情长，一切世态炎凉，皆随我这头顶上的这顶“地主分子”的帽子而去兮。秋风萧瑟，陈月盘蹲在长满草、两边蛙声震耳的田埂上，对着悬空的一弯冷月，内心充满了无限的惆怅。他知道，自己面临的将是无数他永远想象不出的一个又一个严寒与一场又一场风暴。

也不知什么时候开始，连陈月盘自己都不明白，一向以革命者和“开明地主”自居的他，竟然变得再也找不到以前那自我的感觉了。

那是个异常寒冷的岁月。广播喇叭里整天喊着“坚决镇压阶级敌人”、“彻底粉碎蒋介石反攻大陆阴谋”一类的口号。陈月盘从刺耳的广播中终于明白了怎么回事，原来盘踞在台湾的老蒋白日做梦想反攻大陆呢！哼，这个“蒋该死”，还不死心呀!

一天，陈月盘找到生产队长，说：“我对国民党太了解了，对蒋介石的脾气也略知一二。他嚷嚷反攻大陆，那是说说而已，绝对不可能的事，你们不要信他。”

谁知生产队长瞪大了眼珠，反问道：“你怎么知道老蒋不反攻大陆？”

不几日，陈月盘被叫到全大队社员会议上。他被两位民兵押到前台，然后令他把头低下来。

陈月盘不明白，反问为什么让我低头？

民兵二话没说，上前一步，用力狠狠地将其头往下一按：“你这个狗 × 的老地主，叫你低头你就老老实实低嘛！”

后来干部和社员代表纷纷上台发言后，陈月盘才明白过来：自己已经成了“麻痹群众斗志，企图帮助蒋介石反攻大陆”的“牛鬼蛇神”了!

那一天，陈月盘感觉是自己最耻辱的一天。他心头好冤啊，面对苍天，陈月盘大喊道："老天你作证，我自20年代开始就与蒋介石为敌，同他视如仇家，我怎么会跟他同流合污呢？老天啊，你要为我作证！啊，你说话呀！——"

老天无声。

陈月盘悲痛欲绝地跪在田埂上，久久起不了身……

"后来是'四清运动'，我又成了腐蚀干部的阶级敌人典型。"陈月盘指指我的父亲，说："这段日子你爸最有体会的。"

我转头问在"四清运动"中被揪下台的父亲。

父亲抽着烟，苦笑着对我说："当时我的一条主要'罪状'是阶级阵线划得不清。说我们重用老地主，也就是重用陈老先生。"

"到底怎么回事？你说说，要不我当了你好几年'下台干部'的子女，也白受冤屈了。"我半真半假地追问坐在一边的父亲。

"其实就是一点点屁事"，看得出，父亲内心的气还堵在胸口，"当时县里号召各公社都要写地方志小史。我们大队接受任务后，觉得应该找了解历史和有些文化的人来干这事。一排队，觉得生产大队里只有陈月盘先生是既知道我们这儿的历史，又是大队文化程度最高的人，于是就决定让他来写地方志小史。后来小史就成稿出版了。'四清运动'开始后，这件事就成了阶级斗争大事了，说我这个当大队长的根本没有阶级斗争观念，让地主分子有了空子写变天账，还说小史实际上变成了陈月盘他们这批阶级敌人为自己树碑立传。于是我便被打倒了，理由是我阶级立场不坚定，有严重政治问题。"

陈月盘接过话说："天地良心，我为了写那份小史，费了不知多少心思查阅资料，然后逐个年代逐个人物进行校对，完全是站在史学这个角度写的，哪知反被当做我自己想'变天'的东西，还害了你爸和公社的几位主要干部。正是有理说不清。唉，哀哉哀哉也。"

往后的日子就不用说了，陈月盘成了彻头彻尾的阶级敌人了，而且是个"非常危险的敌人"。

他完全失去了做人的自由与尊严。

"那个时候，我觉得活得像个僵尸一样……"老人痛苦地低下头。许久，他抬起头，脸上恢复了正常表情，说："那一年我被广播里学雷锋的事感动了，我一遍又一遍听雷锋的故事，我觉得雷锋这个小同志了不得！他虽然只会做点好事，可能像他不计较任何得失为他人做好事，而且是从心底里甘心情愿为别人做好事。这太不容易！我就想，我是一名老地主，过去为了新中国我做了些贡献、做了些好事。现在被人当坏人，可我只要自己的心底没有把自己当坏人、当恶霸，我还可以为这个社会做点好事。能做好事就是一种幸福！之后我就平静下来了，生产队让我干啥，我就去干啥。农活干完了，我就帮邻居和生产队的一些缺少劳动力的人去干活。时间一长，人家也就把我当好人了！我当了好人，人家就不会把我再当恶霸了……新的日子就这样开始的。"可是陈月盘并没有想到，他想当好人也非易事。

紧接着是急风暴雨式的"文化大革命"运动。陈月盘作为生产大队唯一的一位地主分子，首当其冲地成了各种大批判和游街的对象。下面的这些镜头是我作为"红小兵"的一员所亲眼看到的——

镜头之一：大队仓库场上，身穿黑色棉袄的陈月盘站在批斗台上，胸前挂着那块打"×"的"恶霸地主"牌子；被人"飞机式"押着跪在地上，嘴里时不时地自己喊着"打倒恶霸地主陈月盘"；"永远不得翻身的地主分子陈月盘"等等口号，直到最后又被一群造反派押着游村……

镜头之二：清晨，浩浩荡荡的游行队伍中，各生产大队的

“地富反坏”们被排在了“走资派”们的后面，每人手抱一个用纸糊的比自己高大出一倍的牛、鬼、蛇、神。陈月盘是我所在生产大队的唯一的地主分子，因此他每次都是游街对象，本来陈的个子就小，加上戴着一副眼镜，又怀抱一只跟社会主义扭着劲的“野牛”，所以看上去又滑稽又好笑。根据游街需要，每到一个热闹的街心和十字路口，“走资派”和陈月盘等这些“牛鬼蛇神”们都要高高地喊几声打倒自己的口号，然后相互抱拢一下，以示“走资派”和牛鬼蛇神是一伙的坏人。照理，我父亲作为“走资派”也是要被列入游街对象的，由于他那时年轻，历史上没有什么问题，所以游街这类事没有轮到他。可是与我父亲并肩当了十几年大队支部书记的瑞康伯伯就惨了，听说他在解放前当过保长，所以被一次又一次地拉出去同陈月盘他们那些“牛鬼蛇神”一起游街被批斗。我亲眼看到造反派硬要瑞康伯伯与陈月盘搂抱在一起，哪知这两位同是落难人；抱在一起后竟死死地不能分开，他们面对面地号啕痛哭起来。这还了得！造反派便“通过活生生的现实”，从月盘和瑞康伯伯的身上“看到了走资派和地主阶级是一个鼻孔出气的人民公敌”，陈月盘和瑞康伯伯后来都成了“文化大革命”中重点看管和批斗对象，受尽折磨与迫害。

老先生情不自禁地用那双布满皱纹的手轻轻地贴在胸口，然后顺时针地按摩起来，我看在眼里，体味着老人仿佛是在抚摸那依旧流血的伤口……

“可是您竟然奇迹般地活了下来，而且比别人活得更健康长寿！”我有意转换话题道。

即将步入百岁高龄的陈月盘听到此话后，脸色顿露笑容：“可不，我差不多活了整个20世纪的百年岁月，也经历了20世纪所有风风雨雨，但我活得好好的，现在还耳不聋眼不花。不信你们瞧瞧。”说着，他跨出我家的门槛，在院子里蹦了几下，又活脱脱地转了几圈，然后连声问我 ：“看看我死不了吧？”

“肯定肯定！”我高兴地和父亲连忙将陈老先生扶进屋里重新坐下。在给他端上一杯茶水之际，我由衷请教老人 ：“您经历了那么多磨难，为什么还如此健康长寿？莫非真的有祖传养生秘方？”

“哈哈哈”……“有，有，自然有啰！”陈老先生捋着胡须，开怀大笑。然后他很神秘地告诉我 ：“就是我祖上传给我的‘地主分子’！”

我、父亲和“老地主”顿时一起开怀大笑。想不到如今的陈月盘是个乐天派哩！

说到这里，陈老先生将手伸向口袋，从中拿出两本薄薄的小本本，“这是我的诗集，知道你在京城当作家，是特意带给你斧正的。我先找那首小诗，再把本本给你啊。”

老人认认真真地翻着，然后又有滋有味地给我念了起来 ：“此为五律诗，题为《来游》，你听 ：来游皆是客，相遇即为亲 ；小步高松路，闲听野鸟音。岚光殊寂寞，溪影亦纷纭 ；分手桥边立，潺潺水下津……”

“好好，充满诗情画意。”我一边叫好一边忍不住抢过陈老先生的诗集。

“这 200 多首诗大多是在我戴‘地主分子’帽子期间写的。很可惜啊，若不是‘文化大革命’中给造反派抄走，我会留下近 2000 首诗作哪，这是我可能唯一留在世上的东西了。”陈月盘突然涌发出的那种只有文化人才有的忧郁，深深地感染了我。一个名噪一时的文化名人，在经过民族解放运动的大革命后，没有当上革命的功臣却反被戴了一顶“地主分子”的帽子几十年。而命运偏偏使他又在饱受摧残折磨后顽强地活满了近一个世纪的漫长岁月，一个知识分子，一个忠诚革命者，在当了几十年的“坏人”和变成一个纯粹的农民时，该是怎样一种人生心态，难道不是太值得探究了吗？

一定很精彩，也一定很神秘。

当我打开记述这位“老地主”人生轨迹的两本油印小诗集时，完全证实了我自己的这份好奇心。

陈老先生的两本诗集分别题名为《骑牛集》和《野蓼集》。编著时正值他90岁生日，我并非全部理解他的两本诗集的书名，但看过《后记》后，方知这位“老地主”的内心世界竟同明镜一般透亮宽阔。

诗集的《后记》这样写道：

……参加革命后回到老家时，已年至43岁。我自信能学会种田，不怕寒风烈日，成为一个勤劳朴实的中国农民。我早要“力耕”，像陶渊明那样，吟出可爱的田园诗；也早认为新中国一定会诞生，那时谁也不像陶渊明“瓶无储粟”而乞食。

我特别注意到陈月盘的《后记》最后落款是用的“阿迹子”，这个伴他走过近百年的笔名，使我重新把当了近半个世纪的“恶霸地主”，归类为一名文化人。

20世纪是怎样一个百年？20世纪是人类拥有灿烂文化的百年。文化人创造了这个人类史上最辉煌的世纪，可20世纪又是中国文化人沦为最痛苦的一群孤独者的百年。也许陈月盘是无数文化人中最痛苦、最孤独的典型代表吧。

我这样苦思的时候，他又拄着拐棍来到我的面前：“在家孤单了几十年，再也待不住了，我想在生命的有限时间里，重温一下当一个文化人的感受。噢，真是太久远了！”

由于其身份的特殊性，我对当了几十年“老地主”的陈月盘老先生如何能面对厄运却能坦然度过自己人生的博大胸怀和明镜般的心境，异常敬佩，甚至感到很不可思议。从解放初期的“土改运动”到80年代初，再往前五六年，陈月盘从策反熊剑东失败后解甲归田，当了四五十年农民和三十多年的无产阶级镇压对象的“地主分子”，可是在这漫长的失意岁月里，一介文人出身的他，竟然写了一大堆歌颂新社会和新生活的诗篇，而且不少是如何向雷锋学习做好事的诗作……

读了他的那些诗，你怎么也想象不出这是一个“社会主义的阶级敌人”写出来的诗篇，因为只有从心底里涌发对新生活充满向往和热忱的人才能有这种激情，而陈月盘在写这些诗时又是什么样的境况呢？

我们沉默着。我心头不由一阵冷寂，因为我想起了自己曾经参加过抄他家的那一个夜晚，对此我不敢当面对老人坦白真情……然而我感到极度自责。

好在老先生自己先把话题转开了：“其实我作的诗大多是对家乡田园生活的描绘与抒情。我们江南水乡的景色太美了，劳动也是美的呀，这种自然美与劳动美，是我诗作的生活源泉，也可以说是我能够活下来并得以长寿的生命之源，你信不信？”

我当然信。否则我想不出还有其他什么力量可以让这样一位蒙受屈辱、备受摧残、命运跌宕的世纪老人坦然人生，长寿百岁。

陈月盘共有 7 个子女，其中第四个在他参加革命工作时过继他人后不久夭折。剩下 3 儿 3 女都非常有出息，不是共产党干部，就是在大学教书。然而正是这种身份，使他们在父亲当“恶霸地主”的几十年里不能正常地照顾老人甚至连走动的权利都几乎全被剥夺了。陈月盘的妻子年轻又漂亮，但这样的“地主婆”是不允许存在的。“文化大革命”中被造反派折腾得死去活来，最后不得不寻了短见，没打一声招呼便永远离他而去……

“有情不若无情好，越是恩深翻是恼。终会生离成死别，更怜孤寂天涯老。”陈月盘为亡妻作了这首《无情》诗。他说他知道妻子早晚会寻短见死的，因为像“文化大革命”那样的运动，怎么可以让一个好端端的女人死守着一个半死不活的“老地主”呢？再说，在那些“革命者”眼里，一个“老地主”要什么感情和要什么寄托？

“一切都是不可能的。地主是牛鬼蛇神，是牛鬼蛇神就不是人，不是人还要什么七情六欲？那年月，被当作‘地主分子’的我，完全丧失了应有的人性，像一个孤独的木偶，一个尚有生命的孤独的木偶而已。”陈月盘自己说。

“从一个革命者到被无产阶级专政镇压的敌人，从一个知识分子到一个纯粹的农民，这一生你真的没有感到有许多后悔与心底的仇恨？”我向老人提了一个极其尖锐的问题。

他开怀大笑。然后清清楚楚地说：“说来你可能有些不信，我没有半点后悔，更没有半点仇恨，有的只是一点点可惜。可惜什么呢？可惜那些曾经把我错当阶级敌人并起劲整我的人死得太早，如果他们活到今天能看看现在共产党坚持实事求是的政策就好了。古人云：仁者寿。虽然我的一生几乎经历了整个20世纪，而且命运坎坷，但我能成为百岁寿星，最重要的是我心甘情愿地在后半生的近60年间当了靠劳动自足自乐的一个农民。人生什么最快乐？劳动。人生怎么才能长寿？把心放平。什么最美？古人云：善最美。这善，就是为人要像雷锋那样，心里永远想着别人、无私为他人做好事，做了好事不计较任何回报，每做一件好事就是积德，积德多了，你就可以成为一个好人，一个善良人。雷锋精神可以使天下的恶霸和坏人都能变成好人！”

这一天，我父亲是准备好了要请陈老先生在我家吃顿饭的，但老人怎么也不肯。“在我读书和参加革命工作时，我家是地主富豪，别人请不起我；解放后我当了‘地主分子’后，再也没人敢请我吃了；十一届三中全会后我摘了帽，那时已经70多岁了，别人也不敢轻易请我去吃，所以我一辈子一直是自己管自己。你们别客气。我得赶紧回家，早晨淘的米还在竹篮里呢！”陈月盘老先生站起身子就走，任凭拉扯也没用。我早听人说他至今仍然不要任何人关照，连子女孙辈接他到城里过也不愿意，每天依旧黎明即起，打扫庭院，刷锅起炊，手脚麻利得很，村上人无不称奇。对这样一个已经习惯于独立生活近百年的人来说，我知道怎么挽留也是没有用的，于是我对父亲说，放行“老地主”吧。

晚霞下，那条通向远处的长满青草的长长田埂上，老人留下了一串延伸的脚印。然而我感觉那条田埂是他踩出来的，因为那条田埂是中国的，是中国的20世纪的田埂，是一个小人物走过的中国的20世纪的田埂……

陈月盘老先生前些年去世的，他活了近百岁。一个除我之外没有外界关注的小人物。然而在这样一个小人物身上，我似乎看到了雷锋精神的巨大力量和光芒。我因此常在想：假如我们每个人都能学一点雷锋精神，懂得做人的基本道理的话，那这个社会、这个世界不知会好多少！也许就不会有好人坏人之分了，世界或许太平得多！

惊天动地的隐秘生涯

楔　子

1999 年 5 月 8 日晚 10 点，当我刚从外地采访完，顺道回到江苏常熟老家的父母身边时，电话铃突然响起：

“……你看新闻了吗？北约把我国驻南斯拉夫大使馆炸了！今天大学生们和不少市民都到大街上游行呢！”在京城的妻子告诉我一个晴天霹雳般的消息。

我急忙打开父母一直用着的那台 14 寸的黑白电视机，看到我驻南使馆被炸得血淋淋的场面和首都大学生们在美国驻华使馆前愤怒声讨的镜头……这一夜对许多中国人来说是不平静的一夜。我睡不着，并且一直在思考着这样一个问题：以美国为首的北约为什么竟然在全世界面前悍然发动对我驻南使馆的野蛮轰炸？

如果我们的经济和军事实力与其相当的话，北约还敢发动这样的野蛮袭击吗？不知怎的，在这个令亿万国人悲愤与深思的夜晚，我情不自禁地想起了一个人，他就是我的同乡，中国原子弹、氢弹研制的主要领导者和组织者之一——王淦昌院士。他在两年前接受我的采访时，曾留下了一段让人永远难忘的话。王淦昌先生说：“我从小是个非常胆小的人，连稻田里的青蛙都不敢抓。可我和同事们为共和国研制出了‘两弹’，中国人在经济条件极其困难的年代研制核武器，为了什么？就是为了国家和民族的尊严！也许我们中国人永远不会使用核武器，但我们不能没有这些东西。有了它们，别人就不敢轻视我们。”

我在很小的时候，就知道家乡有位了不起的人物。1964 年 10 月 16 日，广播里传来我国第一颗原子弹爆炸成功的喜讯。不久，在我们家乡就有传言说同乡王淦昌先生是中国原子弹研制的主要领导者和参与者。出于对同乡人的敬仰之心，我们常熟人一直非常关注报纸上出现的“王淦昌”三个字，然而我和家乡的所有父老乡亲一样，始终没有见到这位大师的名字。十几年后，人类已经迈入20世纪80年代中期，我们共和国研制原子弹等核武器已不再是“绝密”时，我和我的常熟老乡们才知道原来在历次全国人大常委会委员的名单上那位叫“王京”的人，就是王淦昌先生！

一位世界闻名的大科学家，在和平时期为了国家的特殊使命而隐姓埋名长达18年之久，这在世界历史上也是极其罕见的。王淦昌是一批科学家中唯一为了执行国家特殊使命而在共和国的历史上隐姓埋名最久的一位。

今天我们已经知道了当年参与中国“两弹”研制的一批杰出科学家，他们是被人称为“两弹元勋”“两弹之父”的著名科学家钱三强、邓稼先、朱光亚、周光召……当然还有王淦昌、彭桓武等。那么，王淦昌在这批研制中国“两弹”的科学巨人中处于什么地位呢？

用中国核武器研制的领导者和组织者之一钱三强的话来说：“我的学长王淦昌同志对我国原子核科学基础研究和原子能的应用做出了重要贡献……淦昌同志是清华大学第一届（1929年）物理系毕业生，比我高七届，他在学校时的教授有叶企孙、吴有训等，教师有赵忠尧等。我们在学校常听老师们提到第一届的王淦昌……1949年7月份为了准备召开第一次政治协商会议，曾在北京召开过自然科学工作者大会筹备会。在这期间，我第一次见到了闻名已久的浙江省代表王先生。王先生深厚的科学知识、开朗的性格和直率的发言，给我的印象很深，当时我就想到，要发展我国原子核科学时应请他一起参加。”新中国成立后不久，中央立即成立以原子核研究为主的近代物理研究所。这个最初设在北京东黄城根、后迁至中关村的被后人称为“中国核摇篮”的研究所，其第一任所长就是钱三强，副所长则是王淦昌和彭桓武。而身为所长的钱三强从此时起不仅是著名的科学家，同时又是著名的社会活动家和政治活动家，许多场合都需要他出面。正如他自己所说：“当时，我还兼任科学院计划局工作，又先后参加过几次保卫世界和平会议和有关工作，因此所内组织领导责任就落在王先生和彭桓武同志的肩上，而王先生负了主要责任。1956年周恩来总理主持制订我国《十二年科学技术发展规划》，其中原子能科学部分的初稿是由王先生主持拟定的。规划定稿中包括了质子加速器、电子同步加速器的建造，辐射化学的研究和同位素制备等，使得规划扩大了，包括：低能核物理、应用核物理、宇宙线、高能核物理、反应堆、加速器、放射化学、同位素制备等方面。1958年研究所（近代物理研究所1953年10月改名为物理研究所）改名为原子能研究所（由第二机械工业部和中国科学院双重领导）。王先生为它的科学技术范围勾画出了初步蓝图……”

钱三强先生说的这个由二机部和中科院双重领导的“原子能研究所”，自苏联背信弃义撕毁同我国一切合作协议后，经毛泽东同志批准，成了后来专门负责研制中国核武器的“九院”（二机部第九研究院），当时也称二机部的“九局”和“九所”，为了神圣的使命，中央将这个绝密单位有意设在首都西郊的元大都的土城墙边。当时那里一片荒芜，长满了灌木和杂草。居住在这里的农民有一天突然发现在自己的田间地头耸起一座灰色的四层大楼，那灰楼很神秘，周围是高高的围墙，门口还有解放军站岗，常有各种轿车进出。20年后，百姓们才慢慢知道，这所神秘的“灰楼”是我国研制核武器的指挥机关与核心部门。

“灰楼”现在依旧耸立在原地。飞速发展的北京城区建设，使往日的“灰楼”如今淹没在海淀区花园路的中央地段。为了写这篇作品，有一天我特意走到花园路，当我站在车水马龙的大街上，望着百米之外的那座至今仍充满神秘色彩的“灰楼”时，眼前突然腾起那光彻天地的“蘑菇云”……

“九院”（1964年之前称“九所”）院长是李觉将军，他是在聂荣臻元帅领导下直接指挥“两弹”研制的现场组织者。有三位副院长，分别是主管核试制实验研究的王淦昌，主管理论研究的彭桓武和主管设计研究的郭永怀。而当时的朱光亚、邓稼先、周光召则是王淦昌手下的研究室负责人。从1961年初起，这个承担中国核武器研制使命的“九院”的骨干格局一直沿袭至1978年。后来李觉不再兼任院长了，由时任二机部副部长的王淦昌兼任院长，并直至1982年9月。朱光亚、邓稼先、周光召等也先后升任为副院长、院长。

“王淦昌是我国核武器研制的主要奠基人之一。他不仅参与了我国原子弹、氢弹原理突破及第一代核武器研制的实验研究和组织领导工作，而且在爆轰试验、固体炸药工艺和新型炸药、高功率脉冲技术以及核武器试验等实验诊断方面进行了奠基性研究，指导解决了一系列关键技术问题。在开展地下核试验过程中，他花费了巨大精力和时间研究与改进测试方法，使我国仅用很少次数的试验，就掌握了地下核试验测试的关键技术。”1996年2月，时任中国科学院院长的周光召同志写下这段对王淦昌的评语。一向用词极其严谨的周光召，在评价王淦昌先生对中国核武器研制的贡献时，在这段仅有180个字且专业名词占了大部分内容的评语中，重复用了两次“奠基”和两次“关键”的字眼。很显然，王淦昌是当之无愧的真正的中国“核弹先驱”。

在当年我国的“两弹”研制中做出重大贡献的一批著名科学家后来都从神秘的“国家特级机密”的幕后走到了中国政治和社会活动的台前，成了众所周知的人物。可以说，在“两弹”成功爆炸之后的若干年里，王淦昌是为数不多的几个一直没有走出来的高层大科学家之一。其原因有二：一是中央决定王先生参与“两弹”研制领导和组织工作时，他已55岁了，是所有直接参与研制工作中年龄最大、资格最老的科学家。1980年2月，在邓小平主持的全国科学大会上，“科学技术是第一生产力”被确定，长期得不到应有待遇的“臭老九”们再一次有了走向政治舞台的机会。当一批“两弹”研制工作的主要组织和领导者纷纷从后台走向前台时，王淦昌已是73岁高龄的老人了。他这样说：当国家领导人是要有管理全面工作的大才的。我老了，有生之年再为中国核能事业做些业务工作便是最大欣慰。因而当与他并肩战斗十几个春秋的“后生”们如钱三强、朱光亚、周光召等成了全国人大常委会副委员长、全国政协副主席或中国科学院院长、中国工程院院长时，王淦昌则继续埋头工作在中国核能的第一线，虽然那时他也有“全国人大常委”“全国科协副主席”“中国核学会理事长”等社会职务，但他依然是位并不为公众所知的神秘人物。其二，研制“两弹”是中国的最高机密，所有参加者即便是一位工地炊事员，也得是“三代贫雇农”出身，政治审查是最严格的，凡与“两弹”研制工作沾边的几十万参与者中，绝大部分是中共党员。但王淦昌不是，而且是核心领导层中唯一的一个不是中共党员的决策者。据说非党员的王淦昌当时被推荐为“九院”副院长，直接负责“两弹”研制的领导和组织工作，是毛泽东和周恩来亲自批准的。王淦昌后来也加入了中国共产党，那是在组织允许他结束长达18年的隐姓埋名生涯后的1979年10月20日，此时他正好72岁。介绍他入党的是与他并肩战斗几十年的另一位我国杰出的核工业领导者李毅同志和著名核化工专家、当时的二机部副部长姜圣阶同志。王淦昌何以在“大功告成”且年逾古稀的时候要求加入工人阶级先锋队？这绝不是偶然的，在老先生的人党申请书里我看到了这位为民族做出卓越贡献的老科学家发自肺腑的一段话："我亲身体会到，在帝国主义的蹂躏下，对于灾难深重的中华民族来说，没有中国共产党就没有新中国。我们是一个十亿人口八亿农民的大国，这样一个大的国家，没有共产党的正确领导，要建设社会主义强国是不可能的。经过了十年动乱之后，迎来了十一届三中全会的召开，我更加深信中国共产党能够依靠自己的力量，纠正错误，端正航向，团结带领全国人民建设社会主义，走向共产主义。因此，我决心申请加入中国共产党，为社会主义现代化建设，为共产主义事业奋斗终生。"

对王淦昌这位核弹研制先驱，我们很多中国人至今还不是很了解。这是一种遗憾，但这正是他作为科学大师的可贵之处。因为他一生孜孜不倦于科学事业，他甘心为了国家的最高利益而默默奉献。他的入党介绍人之一李毅将军，在王淦昌先生80寿辰时说过一段很感人的话，他说："淦昌同志是一位德高望重的核物理学家，是我国核物理科学研究工作的主要奠基人之一，是我国第一个原子能科学研究机构的主要创始人之一。新中国成立后几十年里，他为核科学在中国生根，为培养一代又一代核科学研究人才，为我国核科学做出具有世界先进水平的成果，呕心沥血；为自力更生，突破原子弹、氢弹科学技术关，发扬国威，做出了重大贡献，建立了功勋……我发现他具有许多长处：他生活艰苦朴素，胸襟坦荡诚恳，敢于说真话，敢于开展批评，也能听取别人的批评和不同意见；他富于民主精神，善于集中大家的智慧，发挥众人的才干；他热情宽厚，平等待人，从不嫉贤妒能，从不凭个人好恶嫌弃人才；他在研究工作上惯于亲临科研第一线，亲自动手，对年轻人耐心培养；他对党政干部、后勤人员也平等相待，一视同仁，从不以权威科学家自居，不盛气凌人，不轻视别人的劳动。他确实树立了知识分子、科学家与党政干部、后勤人员同志式团结合作的典范。”

1997 年的一个夏日，我这位整整比王淦昌院士晚出生半个世纪的“小老乡”，终于在北京木樨地他的家里见到了我久仰的“大老乡”。

“啊，老乡来了，坐，坐。”90 岁高龄的王淦昌老先生一口纯正的“常熟土话”，令我心头犹存的几分拘谨之感荡然散去。初次见面，我就惊喜地发现了两件事：一是这位泰斗级人物没有半点架子，二是他的身子骨之硬朗程度令人难以想象。

那天我问得最多的还是我最感神秘的问题：他是怎么搞出原子弹的？

老先生笑了：“你是老乡，给个例外。”说着，他从里屋抱出几本他的论文集和手稿：“中国的原子弹真正是我们一手搞出来的，这可不是吹的！你看看，这是我当时为研制原子弹上天绘制的实验草图……”王淦昌老先生随即说：“这在今天仍是绝密的。好在你这当作家的可能什么都看不懂吧？”

我认真地瞅了几页，又认真地摇摇头：“不懂，像天书。”

老先生哈哈大笑起来：“你要看得懂，我就不拿出来了！”

那天我感到特别欣慰，因为老先生的身体状况尤其是思维的活跃和惊人的记忆力，打消了我对采访的顾虑，于是我给老先生留下了一长串问题，相约另一个时间与他长谈。王淦昌院士爽快地答应了，并在告别时在我笔记本上写了一行“希望你将来成为大文豪”的题词。

不久后，正当我忙着为采访老先生做准备时，突然有一天在《人民日报》上看到了一则惊人的消息，那是最高人民检察院的一位工作人员写的“读者来信”。文中说：一位九旬高龄的老科学家在家门前的马路上散步时，突然被一个年轻的骑车人撞倒在地。而那个年轻人见老人倒地后竟然扬长而去，后来是过路的两位老者将这位老科学家扶起后送到了医院。“读者来信”中愤怒地斥责了那位骑车人，问他有没有最基本的社会公德？问他知道不知道被撞倒的这位90岁的老科学家曾经是我国的“两弹元勋”？那篇只有二三百字的“读者来信”，立即使我想到了王淦昌老先生。我当即给王老先生家里打电话，证实被撞倒的就是王淦昌老先生。

“现在王老先生怎么样啦？”

“股骨骨折，一条腿不能动弹，医生说至少得住院3个月……”

那个可恶的骑车人！他知不知道这是何等严重的事故？老先生一旦有个好歹，将给国家带来多大损失？假如这一撞发生在30多年前，那中国的原子弹、氢弹就可能不知晚多长时间才能爆炸！据说王老先生被撞的消息引起国内外震惊，每天社会各界给他送来慰问的鲜花，将整个病房外的走廊都堆得满满的。然而可气的是那个骑车人一直未露面，至今王淦昌老先生已经离世半年多了，那个骑车人仍逍遥法外，真是天理难容。

王淦昌老先生住院期间仍惦记着我采访的事，但由于伤势严重最终被医生劝阻，这使我感到极大遗憾，因为后来没多长时间，我国一代核科学大师王淦昌先生就离我们而去了。在八宝山举行的遗体告别仪式上，江泽民、李鹏、朱镕基等国家领导人送了花圈，王淦昌作为一代杰出的科学大师，获得了应有的尊重。

1999年5月9日，北约袭击我驻南使馆的第二天清晨，一夜未眠的我，忍不住再次来到30年前曾经拜谒过的王淦昌故居，缅怀我心中的大师。当我默默地向王淦昌出生的农舍鞠躬时，那个名叫枫塘湾的小村庄的村民都围拢过来。他们都在谈论一个话题：北约欺人太甚，假如王淦昌还活着，再造几样厉害的武器，看他们霸权主义还敢不敢损害我们中国的尊严！

是的，一个国家的尊严是绝不可玷污的。而一个国家要维护自己的尊严，就必须有许多像王淦昌这样的卓越贡献者。

那一刻，王淦昌院士为国家、为民族尊严而不懈奋斗的一生，不由得在我心头重新浮现……

1. 三次与诺贝尔奖失之交臂的中国人

王淦昌的一生几乎覆盖了整个20世纪。而他作为一名享誉世界的著名核物理学家，他的名字与成就也与中国在20世纪曾经出现的荣辱春秋联系在一起。

1907年5月28日，王淦昌出生在江苏常熟水乡的支塘镇枫塘湾村。父亲是当地颇有名气的“郎中”（中医师）。王淦昌13岁时父母离开了人间，他主要靠大哥和外祖母抚养成人。小时候的王淦昌就读于两所有名的学校，小学是在太仓的沙溪学校上的，那是非常开明的学堂。“五四运动”的风暴席卷全国时，沙溪小镇也破天荒地举行了大游行。70多年后，王淦昌与家人谈起往事时仍然异常激动地说：“那是我第一次上街参加游行，当时虽然年纪很小，可心里觉得能为国家兴亡出点力是很光荣的事。啥叫国家的尊严，从那时就深深地扎根在我心中。”然而王淦昌毕竟生活在一个旧时代，特别是封建农村风俗习惯使得他过早地有了一门包办婚姻。在家人的操办下，刚小学毕业的王淦昌在暑假里娶回了一个比自己大3岁的裹脚小媳妇，那时“新郎官”王淦昌虚岁才14岁。当时他根本不懂得什么叫家庭与婚姻，只知道从此家里有个既是媳妇又像姐姐的女人帮他干这做那的，似乎很开心。当了一个多月新郎后王淦昌被大哥带到上海浦东，进了浦东中学。这是王淦昌第一次从乡下走到“十里洋场”。浦东中学第一任校长是中国近代教育的先驱黄炎培先生，当时国内就有“南浦东，北南开”之说。浦东中学的学生在黄炎培先生的栽培下，多数人考上了著名大学，如革命家闻一多、科学家钱昌照、教育家夏坚白、史学家范文澜、文学家胡也频，以及蒋经国、蒋纬国等中国历史上的许多名人都是从浦东中学毕业的。严谨的学风，使王淦昌受益不浅，他在这儿萌发了对数学的浓厚兴趣。1925 年，他一举考上了清华大学。有趣的是，当这位前程辉煌的 18 岁学子，兴冲冲地拿着清华大学入学通知书向家人报喜时，他的“姐姐”则抱来一个娃儿对他说 :“快看，我们的囡囡长得多标致。”王淦昌的脸一下子红到了脖子根，他竟然不知所措地躲得妻儿老远……值得重重写一笔的是，在此后的 70 多年里，王淦昌从一名乡下学子，成为闻名世界的大科学家，而他的夫人一直是那位比他大 3 岁的结发妻子吴月琴。大科学家与夫人共生下了三女二儿，孩子相继出生于王淦昌读大学或在国外留学期间。王淦昌一生从事科学事业，肩负国家的特殊使命，从来没有管过一天家里的事，正是吴月琴这位认字不多的夫人带大了三女二儿，并让孩子们上了大学，当上了科技工作者、人民教师和国家干部。在王淦昌家做客时，我才知道这对身份悬殊如此之大的老夫妻竟能和睦恩爱地生活了近 80 个春秋，心头不由得腾起一股深深的敬意。更令人称奇的是，我当时见到 94 岁高龄的吴月琴老太太跟王淦昌一样身子骨硬朗，说话走路麻利干脆，全然不显半点迟钝。她的家人告诉我，老太太现在还每天进厨房为“老头子”做饭。我听后忍不住大为惊叹……

王淦昌于 1929 年毕业于清华大学物理系，他是第一届清华物理系学生，那时他班上的同学连他才只有 4 个人。然而后来这 4 人中有 3 人都成就卓著。王淦昌成为清华的第一届物理系毕业生，奠定了他作为中国第一代物理学家的地位。当时引导他走上物理科学之路的是中国物理学的开拓者叶企孙先生和吴有训先生。初进清华时，王淦昌对化学课十分感兴趣，后来正是因为听了叶企孙先生的物理课才开始对物理有了兴趣，并且立志毕生献身于物理科学事业。1926年3月中旬的一天，王淦昌经历了一场终生难忘的生死考验。那天，清华大学学生会集会，声讨日、美、英等国借口所谓的“大沽口事件”，向中国政府发出最后通牒的荒唐行径。后来集会变成了大游行，而且除清华外，北大、师大、女师大等高校的大学生都加入了大游行队伍。在游行队伍向铁狮子胡同段祺瑞政府前的广场进发的途中，全副武装的军警突然向学生们开枪。在游行队伍前面的王淦昌身边的一位同学倒在了血泊之中，他惊诧地抬头时又见女师大的两位同学也惨叫一声倒下了……王淦昌刚想有所反应，就被乱了阵的人群挤到了墙角边，而这一挤使他免于一难。这就是震惊中外的“三一八”惨案，当时共死了47人，伤150多人，王淦昌的一名同班同学也牺牲了。当晚，王淦昌来到叶企孙教授家，诉说了白天发生的惨景。叶企孙听后，满腔义愤道：“如果我们国家像大唐帝国时那样强盛，这个世界上有谁敢欺侮我们？科学，只有科学才能拯救我们这个苦难的民族！”数十年后，王淦昌回忆起当年的情景时，神态异常严峻地说：“叶先生的话，当时深深地烙在我心中，可以说从那一刻我下定决心走科学救国的道路。几十年来，我无论走到哪儿，都始终不忘‘祖国需要更加强大’这个愿望，并甘心情愿为之奋斗。”

如果说叶企孙教授在悲愤中说的话使王淦昌树立了毕生的奋斗目标，那么另一位教授吴有训则以严谨的治学态度和对科学的不懈追求精神，激励王淦昌在科学道路上迈出坚实的步伐。可以说，中国的近代物理科学没有吴有训教授将不知要落后多少年。这位著名的中国物理学奠基人在早年留学美国时就与导师康普顿一起研究X射线散射谱效应，后来他的导师在1927年获得了诺贝尔物理学奖，很大一部分功劳来自吴有训的实验，因为康普顿进行的X射线散射谱研究当时受到了另一位著名X射线专家杜安的攻击，正是吴有训证明了自己导师的研究具有普遍性，并以有力的实验驳斥了杜安的错误，所以国际上也有人称康普顿获得诺贝尔奖的X射线散射谱效应为“康普顿－吴效应”。王淦昌在晚年曾这样比喻自己的恩师：“如果没有吴有训先生当年手把手地教我们从拧螺丝钉开始进行艰苦的实验性工作，那么我们这些承担国家核试验的科学家至少可能晚十年八年才能把中国的原子弹送上天。”伟大的居里夫人有句名言，她说：“物理科学的核心便是实验。”这使我马上联想到电影《居里夫人》中居里夫妇为了提炼镭元素，几年如一日地在自制的炼炉间艰辛工作的情景。王淦昌先生在与我谈起中国原子弹成功爆炸时感慨道：“我们何尝不像居里夫人提炼镭一样艰辛？物理科学上任何一种发现或通过物理现象进行的任何一种核试验，没有百次千次甚至上万次实验，那是天方夜谭。”王淦昌在物理学界的权威正是来自于他从吴有训先生那儿学到的实验能力，他在科学实验上的专心致志与心灵手巧的本领，连吴有训都极为称道。

1929年夏，王淦昌成为清华大学第一届物理系毕业生。吴有训太喜欢自己的这个学生了，便邀他留校当助教，并给了王淦昌一个独立承担的实验任务：测量清华园周围氡气的强度及每天的变化。这项测量具有全球性意义，德国物理学家曾在20世纪初的20年代就做过，但中国在王淦昌开始进行这项实验前谁都没有重视过。半年时间里，王淦昌严格按照吴有训先生的要求，利用最简单的器材，出色地完成了此项实验，并写出了有史以来第一份大气中物理放射性现象研究的科学论文。吴有训对学生的成果非常满意，并亲自将论文译成英文，用《大气中的放射性和北平天气》为题目，发表在清华大学的首期论文集上。1930年，在叶企孙、吴有训的建议下，王淦昌考取江苏省官费留学研究生，被派遣到德国柏林大学。

“淦昌，快来抱抱你的囡囡！”临行前，王淦昌回到江苏常熟老家，一进门，大哥兴高采烈地抱出一个襁褓塞在王淦昌怀里。

眼镜架在鼻梁上的王淦昌看了一眼后大惊："怎么是男囡？"

"当然是男囡嘛！要不我们全家非得让你回来看一看！"大哥冲着满身书生气的弟弟边笑边说。

"我又多了个儿子？！"王淦昌不无惊诧地问。当得到大哥肯定后，他把肩上的书包一扔，抱着新生婴儿在原地转起圈来："哈哈哈，真有趣，真有趣，我有儿子啦！"这一年，王淦昌 24 岁，其实他自己也还是个满身孩子气的人呢。有趣的是在他初入清华大学的第一个暑假回到家，当他听说自己已经有了一个女儿时，每天红着脸不敢多看家人一眼，尤其是家人让他给女儿起名时，王淦昌就是躲着不出声，最后还是大哥出面圆场给小侄女起了名。这也难怪王淦昌，当时他才 18 岁。

1930 年的秋天，景色迷人的柏林迎来了一位风华正茂、才华横溢的中国青年。

王淦昌踏上欧洲这块美丽的土地时，就有一种来自心灵深处的强烈冲动。因为他赴德国留学的时期，正值以德国为中心的世界物理科学的黄金岁月。像爱因斯坦、居里夫人、海特勒、盖革、迈特内等一批顶尖科学家都在这段时间内相继发现了影响 20 世纪后几十年整个人类政治、军事与经济的伟大科学成果，那种今天你宣布发现了镭、明天我说已经提炼出铀、后天他提出相对论的火热场面，使每一位科学家都热血沸腾，跃跃欲试。一年一度的诺贝尔奖大有来不及取舍当年度的科学家们所发现的惊天动地的成果之势。然而更为重要的原因是，自第一次世界大战之后，欧美各工业强国从自身利益出发，纷纷开始重视起科技革命，并将推进科技革命与本国社会发展紧紧联在一起，于是大量国家资本投入科研工作，使得本来就比较活跃的欧美物理学研究呈现"热火朝天"的景象。已经尝到甜头的欧洲政治家们想借助科学家们的重大发现，达到“天下以我为王”的目的。我们稍稍回顾一下，仍记忆犹新：当居里夫人发现镭元素之后，人们很快发现了放射性射线的医疗作用，于是 X 射线被广泛运用并在今天依然是人们了解和战胜疾病的重要手段。另一方面，当人工放射性元素制成后，很快就有人制成了标记原子，用来研究磷在植物枝叶中的分布，进而发生了一场农作物的肥料革命。最突出的例子要数原子能的运用了。1938 年，物理学家刚发现中子会引起铀核裂变，在不到 4 年工夫里，第一个反应堆便建成，美国人在不足 7 年的时间里便制造出第一颗原子弹。而正是这一颗原子弹的发明，使美国的国际地位和国力剧增，并一发而不可止，直到今天，当年根本不把“山姆大叔”放在眼里的欧洲各工业强国也不得不屈居其后。

科学家为自己热爱的事业而发狂，政治家们则利用科学家的科研成果而疯狂地称王称霸。王淦昌在 20 世纪 30 年代初，在柏林大学留学的日子里已经感受到了这一点，也因此决定了他后来一辈子献身于自己民族的科学强国梦的实践。在 20 世纪，世界格局的变化是异常复杂的，其实又是极其简单和明了的，因为它几乎是仅仅沿着物理学发展的变迁而变迁。这个过程便是：从科学家发现了铀元素开始，到科学家发现了中子，再到科学家建成了原子反应堆，之后便是某国家拥有了上述成果后开始制造原子弹，于是谁有了原子弹，谁便一跃成了国际霸主，最终成为政治、军事和经济上的巨人。美国的崛起是最有代表性的，因为它拥有了爱因斯坦等一批最有成就的物理学家。

王淦昌作为一名著名的实验物理学家，在他漫长的一生中完成了数项影响中国社会乃至国际社会的科学成果，90 高龄的他坐在沙发里与我这个小他半个世纪的科学门外汉谈话时，发出了深深的感慨，他说他一生中最后悔的一件事就是年轻时没有坚持那一次重要的实验活动。“如果那一次我坚持了，王淦昌一定不会是今天的王淦昌，中国在国际社会的分量也可能大不一样！”那天王淦昌是用自嘲的口气说这番话的，但后来当我了解真情后，则实实在在地相信了这确实是每个中国人都应该牢记的一个非常令人惋惜的事件——

王淦昌到柏林大学后，他的导师是著名的女实验物理学家、德国柏林大学第一位女教授迈特内。王淦昌是这位女物理学家唯一的中国留学生。迈特内的个人能力确实不容忽视，连爱因斯坦都评价她是“天赋高于居里夫人的‘我们的居里夫人’”。在迈特内手下当研究生的日子，是王淦昌终生难忘的，女导师超人的科学研究能力使得王淦昌能从井底探出头颅看天下，了解科学天地的巨大和广阔。

德国物理学家博特与他的学生贝克用钋的粒子轰击轻元素硼和铍，结果发现有一种穿透能力极强的射线放射出来，这射线能穿透10厘米厚的铅板而自身的强度减弱得很少，博特师生两人认为这可能是一种波长极短的电磁波——γ射线。自从发现质子后，科学家们纷纷开始向剖析质子组成的方向研究探索，所以博特他们的新发现立即引起诸多科学家的追踪研究。包括约里奥·居里夫妇也着手抓紧实验，以便争取新的发现。约里奥·居里夫妇用他们自己的强大的射线源研究博特首先发现的奇异射线。这对著名的物理学家夫妇是用电离室测量射线的强度，以石蜡做屏蔽层，放置在铍源与测量装置之间进行观察，结果发现计数器的数字大大增加。但遗憾的是约里奥·居里夫妇没有从另一个角度考虑这种射线的物理现象包含着一种新的特殊物质，却简单认为那γ辐射能量极大的现象只是γ的射线效应，因而最后仅仅将自己的实验结果写了个简单的报告发表便完事了。然而就在居里夫妇把这一项重大发现束之高阁时，迈特内年轻的助手、中国的王淦昌则特别关注博特师徒的那条神秘的射线以及他们没有能解释清楚的未知结果……

“尊敬的迈特内教授，我知道您早在1922年就对 γ 辐射与元素衰变的关系进行过实验研究，并对其性质也做过一系列研究。最近我听了科斯特斯教授关于博特先生的有关 γ 辐射具有如此强大的穿透力的介绍，我有所怀疑……”

“嗯？什么怀疑？我听着呢，你说吧，密斯特王。”迈特内侧了一下头，继续做着她的实验。

王淦昌扶了扶鼻梁上的眼镜，大胆向导师陈述道：“我以为实验用的是探测器，那样不会有什么奇迹出现，如果改用云室做探测器，然后对博特教授的实验进行不断地重复，结果可能大不一样。我是这样想的，尊敬的迈特内教授。”

迈特内放下手中的实验，思忖了片刻，然后摇摇头，说：“不可能，这将是个永远徒劳的实验，让我们换一个课题吧，密斯特王。”

王淦昌觉得导师这是怎么啦，他知道迈特内是公认的对任何可能出现的具有科学价值的现象都不会轻易放过的科学家，怎么偏偏对自己提出的问题毫无兴趣呢？王淦昌怎么也想不通，而且他认定博特的实验，坏就坏在计数器计数上，如果改用云室做实验，其结果必然两样：“尊敬的迈特内教授，我还是想着云室也许能解决博特教授未解释清的问题，所以能否允许我借用一下我的师兄菲利普先生的云室对博特教授的实验进行重新研究？”

“密斯特王，我已经说过了，我们还有很多课题需要研究，博特先生的事还是让别人去完成吧。”迈特内的回答让王淦昌感到十分意外，两次要求都遭到拒绝，使得王淦昌无法再将自己认定的预见在实验中加以证实。

然而科学总是在前进，尤其是在你追我赶的物理学黄金年代。就在王淦昌的建议被导师无情拒绝，约里奥·居里夫妇同样钻了牛角尖之后的一个多月，剑桥大学卡文迪许实验室的查德威克先生像王淦昌一样对博特和居里夫妇认定的 γ 辐射效应产生了怀疑，他认为 γ 辐射不可能有这样大的能量，便像王淦昌设想的那样利用云室，采用线性放大器对质子所产生的脉冲一个一个地进行测量，并将其与电子所产生的脉冲加以分解，结果发现质子的数量奇多，与当时物理学界普遍认为的 γ 射线的理论不符。查德威克认为从铍源放射出的是一种由新的物质组成的辐射，于是他一鼓作气，连续奋战数日，终于证实了这种粒子是一种质量与质子相近的中性粒子，即后人所称的中子。查德威克同时还认为这种粒子是原子核的主要组成部分。

了不得！中子的发现，轰动了整个物理界，也同时轰动了全世界。因为那些比科学家更企盼搞清原子核物质构成的政治家们早已等不及这一成果了。因为这太重要了，它紧接着就可以制造后来证明确实可以征服全人类的核武器——原子弹！

1935 年，查德威克因发现中子而获得诺贝尔物理学奖。

柏林大学校园内一个绿荫蔽日的小道上，迈特内教授十分歉疚地拍拍中国学生王淦昌的肩膀，说：“很对不起密斯特王，我没能支持你的建议。不过，这是个运气问题。”女科学家朝自己的学生耸耸肩，便又回到了自己的实验室……在她的身后，王淦昌对着天长长地叹息了一声，因为他在这个问题上不同意导师的看法。王淦昌有自己的见地，他认为科学就是科学，与运气是两回事，科学是实实在在的事。王淦昌和后来所有了解事情经过的人，都肯定地认为，倘若迈特内听进了王淦昌的建议，加上迈特内本人具有的别人难以相比的实验能力，这中子的发现非她和王淦昌莫属。然而具有犹太血统的大科学家迈特内教授却把王淦昌当做科学娃娃看待了。

几十年后，有人曾问王淦昌是否就此事抱怨过导师，王淦昌断然摇头道："不不，我不仅不会有丝毫的抱怨，而且终生感激迈特内女士，是她的卓越智慧和研究精神为我日后能在物理科学上有所建树做出了榜样。至于说到中子的发现虽有点遗憾，但这不全怪迈特内教授。假如当初我能坚持自己的观点，也可能获得迈特内的有力支持，并最终可能获得成功嘛！所以几十年里，我一直把自己犯的这次错误当教训牢牢记在心头。"王淦昌在柏林大学与诺贝尔奖失之交臂，至今仍被中国物理学界认为是极其可惜的事件。但王淦昌跟随迈特内教授在柏林大学威廉皇家实验室度过的难忘岁月，使他领略和接受了许多宝贵的国际物理科学的前沿知识与技术。1933 年底，王淦昌在完成他的毕业论文之后，用近半年时间，走访了欧洲几个著名实验室，并有幸见到了卢瑟福、查德威克、埃利斯等他所敬仰的物理学大师，大开眼界，为他日后从事独立的科学实验工作拓展了思路。

1934 年 4 月，王淦昌带着"柏林大学哲学博士"学位回到了祖国，然而此时的中国正处于日本帝国主义的铁蹄蹂躏之下，中华民族陷入了深重的灾难之中……

经清华大学的恩师叶企孙先生介绍，王淦昌先是在山东大学任教，由于当时山东是日本侵略者眼皮底下最大的一块"东亚肥肉"，局势的动荡，使王淦昌无法很好地进行教学与实验，正好在浙江大学当校长的竺可桢盛邀他去当物理教授，浙江大学离王淦昌的老家很近，且浙大是所名校，当时已在政界、教育界和学术界久负盛名的陈独秀、邵飘萍、陈布雷等都是浙大毕业生。浙江大学著名的朴实和浓厚的学术风气，更是王淦昌渴求的。于是自 1936 年暑假起，王淦昌来到了他一生中历时最长也是最后一次教学的地方——浙江大学物理系，那年王淦昌不到 30 岁，成为当时浙大最年轻的教授。由于他长相稚嫩且说话时易脸红，所以浙大的师生们亲昵地称他是"娃娃教授"。

在浙大，王淦昌整整工作了14年，这是他一生追求“科学强国”的黄金年华。因为在这期间，他用自己的学识直接培养和影响了一大批杰出科学家，包括后来获得诺贝尔奖的李政道在内。加上他后来几十年工作中培养的人才，可以列出一个长长的“王家院士军”。我手头有本1995年版的《中国院士名单》，在106人的“数学物理学部”院士名单中，当过王淦昌学生的或受过他指导的人有近十分之一之多，他们有丁大钊、于敏、王乃彦、吕敏、朱光亚、周光召、邓稼先、胡济民、唐孝威、程开甲、何祚庥、方守贤、叶笃正、冼鼎昌，还有化学部的钱人元和李政道等长长的一串名字。

1987年，在王淦昌80寿辰时，李政道作为王淦昌的得意门生之一，在祝寿会上发表了题为《对称性与非对称性》的著名演讲，向恩师致敬。李政道博士在演讲论文时说了一段富有激情的话：“我第一次见到王淦昌教授是在1943年浙江大学物理系，当时由于抗日战争，浙江大学在贵州湄潭。除了王教授外，物理系还有其他著名物理学家，其中包括束星北教授。王淦昌和束星北两位教授还特别慷慨地给予我关心与指导，尽管当时我只是一个一年级学生。王淦昌教授对物理学和粒子物理学有几项重大贡献，他一直受到世界科学界的高度重视。在中国物理学的发展及对几代物理学家的教育培养方面，他所起的巨大作用已经被历史证明……”而在王淦昌眼里，凡是能发现一名对科学异常用心或在实验中灵性异常的学生，他都格外高兴。如他在浙大十余年教学中遇见4个他非常喜欢的学生，凑巧得很，他们都姓李。他们是李政道、李天庆、李文铸和李寿楠。“四李”的共同特点是不怕艰难，聪明好学，刻苦钻研。半个多世纪过后，王淦昌还能想起当年的李政道是个什么样的学生：“我给他一本书，上面有10道题，我点了5道让他做，结果他把10道题全做了，而且都对了。谁不喜欢这样的学生？”

“嘿嘿，真有趣。那时我们的浙江大学名气很大哟，有‘东方剑桥’之称。但日本侵略者把我们从西子湖畔赶到了偏僻的贵州湄潭山区，当时条件极差，连起码的教室、实验用具都没有，但我们并没有因此放弃教学和开展科学实验，因为大家在日本鬼子炸弹之下更强烈地感受到‘科学强国’的重要与迫切。”王淦昌漫长的一生中，一直既是位严谨的科学大师，同时又是浑身散发天真童趣的知识分子。当他遇上什么高兴事时，准会冒出那句“嘿嘿，真有趣”的口头禅，就是在课堂上当他讲述导师迈特内等诺贝尔奖获得者的科学发现时，也会情不自禁地冒出这句充满童趣的话语。然而，王淦昌又是学生心目中的一位严师和充满仁爱的兄长。

1937 年，“七七”事变后，日本侵略者以其军事实力，迅速占领了我沿海广大地区，这年 11 月份，浙江大学历经苦难，在师生们同心协力下，用了两年时间，步步西退，最后退至贵州山区腹地。这一路西迁的艰苦程度在世界教育史上也是绝无仅有的。浩浩荡荡的几千人队伍，既有弱不禁风的教授先生，又有婆婆妈妈的家属小孩，而且敌机每天在头顶扔炸弹。校长竺可桢的妻子和 14 岁的小儿子竺衡因半途患痢疾又无药可医而双双告别人世，浙大全体师生悲不可抑，数千人哭得哀天恸地。但是这一切并没有阻挡浙大师生们教好课、学好知识、富强国家的信念。当时的王淦昌教授等都比较年轻，他们平时虽都是些“手不能提篮肩不能挑担的”教书匠，但在危难时个个以学校以学生为重，一面身先士卒组织西迁，一面仍利用一切时间和简陋条件进行授课。1939 年 2 月 5 日，这是浙大师生永远不会忘却的日子，那天日本鬼子出动 18 架飞机，以刚刚落脚的浙大为目标，竟在手执教鞭和书本的师生们头顶上扔下 118 枚燃烧弹和爆裂弹。顿时，用茅棚和木板搭起的校舍腾起一片火海……好在师生们懂得防空知识，教职员工和家属的人身安全没受到伤害。然而师生们除了身上穿的衣服和手中的书本外，几乎被炸得一无所有。可是就在被炸后的第三天，王淦昌等教授便又给学生们恢复上课了。

"日本鬼子的飞机又来啦，赶快躲呀——"由于浙江大学在当时已是名扬中外的东方著名学府，所以侵略者蓄意彻底摧毁它，每天派出飞机进行空袭。这一天，王淦昌抱着教科书刚跨出家门，便看到对面的山上已高高挂起报警的灯笼，于是便急忙招呼在露天的同学躲到岩洞里。令王淦昌感动的是在生命面临极度危险的时刻，一位坐在岩洞口的同学似乎根本听不到洞口外震耳欲聋的轰炸声，依然埋头捧着书本。"物理书？你对物理也感兴趣？是哪个年级的？"王淦昌走近一看是个低年级的同学。他感到特别奇怪，因为当时浙大只有大四才开设物理课。

"王先生好，我是一年级新生，但我听过您讲的'近代物理讲座'，所以就喜欢上了物理。"那小同学的回话好叫王淦昌高兴。

"太好了，你叫什么名字？我可以提前收你为学生。"

"谢谢先生。我叫许良英。"

"好，以后我讲物理课时，你随时可以去听，而且还允许你不懂的问题可以直接找我。怎么样？"

"嗯，我一定学好物理。"

许良英做梦也想不到像王淦昌这样国际著名的大学者，竟如此平易近人。就这样，他后来成了王淦昌最信赖的门生之一。这位从小爱好物理的学子，偏偏一生命运坎坷，无数次不得不放弃心爱的专业，而正是王淦昌的一次次帮助，最终使许良英成为著名物理学者。许良英先生现在是中国现代物理史学家，他对导师王淦昌在抗战时期的那段教学生涯有太多的了解和感受。他说："王淦昌先生是我一生最尊敬的老师，多次解救我于危难之中。每当回忆起青年时代跟随王先生学习的情景，总感到无比温暖和舒畅。自从那次在岩洞里第一次接受王先生教诲启迪后，我就更加对物理科学感兴趣了。但那时我是个低年级学生，知道王先生是国内外知名的大学者，加上自己向来在长辈面前说话就羞怯，所以不敢轻易找王先生。但很快我的这份羞怯心理被王先生他们那种淳朴、坦率和活跃的学风所冲淡。我最早是从旁听王先生和束星北教授开设的'物理讨论课'，发现王淦昌先生这种大学者的风采的。有王先生对我的鼓励，我便经常壮着胆子躲在教室门外旁听。王先生和束星北两位教授一个擅长实验，一个擅长理论，性格都开朗坦诚，又彼此是好友，但在做报告时，他们常相互提问插话，碰到问题常常争得面红耳赤，像小孩子吵架似的。开始看他们争论觉得好奇又紧张，后来才明白大学者之间这种直率的学术争论，才是探索科学真理的好学风。受了王先生他们开展的物理讲座这种学风的影响，我联合了物理系、电机系几个一年级的同学也搞了个定期读书报告会。给我留下最深刻印象的是 1939 年 7 月的一次物理讲座，那是由王先生报告'Fission of Uranium'。虽然我不知'Fission'是何意，但还是去旁听了。出人意料，王先生报告的是当年 1 月底玻尔在美国宣布的一个划时代的发现：1938 年 12 月和 1939 年 1 月间，哈恩和迈特内发现了铀原子核裂变现象；迈特内估算出一个铀核裂变时会释放出 200MeV 的能量，比同等重量的煤燃烧时释放的能量大几百万倍。正是迈特内和哈恩的这个发现，直接推动了后来核反应堆的建立和原子弹的研制。当时教室里的气氛异常热烈，作为组织者的我感到特别兴奋和震惊。很久以后我才知道，著名女科学家迈特内原来就是王先生的博士导师，而正是这位了不起的诺贝尔奖获得者、推动世界核原子能大发展的著名大科学家，还欠了中国学生王淦昌先生一次获得诺贝尔奖的宝贵机会。可在当时的那场报告会上，王先生既没提到自己与诺贝尔奖失之交臂的难忘经历，也没有在同学中炫耀迈特内与自己的个人关系。王淦昌先生的这种学风和人格力量后来影响了我一生……”

由于日本帝国主义侵略者的野蛮侵略和袭击，浙江大学从1937年11月底开始，在后续抗日战争的八年间，先后被迫搬迁6次，学校的教学和生活的艰辛程度可想而知，然而这丝毫没有影响王淦昌他们发誓要用科学和知识来强国的坚定信仰。中国物理学奠基者吴有训先生在1953年回顾我国物理学发展史时深情地说道：“很难想象，如果没有浙大王淦昌教授他们在战火纷飞的年代和在敌人的炸弹下坚持不放弃教学和研究工作，新中国的物理学战线怎么会有辈出不尽的优秀人才？”在如今一大批浙大毕业的院士中，包括长期移居异国他乡的诺贝尔奖获得者李政道在内，大家清楚地记得这样一件事：当时在侵略者攻势面前步步退却的蒋介石为了压制国内的民主力量，装腔作势地喊出“国家至上，军事至上”的口号，企图掩饰其卖国的行径。浙大的学生许良英出于对蒋介石的义愤，在浙大遵义物理校舍的木门上写下了“科学至上，物理第一”八个字。王淦昌看后，大为赞赏，此后一直把许良英写的这块有标语的木门带着，伴随着浙大颠沛流离于抗战的烽火岁月，以此激励自己的学生不忘科学强国之梦。

写到这里，我不免又想起了北约野蛮轰炸我驻南使馆事件，全国上下的有识之士都在讲述一件事，那就是，中国要想不受以美国为首的当今霸权主义的欺侮，除了我们有万众一心、同仇敌忾的爱国心外，还必须有自己的科学技术包括军事技术上的“撒手锏”。很多人自豪地说，当年我们在最困难的时候就研制出了“两弹一星”，现在国家的经济与物质条件比王淦昌他们老一辈研制“两弹一星”时不知要好多少倍，更应当拿出可以与美国人的“隐形飞机”和导弹防御系统相较量的“撒手锏”来。这可以说是全国人民对当今科学界和军事部门提出的最紧迫的要求。两年前的那个夏天，我曾经当面问过王淦昌先生，为什么他们这一代科学家能在帝国主义对我国实行全面封锁、苏联也一下子翻脸的艰难环境下研制出令西方世界大为震惊的原子弹呢？王淦昌从一个科学大师的角度说过这样一段精辟的话，他说任何一门高新尖技术或一项伟大科学成就的发明，物质条件是重要的，但并不是唯一重要的，更重要的是科学家对科学真理的探求精神与把握正确的方向。以上的两个条件如果同时具备的话，当然是最理想的，但中国的科学家在很长的历史阶段不可能同时具备这两种优势条件，那么增强和提高对科学真理的探索精神与正确方向便变得尤为重要，而我们正可以弥补自己的劣势，在完全不同等的物质条件下，取得与西方强国同样的尖端技术甚至在某些方面创造出超越他们的“撒手锏”来，完成别人没有完成的对全人类都有进步意义的伟大发明。王淦昌先生为了更清楚地说明这一理论举例道，像物理学，实验是最重要的，具有先进的设备当然可以缩短实验时间并进行更广泛的发现与发明，但在简陋条件下的那种坚持不懈的精神同样可以完成别人在最先进的设备条件下没有完成或注意的伟大发现与发明。另外，对理论问题的正确归纳与概括，同样可以总结和发现物质世界中存在的那种普遍现象和特殊规律。王淦昌特别指出，几十年来，为数不少的诺贝尔物理学奖项，都是科学家依靠自己独到和敏锐的科学眼光，从而获得影响人类进步的非凡成果。

“我还是坚持几十年前自己有过的说法：就是作为一名高明的科学工作者，就必须有自己独到的‘搭桥’本领。什么叫‘搭桥’？就是归纳、分析和判断前人已经发表的实验方法、数据和结论，并且对各种文献资料极其熟悉、了解，给已有的理论工作搭桥，进而推动自己的科学实验。木工师傅能为不同的户主做出不同的木器家具和房屋，就是因为他熟练掌握了家具和屋架的标准尺寸。一个科学家特别是物理学家，要取得发明创造，就必须像木工一样，对自己应该掌握的各种知识与信息有广泛了解与深刻认识，并运用自如。这样才有可能创造出在常人眼里不可能的奇迹。”王淦昌如是说。

在中国物理学界没有人不知道王淦昌在抗日战争时期，在浙江大学当教授时提出了一项用 K 电子俘获办法寻找中微子的科学建议，而正是他的建议使后来者用他的理论最终发现了中微子，并获得了耀眼的诺贝尔奖。关于这一具有划时代辉煌意义的科学建议，另一位美籍华裔著名科学家、诺贝尔奖获得者杨振宁博士在他那篇《王淦昌先生与中微子》一文卷首语中说道：“在粒子物理的历史中，中微子是‘基本’粒子家族中特别神奇的一员。从泡利 1930 年提出中微子可能存在的假说和费米 1934 年提出划时代的 β 衰变理论以后，环绕着它的理论和实验工作很多，其中一个中心问题是如何直接验证它的存在。关于这个问题，在 1934 年至 1941 年间文章很多，可是都没有找到关键，这是因为中微子没有电荷，不易直接用探测器发现，而且它几乎完全不与物质碰撞（譬如可以自由地穿过地球），很难抓到其踪迹。1941 年 10 月，王淦昌先生在浙江大学（那时正值抗日战争，浙江大学避难在贵州遵义）写了一篇文章，提出用 K 电子俘获的办法寻找中微子。这是一篇极有创造性的文章，在确认中微子存在的物理工作中，此文一语道破了问题的关键。此后的 10 余年间，陆续有实验物理学者按照这一建议做了许多实验，终于在 20 世纪 50 年代初成功地证实了中微子的存在……”

关于中子和中微子这些物理学专用名词，过去我们普通人对它太陌生，但自从有了原子弹等核武器后，我们才知道了一点有关它们的粗浅知识，那就是中子和中微子都是原子核的基本粒子，谁“捕获”了这些只有瞬间生命但却威力无比的小东西，谁就可以主宰世界。因而探求中子和中微子存在，几乎是全世界物理学家在20世纪上叶至中叶竞争最激烈和最热门的课题，因为它的重要性不仅仅是科学本身，而且关系到全球政治、经济与军事格局。科学家没有那些政治家和军事家的野心与功利，他们只有一颗探求自然界奥秘的赤诚之心，王淦昌也毫不例外。当他在德国柏林大学的迈特内手下痛失获得中子的发现权后，又重新投入了另一个基本粒子——中微子的实验与探索。

正如杨振宁博士指出的那样，自从1930年12月著名物理学家泡利先生为解释衰变能谱的连续性提出中微子假说后，第二年6月又预言β射线连续谱应有清晰上限。“我以为，原子核的发现，仅仅是我们对自然界基本粒子发现的开始，在那个原子的家族里，除质子和电子外还有更英俊的‘小子’存在，我认为它比先出世的所有原子家族里的小子们都了不起！”泡利在纽约的一家中国餐馆里和他的朋友拉比在聊天时这样说。半年之后，正在柏林大学读书的王淦昌用GM计数器精确地测定出RaE的连续β射线谱的上限，有力地支持了泡利的“狂想”。1934年，大物理学家费米以泡利和王淦昌对中微子的假说为基础，建立了著名的β衰变理论，费米的论文寄至英国《自然》周刊，结果被一句“它具有太多的空想，远离了读者所感兴趣的实在”的评语而一枪毙命，幸亏费米后来把论文寄到德国另一家杂志得以刊出，才使一项震惊世界的科学理论正式被承认。

然而物理学是科学，只有通过实验才能最终使一个正确的理论得到应有的归宿。自泡利和费米对中微子的假说在理论上被肯定之后，一时间，全世界的科学家几乎都盯着中微子这个未出世的“金色小子”，并拼命想抢占最先的发现权。约里奥·居里夫妇、维克、贝特、派尔斯、阿尔圭雷兹等都先后赤膊上阵跃跃欲试过，但后来都没能抱住中微子这个“金色小子”，其原因都是因为没有掌握正确办法。

大科学家们感到异常困惑和失望，但又束手无策。

这时的王淦昌感到是该自己出击的时候了。他认为“不能用中微子的电离效应来探测它的存在。测量放射性元素的反冲能量和动量是能够获得中微子存在的证据的唯一希望”。因此他建议用K电子俘获的办法探测中微子的存在，指出“当一个β[+]类的放射元素，不放射一个正电子，而是俘获一个K层电子时，反应后的元素的反冲能量和动量仅仅依赖于所放射的中微子……只要测量反应后元素的反冲能量和动量，就容易找到放射出的中微子的质量和能量……由于没有连续的β射线被射出来，这种反冲效应对所有的元素都是相同的”著名论断。

用K电子俘获“金色小子”中微子！王淦昌以其天才物理学家独特而敏锐的见解，开启了20世纪一项伟大发现的大门。当他智慧的目光从容地投进这扇大门时，王淦昌遇到了他难以逾越的大山，那就是战乱，他无法进行最起码的实验。那时王淦昌所在的浙江大学被日本侵略者的炸弹赶到了贵州湄潭山区，由于抗战开始时，浙大在短短几年间一连搬迁了6个地方，最后到贵州湄潭落脚时除了人员尚保全性命外，整所学校实际上是个空壳了，要什么没什么。当时师生和家属们只能住山洞，教室都是由临时搭建的小茅棚或天然溶洞代替，附近的几所寺庙是当时浙大唯一像样的“殿堂”。校长竺可桢对王淦昌的物理实验给予了最优厚的“关照”，所以能在一个叫双修寺的破庙里落户。谁都知道，一项高精度的科学实验，没有最好的实验条件是无论如何也难以实现的。然而王淦昌面对已经被侵略者剥夺了所有最基本的科学实验条件的状况并不懊丧，而是尽可能地创造条件进行不懈探索。“当时敌机天天轰炸，整个学校的上课时间都不能保证，说停就停。但王先生的实验从没停止过。敌机来了，别人都躲到山洞去了，他一个人还留在破庙里全神贯注地搞他的测试。有一段时间王先生得了肺病，他老伴为了给他补补身子，便养了只奶羊。可当时王师母还要带三个孩子，忙不过来。王先生身为大教授，竟然每天在去双修寺进行实验时还要牵着那头奶羊，因为寺庙前有块草地可供奶羊吃草。我们同学们开玩笑地称王先生是‘牧羊科学家’……”当年老浙大的人给我讲述了王淦昌的这段奇闻轶事，我听后又新鲜又心酸。我们这位对科学强国信念坚贞不渝的科学家有一天牵着羊、穿着破旧衣服，上街为有病的女儿买块肉，那肉摊的屠夫瞅了他几眼，瞪起眼珠子说："走开走开，别挡了我的生意好不好？瞧你个穷相，还买啥子肉？”王淦昌当时气得差点吼起来，可看了看自己，只好长叹一声回了家……生活与环境的艰难并没有使王淦昌放弃他的科学发现与实验，他在教学的同时还不停地利用一切可能的条件实验，俘获当时世界物理学界人人都想获得的“金色小子”——中微子。然而日本帝国主义的炸弹与封锁使王淦昌无法把自己想出的俘获中微子的方法投入实验而获得成功，为此，他不得不写成论文寄到了美国的《物理学评论》杂志上发表。王淦昌对此不无遗憾地说："我在科学的道路上从来敢想问题，也想得很多，我坚信用自己的办法能够俘获中微子，但抗日战争时国内的条件不具备，所以这实验只能让别人去做了。”王淦昌的这篇具有划时代意义的著名论文开始并没有直接投给美国杂志，而是投给了国内的《中国物理学报》，可由于战争原因，这家中国杂志根本没有经费印刷，王淦昌只好将稿子改投了外国。

当王淦昌名为《关于探测中微子的一个建议》的论文于 1942 年 1 月在美国《物理学评论》上发表后，立即引起美国著名物理学家阿伦的注意，他随即按照王淦昌的建议进行实验，并一举获得成功。这就是中微子发现过程中有名的“王淦昌－阿伦实验”。10年后，阿伦与另一位物理学家戴维斯一起正式确定了俘获中微子的完整实验。瑞典皇家科学院因此将诺贝尔物理学奖颁发给了当年进行成功实验的美国科学家。其实本来这项科学桂冠应该有中国科学家王淦昌的份儿，但王淦昌对此没有半点遗憾，相反他得悉消息后很为美国同行感到高兴，他说：“物理学的成就还是应由实验证实的，荣誉也应该给予那些最后做出结果的科学家。”可见王淦昌作为一名中国科学家的宽阔胸怀。

中微子的发现使诺贝尔奖又一次与王淦昌擦肩而过。对此，他有如下见解：“由此看出，诺贝尔奖并不是高不可攀的，中国人完全有能力获得此项奖项。一是要选准课题，确有重大理论或实用价值；二是要锲而不舍，持之以恒，花上几年甚至几十年的工夫。”王淦昌生前留下的这段话，值得中国科学家们认真地品味和理解。

第二次世界大战的东方战场以苏联红军出兵和美国人在广岛、长崎扔下两颗原子弹而平息。就在日本人举起白旗投降时，王淦昌应浙大学生的要求，作了一次题为《关于原子弹及其原理》的报告，引起同学们的浓厚兴趣，后来成为中国核武器试制中坚的程开甲等一批当年的浙大学生，都是因为多少受了导师王淦昌的这堂课的影响而将一生贡献给了中国的核事业。然而王淦昌本人当时并不清楚自己竟然要亲自动手研制祖国的原子弹。在浙大同学为王淦昌庆贺40岁生日后不久，这位风华正茂的物理学家和著名学者受浙大所派，前往大洋彼岸的加州大学做访问学者。一年之后，正在国内的吴有训先生兴奋地告诉浙江大学校长竺可桢：美国科学促进协会出了一本百年科学大事记，中国人能列入其中的只有王淦昌和另一位物理学家彭桓武。

“中国的希望，淦昌也。”竺可桢情不自禁地摇头晃脑起来。

此时的王淦昌已经毫无争议地成为有国际影响的著名科学家。1950 年，郭沫若先生以中国科学院院长身份，邀约王淦昌赴京主持开展中国近代物理研究所的组建工作，并全面启动新中国的核物理科研。王淦昌感到内心无比舒坦，尽管当时条件并不比解放前好多少，但他认为自己完全可以按照物理学本身的规律进行理论与实验工作了，这对历经了十几年战乱的王淦昌来说太宝贵了。因为假使不是那十几年的战乱影响，他或许早已把诺贝尔奖杯牢牢地揣在了怀内。

现在，他要抓紧——为了共和国的建设与科学事业的发展。“那时我们整天觉得有使不完的力量，有干不完的活。”90 高龄的王淦昌回忆起解放初期的工作情景，两眼闪着光芒。根据国家的统一布置，当时的核物理学向着理论物理、原子核物理、宇宙线、放射化学等四个基础领域的方向挺进。通过对宇宙线的观测，发现新粒子并研究其性质，是王淦昌多年的夙愿。1954 年，他和助手们在海拔 3185 米的云南落雪山成功地建造了我国第一个高山宇宙线实验室，并在第二年就利用自制的设备，完成了一批科研成果。他的论文《一个中性重介子的衰变》在布达佩斯召开的国际宇宙线物理会议上宣读后引起各国同行的强烈反响。王淦昌就是这样一位对科学执着的人。那时中国的科学工作中有许多苏联专家参与，当时与王淦昌同时开展宇宙线研究的两位苏联院士在帕米尔高原上也建了一个宇宙线实验站。这两位苏联专家好大喜功，用自己设计的一套电子系统操作，不久就声称已发现一种叫“变子”的新粒子。这两位院士还因此在苏联走红，获得斯大林奖金和“苏联社会主义劳动英雄”称号。王淦昌对苏联同行的“成果”表示怀疑，便重新实验，结果他认为“仅凭一个电子信号就断言有什么发现实在太草率了”，并当即在公开场合表示“苏联人的发现靠不住”。这是什么年代，王淦昌竟敢对已经获得斯大林奖金的

"苏联社会主义劳动英雄"的成果说三道四？但后来无数科学家们都证实了王淦昌的判断是对的，世界上根本不存在什么"变子"。几十年后，物理学家、院士何祚庥说："这件事当时在我的心灵引起的震动是巨大的。我一是惊讶苏联人居然也有搞不成功的事情，二是从心底佩服王老敏锐的科学洞察力。在那时的政治背景下，王老对苏联科学家的直言批评，充分体现了他追求真理、崇尚实践的政治勇气和科学精神，这件事给我的启迪是，对科学问题的评价不能政治化，不能用政治观点去评价科学发现。这个原则我们应该永远牢记。"

王淦昌的行为和何院士的话发人深省。

1956年9月，正在新中国曙光下干劲冲天的王淦昌，在莫斯科出席杜布纳原子核研究所成立大会后，中国政府给他下达了一项特殊使命：留在这个研究所，与苏联同志一起利用这里世界上最先进的高能加速器进行更好的科学研究工作，新中国也迫切需要核物理科研成果，说不定以后我们也要有自己的原子弹等"大家伙"！明白吗？王淦昌点点头，他是搞核物理的，怎么会不知道新中国赋予他这"国家秘密"的千斤重量呢？

啊，太棒了！王淦昌第一次站在杜布纳研究所那台核王国里的庞然大物高能加速器旁，心潮澎湃，同时深感肩头的责任重大。

自第二次世界大战结束后，世界格局出现了以美国为首的资本主义阵营和以苏联为首的社会主义阵营。这种有你就没有我的冷战状态，必然造成两大阵营之间在军事和政治上的激烈攀比与竞争。特别是以原子弹为标志的核武器的诞生，使与核武器密切相关的核物理实验研究变得更加抢手。为了对付以美国为首的资本主义阵营，苏联政府制订了帮助各社会主义国家发展核武器的计划，杜布纳研究所的成立便是实施这一计划的首要部署。中国政府不失时机地选派了最具发展潜力的核物理学家到此进行"充电”，除了王淦昌外，还有朱光亚、周光召和丁大钊、胡宁等。此时的王淦昌还有一件值得欣慰的事：他的学生李政道和另一位华裔科学家杨振宁先生一起在美国留学期间，提出了弱相互作用中宇称不守恒原理，提示了弱相互作用的性质，从而获得这一年的诺贝尔奖。王淦昌既为自己的学生高兴，同时也在内心憋了一股劲儿：努力工作，争取为国家早日拿出成果！

有一首叫《莫斯科郊外的晚上》的苏联歌曲，时常在今天的中国歌舞厅里悠扬地响起，它那略有些哀婉的歌词很容易让50岁以上的老一代中国人回想起当年与苏联“老大哥”的交往及那些情怀。王淦昌一生不善言笑，更不用说能歌善舞了，但《莫斯科郊外的晚上》这首歌他也能唱得婉转动听，有时甚至会情不自禁地流下眼泪……

从1956年9月到1960年12月24日，在杜布纳联合原子核研究所的4年多时间里，王淦昌认为这是他一生从事科学实验工作最得心应手的好时光，因为一方面这儿的生活条件很好，比他在柏林大学留学和在浙江大学的近20年间不知要好多少倍，当然比起刚解放的国内环境也要好不少，更重要的是这儿有当时世界上最先进的高能加速器。美国比苏联早一年即1955年有了第一台6.4GeV高能质子加速器，但苏联这台高能加速器是10GeV级的，超过美国的级别。有了高能加速器就意味着可以在研究反粒子领域获得最快捷的途径，美国科学家张伯伦和塞格雷在美国的高能加速器建成仅几个月后，就利用它发现了反质子，因此获得了诺贝尔奖。苏联高能加速器在当时是能量最高的加速器，因此应该可以成为出成果的好基础。在当时，世界物理学界大有谁拥有了高能加速器，谁就可以去拥抱诺贝尔奖，谁就能主宰东西方世界之势。杜布纳联合研究所建立的初衷，就是以苏联为代表的社会主义阵营希望利用最先进的技术设备与西方世界在尖端科技领域搏一搏。刚到杜布纳研究所，苏联朋友在用伏尔加酒招待中国客人时就流露出了这种强烈的愿望。

“美国的张伯伦和塞格雷算什么？比起我们的‘北极熊’，他们的高能加速器只能算小毛驴。小毛驴怎么能与我们雄健的北极熊较量？哈哈哈……”苏联朋友自豪地拍打自己造的 10GeV 高能加速器，用红红的眼睛盯着王淦昌等中国朋友，半醒半醉地说道，“我们一起……一起把美国佬赶到大西洋里，喂……喂鲨鱼去！你是了不起的科学家，我们全看你的了。啊，来来，为我们的苏维埃，为我们的斯大林同志干杯！”

王淦昌不会喝酒，尤其是苏联的那种烈性酒，他一生中最多能喝几口常熟老家的那种米酒。但那天在苏联朋友的盛情下，他没喝酒心却也快醉了——那时与“老大哥”之间的革命情谊和两国科学家之间的真诚合作之心无可非议，更何况人家是拿出最先进的科学设备让你在这儿出成果，仅凭这一点你作为科学家还有什么可说的呢？第一次到莫斯科郊外来，王淦昌觉得也该领着一起来的年轻助手们看一看杜布纳市的风景，当他领着周光召、丁大钊等漫步在郁郁葱葱的原始森林、伏尔加河、姐妹河、杜布纳河边时，心旷神怡，而这之后，王淦昌他们似乎再也没有时间进行如此悠闲的散步了，一切都得服从工作的需要，每天必须十几小时甚至近二十小时站在那台庞大的高能加速器旁边，或是几天忙碌在见不着一丝光亮的云室内……王淦昌开始是作为课题组长指挥中国助手们的，后来他担任了联合研究所的副所长之职，手下的人数也比开始多了许多，而且不仅是中国的科学家了，还有苏联、越南、东德、波兰等国的几十名学者。王淦昌成了整个研究所的一名指挥官，一名向世界科学技术的最前沿冲锋的“军团”指挥官。

关于在杜布纳研究所的那段历史，王淦昌当年的得力助手、全国人大常委会副委员长周光召和全国政协副主席朱光亚院士都有难忘的记忆。在此摘录周光召说过的一段话："我和王先生在苏联杜布纳联合原子核研究所工作时，他已经接近50岁了，我们对当时迅速发展的高能物理都没有经验。王老作为中国组的组长，为了维护中国科学工作者的荣誉，组织大家从头学起。每天晚上在中国同志内部开展互帮互学，王老自己也不例外，与大家一起学习，以能者为师，不耻下问。很快，王老领导一个小组建成了苏联当时第一个大型丙烷气泡室，并开展实验工作……我们都知道，一个年近50岁的科学家要转向新的学科领域，学习新的知识是何等的困难。但王老以他高超的智慧、超人的精力和艰苦的学习战胜了困难，不仅完成了这个转变，而且很快就成为新领域中出色的专家。"

王淦昌心里清楚，他作为中国组的组长和联合研究所副所长，身后不仅有一批来自兄弟社会主义国家的科学家，更有斯大林和毛泽东等领导人都在看着他工作呢！当然作为对手的美国人也在死死地盯着他。从当时的物理科学领域看，竞争也是处在白热化状态。特别是第一颗原子弹爆炸后，基础科学中的物理基本粒子研究成了最热门的研究前沿课题，加上政治家们狂热的叫喊，对基本粒子与原子核之间相互作用及其转化规律性的认识，成为当时著名科学家最醉心的研究项目。王淦昌现在执掌的又是最大能量的加速器，不抢先研究出成果实在有点说不过去。然而诺贝尔奖为什么对基础研究的科学成就特别偏爱呢？就是因为任何一门基础科学的突破都太不容易了，而当一个基础科学领域里出现新的重大发现，它就有可能改变我们整个世界！

摆在王淦昌和整个杜布纳联合研究所面前的首要任务是如何选择研究方向，这好比决战前的指挥方案，制订得好，战斗就胜利了一半，相反一份不成熟的作战计划就可能断送整个战役。由王乃彦院士审校，李瑞芝、孙晓光、常甲辰编著的《核物理学家王淦昌》中有一段很精彩的文字，记述了当年王淦昌领导中国科学家和兄弟社会主义国家的学者们利用苏联高能加速器进行一系列实验，探索和完成一项具有世界性影响的科学发现的过程。

……王淦昌到联合研究所工作时，正是国际上利用高能加速器进行基本粒子研究的第一代工作时期。他以准确的科学判断力，根据当时面临的各种前沿课题，结合联合高能加速器的特点，提出了两个研究方向：一是寻找粒子（包括发现各种超子反粒子），二是系统地研究高能核作用下各种基本粒子的产生规律。科学的发现有两种情况，一种是理论预言的实验，这种发现是有既定方向的，只要选好技术路线，一般来说是会有所发现的；另一种是带有偶然性的，就是在众多的实验结果中察觉到异常点，并进行确认，这种工作对实验工作人员的要求就相对更高一些。而且前者的科学发现，其价值一般比不上后者。王淦昌在设计研究课题时，对这两种工作都给予了重视：新粒子的发现有一定偶然性，而利用人类所掌握的实验资料研究基本粒子相互作用则必然会有结果。利用高能量加速器打击核靶，既可能产生新的粒子，也可以对研究基本粒子在核作用过程中的产生规律提供许多新的信息。王淦昌选择的两个研究方向，正好发挥了联合研究质子同步稳相加速器的能量优势。如果把科研工作比做一首交响曲的话，那么，按照王淦昌的编排，乐曲的展开都是以由他亲自负责的寻找新粒子的课题为主旋律，并辅以两个平等出现的旋律——研究在高能核作用下奇异粒子的产生规律（由丁大钊和另一位

> 苏联同志负责）和介子与质子相互作用的研究（由王祝翔负责，后来把其中非弹性作用的一部分分析工作划给另一个以苏联工作人员为主的研究组）。当然，研究组的主攻方向是寻找新粒子。这是具有挑战性的课题，难度自不待言，可以说具有一定的风险。因为联合所高能加速器建成后，人们都期望能尽快利用它做出突破性的成果。王淦昌要求不论谁分配在哪个课题组，在观察原始实验资料时，都要为这个主攻方向积累资料……

“那正如一场紧张的战役。”著名物理学家丁大钊院士在《反西格马负超子的发现》中这样说道，“工作分成3个小组并列进行，即新粒子研究、奇异粒子产生特性研究和仃介子多重产生研究。在联合所加紧进行10GeV高能加速器建设的时候，各种探测器的建设工作没有及时跟上。到1956年秋季只具备一套确定次级粒子及其飞行方向的闪烁望远镜系统，一台大型扩散云雾室和一台膨胀式云雾室。这些探测器固然有一定的用处，但不能发挥高能加速器的优势来进行前沿课题的研究。利用高能加速器进行基本粒子研究的优势在于选择有利的反应系统，全面观察所研究粒子的产生、飞行、相互作用（或衰变）的全过程。根据这一特点，选择放置在磁场内可以进行动量分析的大型气泡室作为主探测器将是合适的。气泡室的工作介质既是高能核作用的靶物质，又是基本粒子的探测器。气泡室是1953年由格拉泽发明的一种新型高密度粒子探测器，当时在联合所已积累了研制小型丙烷气泡室的经验。为了争取时间，王淦昌教授提出抓紧时间建立一台长度为55厘米、容量为24升的丙烷气泡室。它富集氢原子核，技术又比较简单，有可能在短期内建成，可以放入现成的为放置膨胀云雾室所准备的磁场中，以便与加速器调试进程相互匹配地进入所要研究的课题。如果选用氢气泡室的路子，则在探测器的研制上将花费过多时间。选择什么反应系统来研究新奇粒子及基本粒子的特性？从要发现反超子的角度讲，利用反质子束的 $\tilde{P}+P \rightarrow \tilde{Y}+Y$ 反应是非常有利的。1957 年王淦昌教授在与肖健教授的私人通信中即谈到这一想法。要得到比较‘纯净’的反质子束，必须用复杂的电磁分离系统，把比反质子多几千万倍的 π- 介子、比反质子多几千倍的 K- 介子在同样动量的次级负粒子束中剔掉，这种系统非常复杂，在联合所不是短时间内能建成的。因此，王淦昌教授于 1957 年夏天提出利用高能 π- 介子引起核反应来进行研究。这条技术路线从寻找反超角度讲，有不利的一面——本底大，但也有其具有确切意义的一面，即在原始反应系统中没有反重子，如果发现反超子，那么这个反粒子就是‘真正’被产生出来的，并且为研究其他新奇粒子及基本粒子产生的系统性质，提供了更广泛的机会。由于技术路线选择得当，24 升丙烷气泡室于 1958 年春建成。1958 年秋即开始了第一批 6.8GeV/C 的 π- 介子与核作用数据的采集；1959 年春又建立了 8.3GeV/C 的 π- 介子束，开始新一轮的数据采集。前后总共得到了近十万张气泡室照片，包括几十万个高能 π- 介子核反应事例。王淦昌教授把握着研究课题进程的每一个环节。在大批实验资料开始积累之初，他即根据各种超子的特性，提出了在扫描气泡室照片时选择‘有意义’事例（即可能的反超子候补事例）的视觉标准……扫描气泡室的立体照片是一项很辛苦与繁杂的工作。王淦昌教授那时已 50 多岁，又是近视眼，戴了眼镜用立体扫描仪工作，因焦距不对很不方便，摘了眼镜又很伤视力。但他每天坚持扫描大量照片，并告诫青年人要认真注意扫描中发现的现象，尽可能分辨真相与假象。例如一位民主德国的大学生来我们组实习，初期经常把高能正负电子对当做 γ 记录下来，王淦昌教授教导他如何运用已知的物理知识来区分这两者，使‘本底’大大降低。正因为王淦昌教授的言传身教，我们研究组的年轻同志在积累气泡室照片的同时，另一方面又都能抓紧时间扫描照片，并相互认真校检，以便减少‘漏计数’。即使头一天晚上在气泡室运行上值班后，第二天也能认真地投入扫描工作，而且长期乐此不疲，使我们的研究工作能以较快的进度开展……”

“大家过来一下，看看这张‘蜘蛛网’奇特吗？它就是我们梦寐以求的反超子！”一天，王淦昌突然惊呼一声，并且让助手们都过去仔细地看一下气泡室里出现的一个奇迹。

“对对，看到了！真的像蜘蛛网呀！”助手们顿时欢呼起来，围着王淦昌让他给这个新奇粒子起个名字，因为这种新奇粒子一旦向外宣布，将震惊整个世界。

“它是反西格马负超子，当然应该叫反西格马负超子嘛！嘿嘿，真有趣！”王淦昌一边笑着一边自言自语道。

“中国朋友发现新奇粒子啦！”

“乌拉，伟大的苏维埃高能加速器万岁！”

王淦昌领导的研究小组发现了世界上第一例反超子，其意义不亚于获得诺贝尔奖，因为它使当时的基础科学研究又向纵深大大地跨越了一步。正如丁大钊院士所言，王淦昌对“反西格马负超子”的发现，“正是因为有许多这样的学者的探索、研究，才使基本粒子研究从50年代认为是‘基本’而发展到60年代认为‘不基本’，使人们对物质结构的认识发展到更深的层次。自然科学的发展就是要归功于这些有丰富、活跃科学思想的学者的创造性劳动”。

“为了让美帝国主义看看社会主义科学成就”，当时的苏联《真理报》和中国的《人民日报》都为反西格马负超子的发现专门作了重要报道。苏联的科学权威刊物《自然》杂志还指出：“实验中发现反西格马负超子是在微观世界的体系上消灭了一个空白点。”25 年后的中国政府在那个难忘的“科学春天”里，特别向王淦昌等当年参与发现反西格马负超子的科学家颁发了新中国成立以后物理学家获得的第一个最高奖——国家自然科学一等奖。

1975 年，美籍华裔著名科学家杨振宁秘密回到中国，一次谈起苏联当年的杜布纳研究所时，悄悄对周恩来总理说：“杜布纳唯一的成就便是反西格马负超子的发现。”

当杜布纳科学城的科学家们欢呼发现反西格马负超子这一伟大科学成果时，中国政府突然给正在莫斯科郊外的中国科学家王淦昌发来一份绝密电报：放弃手头工作，立即回国接受新的任务。

为什么？什么新任务这么急呀？王淦昌一生不善政治，但他知道自己从事的核事业与政治密不可分。不用说，祖国的需要是第一位的。王淦昌在决定离开杜布纳的那一夜，他设想了政府命他急回的各种可能。他已经好久没看报纸了，于是他拿起一份中国的《人民日报》和一份苏联的《真理报》，看过报纸，“糟糕，太糟糕啦！”王淦昌从不会对政治时势做出准确的评语，只会用“糟糕”两个字来形容。然而在他内心明白一件事，那就是中国要与苏联分手了，中国的科学发展同时也要与苏联“老大哥”们长期断绝交往了。作为一名科学家，王淦昌面对这种局面是极其痛苦的，因为他知道新中国才成立不久，一切科学实验条件尚不具备，相对而言，苏联要强大得多先进得多。“我能为祖国做些什么呢？”那一夜王淦昌睡不着。第二天，他把留苏几年节省下来的 14 万卢布以买设备的方式全部交给了国家。

“今天我把大家召来，想开最后一次会议。大家知道，我已经接到回国的命令。”离开杜布纳的前一天，王淦昌把在联合研究所的中国部下全都召集在一起，以少有的沉重口气对大家说道。当时的助手们有些不知该如何是好，因为他们突然想起应该给王先生开欢送会，准备点水果茶点什么的。“汪容，你们别去忙乎，坐下，都坐下。我有话对大家说。”

汪容等几位正想出门悄悄去准备临时欢送会的年轻人只好折回身子，坐到原来的位子上，静等一向严要求的王先生“训话”。

“现在我给大家出一个题目：今后的高能物理实验方向应该如何选择？这是顶顶重要的，我比你们先离开联合所，但你们也要做好马上回国的准备。回去后我们的条件比这儿差了，但新中国的物理科学实验不能停止！怎么办呢？我们心里必须有数。这是我离开杜布纳留给大家的最后一道题，你们回答好，我心里也就踏实了。这个会比给我开个隆重的欢送会要开心得多！”王淦昌说完自个儿又乐呵起来，“真有意思。”

刚才还被导师搞得神经紧张得不知如何是好的弟子们，一下又跟着乐起来了，于是这些科学迷们像往常一样，你一言我一语地“开仗”……

“要我看，王先生的方法也不是最理想的。”有人当着王淦昌的面在黑板上划拉着，王淦昌坐在台下听自己的学生高谈阔论。

“嗯，有道理。”王淦昌聚精会神地听着，嘴里不时称赞着。

这时，坐在一旁的汪容被人轻轻用胳膊捅了一下：“快看，王先生在干吗？”汪容转头一瞅，差点笑出声。原来，聚精会神过度的王淦昌竟然不知什么时候从沙发上出溜下来了，整个身子蹲坐在地毯上，他竟然毫无察觉。

“先生，您还是坐起来舒服些。”汪容侧身将他扶起，而王淦昌似乎仍然没有感觉，两眼直盯着黑板……

这一幕，几十年来汪容一直没有忘记过。他说：“王淦昌先生对科学的真诚与专注，教育了中国物理学界几代人，并且永远是后人的榜样。”

王淦昌回国没多久，一天，他被通知到二机部部长办公室。

“什么事，这么急呀？”王淦昌走进部长刘杰的办公室时，见老朋友、好搭档钱三强教授也在里面，于是王淦昌内心的那份紧张减少了一半。

“王先生，今天请您来，想让您做一件重要的事情，请您参加领导原子弹的研制工作。”刘杰部长开门见山，“毛主席和党中央已经做出决定，有人想卡我们，我们就要争口气！”

我们中国也要造原子弹了？！王淦昌心头一阵激动，他看看老伙计钱三强，对方朝他重重地点点头。

这是真的了。王淦昌只觉自己的手心热得很。

“毛主席给原子弹研制工程定名代号为‘596 工程’，它是国家最高机密，对外绝对保密，从现在起你必须长期隐姓埋名，不得向任何人透露你所从事的工作，即使是家人。另外还要断绝一切海外关系。”

知识分子出身的王淦昌，像第一次入伍的战士一样，站起身来，毕恭毕敬地向刘杰部长保证道：“行，我能做到！”

刘杰和钱三强相视一笑，请王淦昌先生坐下。

“为了工作需要，不用真名可也得有个化名吧？总不能叫我们王先生阿狗阿猫呀！”刘杰的一句话，使方才还气氛异常凝重的办公室里响起了一阵笑声。

王淦昌又噌地站立起来，他眨了眨眼睛，说：“就叫王京吧。北京的京，怎么样？”

“好呀，王京同志！让我们一起为中国研制出原子弹吧！”刘杰高兴地上前握住王淦昌的手，一旁的钱三强也把自己的手放了上去……

从这一天起，外国科学界惊奇地发现，那个即将要拥抱诺贝尔奖的著名物理学家、反西格马负超子的发现者王淦昌博士怎么一下子就“消失”了呢？

2. 造原子弹

1997 年那个夏日，我确实这么问过王淦昌先生 ：“你当时真的没预感国家高层有朝一日会让你去研制原子弹？”

90 岁的王淦昌依然不改年轻时的习惯，在自言自语“嘿嘿，当时真有趣”后，肯定地回答我 ：“怎么能没有预感呢？我是搞核物理的，当然知道先进的国家都在把物理科学技术运用于国防和军事，我们核物理科学工作成果在四五十年代的最终体现都落在了核武器试验上。我们新中国从成立开始就已注意这个问题，从钱三强教授把我由浙江大学调到北京中科院近代物理研究所那天起，我们就制订了新中国物理科学的前沿课题，其中之一就是核物理研究。当然真的要搞原子弹，还是我从苏联回国接受命令后才知道的。”

中国搞原子弹是被逼出来的。代号“596 工程”便是以毛泽东为代表的中国共产党人在与以赫鲁晓夫为代表的苏联政府针锋相对时，毛泽东等中国领导人心口上的重压。

是谁第一个提出在世界上搞原子弹的？当美国 1945 年 7 月 15 日在新墨西哥州洛斯阿拉莫斯附近爆炸第一颗原子弹之前，德国的哈特克博士就曾向德国陆军部建议研制核炸弹，他在信中这样对陆军将领们说 ：“我冒昧地请你们注意在核物理方面的最新发展。我们认为这些发展将使人们可能制造出一种威力比现在的炸弹大许多倍的炸弹……显然，如果我上述所说的可能性得以实现，这肯定是在可能范围内的——那么，首先利用这种炸弹的国家就具有一种超过其他国家的无比优势。尊敬的将军们，相信科学家们的见解吧！”然而自高自大的德国陆军将军们并没有把哈特克博士的建议放在眼里。后来也有人曾经把一些研制核武器的资料送到希特勒手中，不过幸亏希特勒没有重视，否则今天的人类社会可能将是另一种状况了。

与德国人相反，美国人对原子弹的兴趣远超德国人。在二战后期，著名科学巨匠爱因斯坦也同样写了一封建议造原子弹的信，不过他的信是直接写给美国总统罗斯福先生的。爱因斯坦说的原子弹还是一颗“新型炸弹”，他在信中说：“利用大量铀进行核裂变链式反应已成为可能，这样将产生巨大的能量和生成类似镭的新元素……这一现象将导致制造炸弹。虽然还不能肯定，但可以设想制造出一种威力无比巨大的新型炸弹……只要一枚这样的炸弹，就足以毁灭一个海港及附近地区……”爱因斯坦以他个人的巨大影响力，使坐在轮椅上的罗斯福总统心头为之一动：“造一个给希特勒看一看无妨。”于是经过两年准备，一项名为“曼哈顿工程”的研制原子弹计划被正式启动。担任此项工程组织指挥者的是格罗夫斯将军，技术负责人是著名物理学家、后来被称为“原子弹之父”的奥本海默。罗斯福本来准备把原子弹用于打德国法西斯，结果希特勒投降了，最后只有日本人还在东方战场挣扎。罗斯福觉得应该让全世界知道一下未来“世界第一强”的美国是个什么样子，于是就在1945年8月6日和9日两个日子里，连续在日本的广岛和长崎投下了一枚代号为“小男孩”和一枚代号为“胖子”的原子弹，并造成数十万平民死亡。这场悲剧出现后，震惊全球，弄得当时写信给罗斯福总统的爱因斯坦后悔莫及，痛苦不堪地发表声明呼吁停止核试验，但此时的爱因斯坦已无能为力，因为核物理科学成就早已成为被政治家们紧紧地握在手中，并用来向别人耍威风的武器了。

二战结束后，美国的原子弹虽然不能再随便扔了，可它在对手苏联人的眼里可是件必须拥有甚至要超越美国的武器。于是苏联专家们全力以赴，在 1948 年 8 月成功地进行了一次原子弹核试验。而从这一时期开始，美苏两国的核竞争空前激烈。美国至 1967 年时，库存核弹头曾多达 32000 个，苏联也不甘示弱，光这两个核大国的核武器数量足以将整个世界炸毁数遍。

“我们希望也有点那个东西。”那一年，苏共总书记赫鲁晓夫与毛泽东在一起游泳，毛泽东向苏联“老大哥”伸出一个小手指。

“你指的是什么？”赫鲁晓夫从水中露出一颗硕大的光脑壳，装作不懂毛泽东的意思。

“当然是你们可以用来吓唬美国人的原子弹嘛！”

“什么？你们也要搞它？”赫鲁晓夫先是一愣，随即直晃脑袋，“不行不行，那东西要花很多很多钱。你们现在的主要任务是搞经济。至于军事上，有我们给你们张着核保护伞，中国人民和毛泽东同志你就只管放心。”

毛泽东看了一眼这位苏共总书记，再也没有理会对方，独自躺在游泳池旁的沙发上一支接一支地抽着熊猫烟，稍后，他让秘书与周恩来接通电话……

“主席说得很清楚，世界上两个强国现在都有了原子弹，我们也应该搞一点嘛！这‘一点’的意思就是从我们中国的实际出发，一点不搞是会受人欺负的，搞多了呢不利于我们搞社会主义经济建设和提高人民生活水平。而这‘一点’是必须要搞的，主席是铁了心要搞一点自己的原子弹！”军委扩大会议上，周恩来总理向出席会议的老帅和将军们讲述着毛泽东主席“要搞一点原子弹”的指示。

“第一步我们先搞一点原子弹，下一步就再搞一点氢弹、洲际导弹，我看十年工夫完全可能。这话我在几年前就说过了，大家一定还记得吧？”坐在正中央的毛泽东又一次开口道。

“各位老帅和将军们都听到了吧？主席又一次下命令了：我们不仅要搞原子弹，也还要搞一点氢弹、洲际导弹。今后世界强国有的武器，我们也都得有一点。”周恩来用炯炯有神的目光环视了一圈，把语气往上一提：“十年，主席给我们的时间是十年，先要搞出原子弹、氢弹来，大家有没有信心啊？”

“有！”

会场上顿时响起一片坚定的呼声。

周恩来转头与毛泽东会心一笑：“哟，主席我要先走了。那头我还有些急事去安排。”周恩来看看表，急忙跟毛泽东和诸位老帅、将军们打声招呼后，驱车回到中南海西花厅。

周恩来说的急事就是根据中央指示，决定尽快把王淦昌等一批在苏联杜布纳联合所的中国物理学家接回来。随后的一段时间内，秘密地从苏联方面撤回中国物理学家的行动便开始了。王淦昌是第一位也是最重要的一位，他首先借回国汇报工作而从此离开了杜布纳。

“总理好。”

周恩来一进门就看到了刚从苏联回国不久的王淦昌：“好好，请坐嘛！”周恩来随即关切地问，“在杜布纳几年还好吗？我们的人都从那边撤回来了吗？”

“按照中央部署，大部分人已撤回来了。大家现在已经都到各自的岗位报到，情绪十分高涨。”

“这很好。你们在杜布纳联合所的一批同志都是我们国家核物理研究的骨干力量，毛主席和党中央对你们寄予厚望。主席今天还特别指出，第一步，我们要用五六年时间把原子弹造出来。再用四五年把氢弹、洲际导弹搞出来。你认为可能性大不大？”周恩来将询问的目光投向物理专家。

“我看是可以实现的。”王淦昌认真地点点头。

“好。有你这位专家的话，我心里就踏实多啦。”周恩来站起身，感慨道：“难怪格鲁谢林带领苏联专家撤出时对我说，你们有王淦昌，还怕自己造不出原子弹！你还记得几年前我们一起会见过他吧？”

“记得那次参加会见的还有苏方的阿尔齐莫维奇和我们郭沫若院长以及宋任穷部长。”

“你的记性不错。那时我们刚刚与苏联合作核科学方面的研究，可仅仅几年，形势变化就那么大。今天一切都得靠我们自己动手，你和同志们的担子不轻啊！”周恩来说得语重心长。

“请总理放心，我们一定全力以赴。”50多岁的王淦昌像一名刚上战场的年轻战士，站起身子，双脚用力一拢。

“嗯，有点像当兵的样。”周恩来说完，自己先笑了起来，“听说你化名了？叫什么？”

“王京。北京的京。”

“好。王京同志，老规矩：今晚还是请你从物理学的角度给我介绍介绍原子弹所需要的一切物质基础准备……”

据王淦昌的随身司机介绍，那些年里，他时不时需要在节假日或晚上时间，送王淦昌到中南海西花厅的总理办公处。在这儿，或是王淦昌向周恩来汇报工作，或是周恩来请他上一节“原子弹知识课”。“王先生常常一进西花厅就是好几个小时，每次从西花厅出来后，王先生不是先回家，而是让我把车开到他的办公室。他总说总理又提出了一个新问题，我必须尽快找到正确答案。所以我常常见王先生为此而开夜车，有时一开就是一个通宵……”

那是些什么日子？对毛泽东和周恩来等中国领导人来说，是“山雨欲来风满楼”的岁月，国际国内的种种压力仿佛每时每刻都有“黑云阵阵”袭来。王淦昌作为原子弹研制的主要领导者，他从一国总理的急切之心中感受到了自己所肩负的重任。

从那些后来解密的档案资料中我们知道，毛泽东、党中央为了实现我国独立自主地“搞点原子弹”，在王淦昌从苏联回国之前就抓紧开始投入了“596 工程”的建设，当时兵分两路，一路是由李觉将军带领万名官兵开赴塔里木盆地的“死亡之地”进行未来原子弹试制基地的建设。另一条战线就是在北京西郊的那个“灰楼”里开展技术研制工作。后者由钱三强领头，技术负责人是王淦昌、彭桓武和郭永怀，他们分别担任物理实验、总体设计和理论计算的领导组织工作。

“走走，今天的太阳不错嘛，我们到西郊去看看没有出生的‘独生子’吧！”又是一个风和日丽的假日，陈毅元帅一挥手，招呼了徐向前、贺龙等几位老帅，驱车向郊外进发，并且直驶向那栋神秘的“灰楼”……

“王京教授，怎么样啦？我晚上睡不着觉，又想来问问什么时候你们可以让我抱上‘独生子’哟？”陈毅元帅一下车就握着王淦昌的手，操着浓重的四川口音问个不停。

王淦昌如实回答：“我们的小试验进展已经十分理想。”

“好嘛，我就爱听你这话。什么时候你把那个‘东西’搞出来，我这个外交部部长就好当多了！哈哈哈……”元帅粗犷的笑声像战鼓激励着王淦昌等科学家的心。元帅们和科学家们心连着心，心贴着心，因为那时的他们都共同企盼着新中国迫切需要诞生的东西——我们的原子弹！

然而原子弹到底怎样才能研制出来？当时中国虽然有钱三强、王淦昌、彭桓武、郭永怀等著名物理学家和朱光亚、邓稼先、周光召等中坚力量，但毕竟过去谁都没有直接接触过原子弹及其研制工作，如今苏联专家把半途而废的摊子扔给了中国科学家，该从何处着手呢？

“原子弹研制就像发动一场战争，需要多方面的全力配合协作，还有巨大的物质条件保障。”一次，毛泽东找来钱三强，认认真真地听了钱教授的一番话后，大手一挥，对钱三强说 ：“放心，这件事中央会通盘考虑。只要研制工作需要，其他部门必须全力支持。”由中央出面，人财物肯定是不成问题的，关键的关键还是原子弹的研制技术。而技术工作的核心部门就在李觉将军担任院长、王淦昌担任第一副院长，以及彭桓武、郭永怀领导的二机部（核工业部）的“九院”三大部门。

“我从不迷信。既然外国人能造出原子弹来，我们中国人并不笨，也一定行。问题的关键，现在是要求我们有严谨的科学态度，求实的工作作风，不怕牺牲的献身精神。”王淦昌以其在科学技术上的卓越成就与威望，经常向他的那些“技术将领”和研制工作者这样灌输。由于研制原子弹涉及的知识与理论领域太多，好多新参与进来的同志都得加强理论基础学习，就是一些原来在单一领域水平相当高的技术骨干也同样存在再学习和重打基础的必要，因此在研制初期，作为技术总负责的王淦昌，不仅一方面要抓紧时间完成毛泽东和党中央交给的在“五六年时间内搞出原子弹”的艰巨任务，同时还得利用一切时间为参与研制工作的同志们“开小灶”“充电”。现今许多人已成为院士，甚至当了全国人大委员会副委员长、全国政协副主席这一级的领导人，但只要谈起当年在王淦昌手下干活“受气”的情景，仍感到格外亲切。

“王先生在工作中是最讲效率的，谁拖延工作就得挨他训。有一次他让理论部主任邓稼先完成一项计划，邓晚了一天，就被王淦昌狠狠地批了一通。”现今在国家领导人名单上经常看到的朱光亚同志也知道当年这段王老批“娃娃博士”的趣闻。邓稼先后来在研制两弹中起了重要作用，堪称“两弹元勋”之一。那时邓稼先和朱光亚、周光召等都是王淦昌手下的干将，所以王淦昌对他们的要求自然也格外严格。

"科学马虎不得。搞原子弹更不能有丝毫的马虎。就是一件你做过而且熟得不能再熟的实验，你也应该像初次实验一样认真和一丝不苟。"王淦昌是当时由几万人参与的原子弹研制工程的浩荡大军中，有数的一两位进入最高研制核心领导层的非党员。王淦昌干的可是原子弹研制中最最要紧的工作，中央认可王淦昌除了因为他是一名杰出的爱国主义者外，还在于他在物理学上的卓越成就与科学才华，特别是看重他对研制工作的超人专注和极端负责的态度。

"你们想想看：在第二次世界大战中，美国人在广岛和长崎投下了原子弹，为什么几乎所有重要的建筑物都倒了，而一些烟囱却好端端地挺立在那儿？想一想，这是很有趣，也是很有学问的事。"中国的原子弹研制离不开对国外原子弹研制过程的研究与比照。王淦昌常常把自己已经弄清楚或尚没弄清楚的问题交给大家讨论，而每一次这种讨论的过程就是对中国自己研制原子弹工作的推进。

何谓科学大师？科学大师就是在科学上决策胜负的元帅和最高将领。他们的每一个见解、每一个灵感常常代表着人类对未知世界的一次全新认识，而这种全新的认识则影响着一个国家甚至整个人类的历史进程。

"原子弹的核爆炸过程之巨大，可以摧毁一个城市。在这复杂而巨大的爆炸过程中有许多问题需要解决，其中之一就是炸药爆轰时将核材料往里压缩，然后引起超临界爆炸，这一过程怎么有效掌握？核爆炸是巨大的，但它的爆炸时间又同一颗手榴弹一样仅在瞬间，那么又如何知道原子弹爆炸的整个过程中核材料的速度、温度、压力和其他物理参数的大小？又如何知道核装置里面的能量、密度的分布情况等问题呢？"王淦昌需要回答所有问题，同时还要与实验的结果相符。为了弄清这些高难度的问题，王淦昌会几天甚至几个月静不下心来。

“走，今天太累了，你带我到王府井转转。”王淦昌对自己的司机说完，就往车里一坐。许久，他见司机毫无反应地站在原地，火了：“你怎么回事？我的话没听到？”

“王先生，对不起。您的话我都听到了，但我不能带你去。”司机一脸委屈地说。

“为什么？”王淦昌同样一脸茫然。

“这是中央给您定的纪律。王府井那儿有不少日本人，您一露面，说不准有人会认出您来，所以我们不能去……”

“哟，我把这事给忘了。”王淦昌一下回过神来，连忙给司机师傅作揖，“对不起，对不起。”说完，他只好无奈地瞅瞅四周，见“灰楼”旁边有块荒地，便独自往那儿走去，一去便是一个下午……

核武器的爆炸过程，实际是个物理作用的过程。要掌握它，还得回到核反应前的爆炸压缩过程。怎样来掌握这个过程呢？对，必须有相应的照相设备实现闪光照相，才能看清晰图像嘛！可是清晰的图像又靠什么能造型成功呢？对，X 射线能解决。可 X 射线靠什么来探测？

王淦昌的脚步突然被一丛荆棘绊了一下，于是脑子里跟着闪出一个伴随他几十年科学实验的“宝贝玩意儿”——云室。没错，用云室照相可以获得 X 射线照相的效果。

“小伙子们，今天请你们到我家里去一趟。”第二天，王淦昌让后勤要来一辆车，然后叫上两名年轻同志跟他上了车。这两个小伙子一听乐了，心想王先生是否又要请我们尝尝他家乡的阳澄湖大闸蟹？但等到了王家后，这两个小伙子知道“上当了”：原来，王淦昌让他们从床底下拉出一大堆“古董”来。

“小心小心，这是我从美国带回来的。它可是我的心肝宝贝呀！”看着王淦昌轻手轻脚的样子，小伙子们也只好卖力起来。

“嘿嘿。下回我一定请你们吃大闸蟹，正宗阳澄湖的，其实我们老家的河蟹都好吃着呢！”大科学家一说起家乡的事，就仿佛年轻了好几十岁。

自从云室搬到办公处后，王淦昌就一头扎在他的利用云室拍摄 γ 射线的艰苦工作中去了。那时我们的许多基础技术设施非常落后，整个原子弹研制工作中只有几台很低级的计算机，而且像王淦昌这样的大科学家也大多不会使用计算机。因此那台被中科院负责人张劲夫同志称为“有了”的计算机被分给了核物理学理论家周光召他们。中国的第一台计算机诞生于1958年，当时是电子管的，一秒钟才能运算几十次，后来为了研制核武器，又在1959年生产出了第二台计算机，晶体管的，比起第一台不知强了多少倍，但即使是这样的一台计算机，在今天的计算机时代里，连小学生都会嫌它水平太低了，因为它的运算能力甚至达不到“286”的水平。我们的前辈太了不起了，他们用最低级的技术条件进行着最尖端的科学研制。而王淦昌是个“计算机糊涂”——他一辈子就没入计算机的门，所有最繁杂的计算都是靠笔头功夫。当时利用云室进行 γ 射线拍摄就更不可能用计算机技术了，只能靠手工一张张地拍摄，那云室本来就刚够屁股那么大的一点点地方，黑咕隆咚的，整天钻在里面能不难受吗，再加上 γ 射线拍摄不是普通的照相，γ 射线本身就是有放射性的。一天，一位年轻同志干着干着就没个姿势了，王淦昌一看就来火了：“像你这个样能照得上什么东西吗？胆小鬼，走开！”说着，他又自己动手，一干整一天。当他完成一批拍摄任务后走出云室时才似乎发现了“一个不小的问题”：嗯，小青年跑哪儿去了？哟，是我把他训跑的。得，赶紧向他赔礼道歉去！从一丝不苟的科学实验回到现实生活中的王淦昌，完全成了另一个人，和蔼又可亲且一身书生气。

“囡囡同志，对不起哟，昨天是我的错，脾气太大、太急，向你道歉。”王淦昌找到那个年轻人，一副毕恭毕敬的样子，别人见了，就是肚里有再大的气也会消了——王淦昌是整个原子弹研制人员中资格最老的大科学家，他能如此平易近人，你还能计较什么？

“王先生您千万别这样。是我的错，是我工作不认真……”

那位年轻人臊得无地自容。

王淦昌就又欣慰地笑了，拍着小青年的肩膀，语重心长地道：“你不是一直想知道我当年在苏联杜布纳工作时是怎么发现负超子的吗？我现在告诉你，其实没什么秘密，就是靠我们几位同志不辞辛苦、夜以继日地拍摄片子，然后再日以继夜地一张张检查片子，中间不能有一点点差错。最后我们真的成功了。科学工作就是这样，要有不怕吃苦、坚持到底的作风，才能最终出成果。”

“我一定听您的，王先生。”

后来这位年轻人在业务上大有长进，也成了一名颇有成就的科学家。而这只是王淦昌在研制中国原子弹时的无数小插曲中的一个而已，因为那复杂而未知的原子弹技术问题才是他和诸多科学家们最感棘手的。

在世界核试验史上，几乎每一次成功的研制都像发动了一场规模巨大的战争。当年美国人进行研制原子弹的“曼哈顿工程”，总共有 75 万人参与。苏联的原子弹研制工程一直由 30 至 40 万人组成的一支“秘密部队”和同样人数的几十个特殊部门参与，并且保持了近 20 年的时间。中国有多少人参与了原子弹试验？我从已经“解密”的几本书中看到，有 6 位数以上的人参加。其实这仅仅是在第一线的人马，至于那些配合“596 工程”的后备单位就不计其数了。有一本书中说到，当年为了寻找原子弹所用的一种铀矿，光成立的地质队就有好几个，组成了好几千人的队伍！如果再把为使这好几千人的队伍开展正常工作所调动的各方力量算上，那还不有万数以上的人？

王淦昌是“核研制战争”的核心技术人物，他和钱三强、彭桓武、邓稼先、朱光亚、周光召他们是整个“核研制战争”的总导演，他和钱三强他们不仅要统领全盘棋子，更重要的是要攻克技术难关。从1960年至原子弹成功爆炸的1964年，这几年间，中国是个什么样？整个国家处于特别贫困的阶段，对王淦昌等埋头攀登科学技术尖端高峰的科学家们来说，实在是最艰难的岁月。他们不可能有机会获得外界的先进技术资料与信息，美帝国主义国家早已封锁了我们沟通外界的所有通道，国家连一些稍稍先进的技术资料都不可能从正常渠道获得。

有一次王淦昌与周总理见面，王淦昌就直率地请求道：“总理，我真想请求能以我的真名出国做一次访问学者。那样的话我可以从不少朋友那里带回一些他们看来根本用不着的‘垃圾资料’和‘垃圾设备’回来。”

周恩来听后笑了，说：“王先生，你只要一出去，即使在捡垃圾，人家情报部门照样会把你抓起来。知道吗？自从你们几位著名科学家突然从日常生活中‘消失’后，好几次有外宾来问我是怎么回事，问我们是不是也在进行‘曼哈顿工程’，这可是国家最高机密呀！我只能用外交辞令告诉他们：我们的王淦昌等先生做着他们所一直从事的专业，很忙，所以不大露面嘛。你要往国外一跑，那帝国主义的情报机构可是巴不得呢！”

王淦昌听了也跟着笑起来，说：“我现在对‘王京’这个名字很有感情，觉得比王淦昌三个字有韵味。”

周恩来哈哈大笑起来：“今天你王先生和诸多科学家为了祖国的核武器试验不得不用化名，这同样是为了革命需要。帝国主义想扼杀我们新中国的科学事业，那是根本办不到的事。再说有你们这些学术上高超、事业心又强的科学家们支撑着，我们不怕战胜不了敌人。”

王淦昌曾经这样说：“每一次与周恩来总理接触，你就会得到激励和力量。所以后来我们在研制核武器中碰到的一些难题也自然而然地通过努力一点点地全部攻克。”

复杂而庞大的原子弹试验有很多技术问题摆在了王淦昌他们面前，而这些问题虽然不像张蕴钰、李觉将军领导千军万马在戈壁滩上开辟试验基地那么波澜壮阔和富于悲壮色彩，但事实上王淦昌他们走过的每一个技术关口，都绝不亚于将军们统率千军万马战胜“死亡之海”的壮举。

中国科学家是怎样在完全封锁的条件下研制出原子弹等核武器的？几十年来这一直是西方世界一个不解的谜团，也是西方敌对分子经常攻击我们的一件事。直到今天，当北约野蛮轰炸南斯拉夫、悍然袭击我驻南使馆事件发生后，美国人一方面狡辩，一方面又无中生有地炮制了一个《考克斯报告》。这个报告中谎称我国在20世纪60年代就开始“窃取”他们的包括原子弹等核武器在内的核情报，并且煞有其事地说到了我们的“情报部门”特别窃取了他们的“激光模拟核爆炸”技术。这种毫无根据的捏造，立即遭到了中国政府有力的反击。国务院新闻办公室主任赵启正1999年5月31日针对美国的谎言，在记者招待会上严正指出：“《考克斯报告》荒唐可笑。我这里顺便告诉大家一个事实：《考克斯报告》中提到的激光模拟核爆炸，本来依据的是中国科学家王淦昌先生1964年得出的激光惯性约束核聚变思想，中国从来没说其他国家使用这一思想是窃取。中国核武器是独立自主开始研制的……”国务院发言人的这段话很明确地表达了一个事实：中国的核武器研制理论与技术，都是由我国科学家自己研究出来的，而且有些技术如王淦昌的激光惯性约束核聚变理论不仅是我们中国自己研究核武器技术的宝贵财富，同时这些宝贵财富还被外国核试验广为运用。

我完全相信王淦昌先生如果再多活一年，他一定会在美国人炮制《考克斯报告》后立即站出来反驳。好在中国科学家王淦昌作为“惯性约束核聚变研究的创始人”的地位在国际上早已确立。我这儿正好有王淦昌的学生、中国科学院院士王乃彦先生在 13 年前为祝贺王淦昌先生 80 寿辰时写的一篇文章，文章中专门作了这方面的介绍。王乃彦的文章指出：早在 20 世纪 60 年代初，王淦昌先生就意识到惯性约束核聚变研究在军事和核能开发中的重要意义。他和苏联巴索夫院士几乎同时独立地提出了利用激光打靶产生核聚变的设想。在他的倡导下，经国务院同意，开始筹措中国科学院上海光学精密机械研究所的激光聚变研究工作。后来他又敏锐地意识到国际上刚刚开始发展的强流电子脉冲加速器在科学研究上的重要意义和巨大潜力。当时国际上的加速器的电子能量只有 1 兆至 2 兆电子伏特，脉冲电子为几万安，脉冲宽度约为 100 纳秒。就在这种强流脉冲电子束加速器发展的幼年时期，王淦昌高瞻远瞩地指出，这种加速器将提供一种极高强度的脉冲中子源、γ 射线源和 X 射线源，在军事研究、聚变研究、泵浦气体激光和分离同位素方面都将有广泛的应用前景和发展前途。为了推动这一学科在中国的发展，王淦昌先生积极地向中央领导报告开展这一工作的重要意义。在他的主张和领导下，核工业部门还专门向国家提交了开展功率脉冲技术和建造这种类型的加速器的报告。

“王淦昌教授为了促进这门学科的发展，真是到处大声疾呼，遇到有关领导就说明工作的意义。与此同时，他还亲自领导这一装置的设计和调试工作，并和同志们一起做实验，研究解决工作中出现的问题。目前国内已建成的一些较大型的加速器装置，都与他的辛勤劳动及大力支持分不开。由于他的努力，我国在这一科研领域中起步得比较早，而且现在已经建立了在国际上具有一定水平的实验装置，培养了人民自己的科研队伍。目前世界流脉冲粒子束加速器的粒子能量已达到十几兆电子伏特，脉冲电流已达几兆安，脉冲时间宽度为几十纳秒，在军事、科研和工业方面早已有了广泛的应用，充分证实了王淦昌教授的科学预见。他不愧是我国激光聚变的创始人和奠基人，并被载入世界惯性约束核聚变技术的史册。”王乃彦院士也是中国核物理学界的一位重要人物，他跟随导师王淦昌先生从事激光惯性约束核聚变研究几十年，如今是继王淦昌之后在这方面的中国课题的带头人。王乃彦对王淦昌在20世纪60年代就提出在核试制中用“激光打靶”（激光模拟核爆炸的口语）印象极其深刻，而且在后来的实际研究中还流传出了“十八勇士参战”的故事：那时王淦昌听说日本大阪大学激光工程研究所的粒子束聚变研究小组曾提出强流电子束靶物质上的能量沉积，由于束流和靶中等离子体相互作用的双流不稳定性，导致能量沉积值可以比经典有电子能量沉积值增加100倍这一引人瞩目的结论。为了证实日本人的这一实验结论，王淦昌立即提出必须用最快的速度，我们自己建立一台1兆伏、80千安、70纳秒的强流脉冲电子加速器，并迅速开展工作。当时王淦昌提出这一建议后，立即有18名研究生和科技人员报名参加，于是就组成了以王淦昌为核心、“十八勇士”参战的粒子束惯性约束核聚变研究攻关组。这一攻关过程中，王淦昌始终处于亲自组织领导地位。“为了实现王淦昌教授提出的3年内组成加速器的要求，当时从国外订购相关的设备显然是不可能的事，即使在国内订购必需的高压电容器也显然来不及。怎么办？只能自己动手改装。我们建议把西安电容器厂生产的MY540电容器改装成100千伏安0.7微法的电容器。王淦昌对此非常赞成，我们因此赢得了一年多宝贵时间。于是我们立即又和北京电力电容器厂联系，由我们进行改装设计，他们厂负责改装工艺操作。后来由于对方发现原 MY540 电容器中所用的绝缘油含有毒性较大的三氯联苯，这就出现了难题。于是全部的担子都落在了我们自己身上。当时尽管三氯联苯毒性的确很大，尽管我们 18 名勇士中大多数人都是学核物理出身的，对于电容器的改装工艺都不熟悉，但这些并没有使我们畏惧和后退。王淦昌教授积极支持我们自己动手，同时也要求我们对三氯联苯的毒性及其劳动保护措施进行深入细致的了解。遵照他的要求，我们采取了必要的安全保护措施，加强了操作现场的通风排气，确保了工作人员的安全。18 名勇士以极大的工作干劲和热情，自己用手推车从煤厂运来煤，自己烧锅炉，通过几个工序清洗工厂加工后的电容器外壳上的油污，用手推车送往电容器改装现场，对原 MY540 电容的芯子进行拆装，抽出原来用的有毒性的油，运送到专门的地方保存起来。大家从清早一直工作到深夜，王淦昌教授也亲临现场来检查劳动安全措施，鼓励大家努力把工作做好。我们整整奋战两个星期才结束了这项工作。王淦昌教授对我们 18 名勇士的忘我工作热情感到自豪和骄傲，他常对我们说：中国的条件差些，但并不意味着我们因此不能搞出比别人更先进的科学技术。在物理科学上，创造领先成果的常常不是那些拥有最先进的实验设备的人，而是那些最敢于想问题又不懈努力、刻苦工作的人。王教授的话对当时的年轻同志影响极大，正是在他的精神激励下，我们才在核试验的许多关键问题上创造了独到的技术与理论，并一直在同领域里领先于别人。”王乃彦院士对当年惯性约束核聚变科学研究过程记忆犹新，感受深切。1982 年，美国海军实验室粒子束聚变研究室负责人库珀斯坦博士在中国参观了中国同行的实验室，在听取了王淦昌先生等中国科学家在加速器的物理和工程设计方面所做的工作以及在实验现场观看了中国电子束打靶的结果后，称赞中国在加速器物理设计中考虑得比较周到细致，并且把计算机的模拟计算方法也用于了加速器的设计。库珀斯坦特别说道，美国虽然也建造了许多台比中国规模大的加速器，但在物理设计方面所做的分析和计算不如中国全面和深刻。

这些虽然都是在王淦昌首先提出激光惯性约束核聚变思想之后几十年中又发生的事，但我们不难从中看出美国今天突然抛出一个荒唐的《考克斯报告》的可笑之处及其诡计所在。

其实早在美国的《考克斯报告》出笼之前，王淦昌对自己在激光惯性约束核聚变方面的科学成就也情有独钟。1992 年 5 月 31 日，在中国北京的钓鱼台国宾馆举行的“中国当代物理学家联谊会”上，王淦昌的学生、诺贝尔奖获得者李政道在他的导师发言之前这么问道：“王老师，在您所从事的众多科学研究中，您认为哪项是您最为满意的？”

获得世界上最高科学奖的学生向没有获得诺贝尔奖的老师问这么个问题，顿时引起了全场的关注。当时几乎所有的人都把目光投向了王淦昌。其实会场上很多人心里帮着他们尊敬的王淦昌先生回答了：还用问，成功地研制了中国自己的原子弹和氢弹呗！但是大家错了，只见王淦昌的脸上习惯性地露出了那孩童般的微笑，然后一字一句地说道：“我自己对我在 1964 年提出的激光引发氘核出中子的想法比较满意，因为这在当时是个全新的概念，而且这种想法引发了后来惯性约束核聚变成为重要的科研题目，一旦这个科研题目得到实现，这将使人类彻底解决能源问题。”

王淦昌的话音刚落，李政道等科学大师们带头热烈鼓掌。是的，因为大家心里清楚，王淦昌作为中国的“两弹元勋”，他的一生中最辉煌的、对中国最有贡献的无疑是领导和参与了原子弹、氢弹的成功研制；而作为杰出的物理学家，他早年在柏林大学提出的发现中子的建议、在抗日战争时期的浙江大学提出的中微子实验方案以及在苏联杜布纳联合研究所里发现反西格马负超子等具有划时代意义的成就，都可以归为“满意”的科学研究工作。据王淦昌的三女婿、中国科学院李铁生研究员介绍，他在1988年夏季的一天到医院探望王淦昌时，王淦昌坦言道：“我一生主要的科学工作并不是研制原子弹。对一名科学家来说，追求新的发明创造才是真本事。”王淦昌毕竟是位真正意义上的大科学家，他并没有把研制出人类的一种最强有力的武器及几项有可能获得最高科学奖的发现发明放在“最满意”的工作成就之列，却把一项由核杀伤转变成核造福的科学成就首先列入了自己一生的“功劳簿”。仅此一点，我们就足以见到一位科学大师的宽广慈悲心怀。

核物理核科学太深奥，不是所有的普通人都能了解得了的，但我们可以知道一些最简单的理论。比如我们可以知道核聚变与核裂变是获得核能的两个重要途径。王淦昌自己讲的激光引发氘核出中子的想法，最早源于1934年世界上第一台加速器投入使用后不久便实现了氘的聚变反应，4年之后人类又实现了铀的裂变。尽管人类在裂变能源方面的发展超乎寻常地顺利，但对聚变能源的探索却格外艰辛与曲折。就像一个彩色的谜，它既令许多有功利思想的科学家们想入非非，又使得那些脚踏实地的科学家们无所适从。因为这一课题太伟大了，正如王淦昌所说，一旦被攻克，人类的能源问题将彻底被解决。这个贡献绝对比任何一项诺贝尔奖和任何一种核爆炸更荣耀、更有威力。

1952年，世界上第一例利用惯性约束方式进行的氢弹试验成功。但此后的科学家们试图进行的以受控热核聚变来解决人类能源问题的努力都没有任何实质性的进展。20世纪50年代末和60年代初，是世界上激光技术诞生发展的黄金岁月。而这段时间王淦昌正在苏联杜布纳研究所，后来回国后又投身到秘密的原子弹研制工作中去。有一天，上海复旦大学的谢希德教授见到了王淦昌便问："王先生，您最近关注过激光吗？听说国外科学家已经开始利用这种东西，现在在国际科学界已成了热门话题。"王淦昌先是一愣，然后又异常敏感地反问道："激光？我怎么不清楚？"谢教授的这一问，使正在专注研制原子弹的王淦昌意外地萌发了一个想法：激光不是具有偏振性、方向性好、单色性和干涉性好的四大特点吗，尤其是前两种，如果把它引入到核物理实验中，不是可以创造出更神奇的效果来吗！于是不久后，王淦昌便产生了用激光打击氘化铀靶产生中子的想法，而这实际上就是用激光打靶实现惯性约束核聚变的科学概念的雏形。

王淦昌的这一"奇想"是在1964年初产生的，当时正处于前方原子弹研制的最紧要关头。手头的要紧事太多，关于激光惯性约束核聚变的事不得不先放一下。1964年12月，当原子弹爆炸成功后，王淦昌等有功人员纷纷被毛泽东请到第三届全国人大代表会议上。有一天进行小组讨论，王淦昌回单位取些资料，说来也巧，中科院上海光机所的邓锡铭副研究员瞅见了匆匆而过的王淦昌，便一声"王老师"把大科学家叫住了。

"哎，小邓呀！你最近在做什么？"王淦昌到过几次上海光机所，邓锡铭是位光机专家，因此王淦昌认识这位年轻有为的小伙子。

"我们刚刚进行了一次钕玻璃激光器试验，发现在激光束的聚焦点上，空气被击穿后光轴上出现了一连串火球。我们不知道那是种什么现象，正想请您帮着解释呢！"邓锡铭说。

"真的？"王淦昌一听惊讶地叫起来，"这是个新奇问题。太有趣了！来来，拿张报纸，我们坐下来谈。"王淦昌随手把手中的一份报纸往旁边的一级石台阶上一放，说完自己先往上一坐，随即招呼小邓一起坐下："你知道吗，我最近正在设想用激光束打击靶子的实验方法，如果这个办法在实验中成功，热核聚变问题将得到解决，那将又是一大科学贡献！”

“王老师，请您把这个任务交给我吧，我们一定按照您的要求完成好。”邓锡铭听后特别激动。

王淦昌看了看眼前的这位年轻的光机专家，然后信任地点点头：“你晚上到我办公室，我把已经写好的一份论文稿给你看，它会指导你实验的。”当晚，邓锡铭从王淦昌手中拿到了一份 20 页的论文稿。

几天后，邓锡铭把王淦昌的建议直接向当时任中国科学院党组书记、副院长的张劲夫同志做了汇报。“王淦昌先生的建议可是件大事呀，咱们得抓紧办！”张劲夫同志当即表示赞同。就这样，中国的激光惯性约束核聚变工作便迅速得到了重视和开展，而此时的美英法德日等国还没有想到此事呢！

次年，上海光机所的邓锡铭等人在王淦昌的指导下，利用一个四级平面波放大钕玻璃激光系统产生的激光束照射平面靶获得成功。这可以说是在世界上这个领域里完完全全的第一例实验成果。

“王老师，我们的实验有结果了！我给您带实验报告来了！”

这天，正在“灰楼”里进行核弹紧张测试工作的王淦昌突然接到邓锡铭的电话，而且是个报喜的电话。王淦昌忍不住丢下手中的急活，说：“今晚你在宾馆等我，啊，什么地方都不要去。”

邓锡铭还想说一声：“还是我去见您。”没等话说出来，王淦昌那边的电话已经挂上了。“那是个异常寒冷的冬日。当时王淦昌先生已经年近花甲，但他一个人蹬着自行车从中关村来到友谊宾馆。外面下着雪，他进门时浑身上下都被雪水淋湿了，让我好感动。”邓锡铭在几十年后回忆起与王淦昌共同战斗的岁月，历历在目，“自从那天起，我们在王淦昌先生的主导下，利用我出差住的友谊宾馆为基地，召集了当时参与激光惯性约束核聚变研究的几位研究人员，开了几天专业座谈会。白天王淦昌先生很忙，我们只能凑他晚上的时间。那段时间也怪，天天下雪下雨，特别寒冷。但王先生天天晚上自个儿蹬着自行车跑到宾馆来，对我们这些年轻人教育极深。根据王先生的建议和意见，我们很快将激光惯性约束核聚变的打靶试验不断由实验性向运用性方向发展，并在短时间内取得了可喜的进步。”

然而当时由于体制上的分离，上海光机所的这种激光打靶实验受到了技术与设备条件的影响。王淦昌得知后立即提出与他所在的二机部九院（核武器研究院）进行合作，并一针见血指出“合则成，分则败”。“中国的科学研究条件达不到西方世界的水平，因此我们就要学瞎子背瘸子的办法来实现自己的目标。在激光聚变方面的实验也是这样，我们可能将来在多和快方面搞不过人家，但技术上我们要超过人家，特别是在牌子上我们要有自己的特色，那就是‘中国牌’！”在漫长的岁月里，王淦昌一边埋头在祖国的秘密核试验研究工作之中，一边始终不放松对激光打靶的前沿科研。1980 年，在他和另一位著名光学专家王大珩的领导推动下，中国的第一台大功率激光装置建成，又经 7 年的运行调试和打靶实验，于 1987 年获得国家级鉴定，这个在国防和现代科研技术上有广泛用途的装置被正式命名为“神光”。当时主管国防工作的聂荣臻元帅得知此事后大喜，特意挥笔写信给王淦昌和王大珩：“在建军 60 周年的喜庆日子里，感谢你们又告诉我一个喜讯：激光核聚变实验装置已经建成。这对我国国防和经济建设都具有重要意义，很值得祝贺。整个工程体现了自力更生和勤俭节约的原则，更值得赞扬。你们和许多同志多年来为祖国的科技事业的发展，为国防力量的增强，精勤不息，贡献殊多。现在又在高技术领域带头拼搏，喜讯频传，令人高兴。请转达我对同志们的敬意和祝贺！”

事实上到此时，王淦昌在激光核聚变上的研究并没有结束，这项工作一直到他去世前的很长时间里，从未间断过。而且在他的建议下，激光核聚变工作还列入了“中国 863 计划”的前沿项目之中，全国上下有 1000 多名科研人员在从事这个领域的研究与实验工作。这些都是后话。

让我们还是继续当年王淦昌他们进行原子弹等核武器研制的惊心动魄的秘密历程吧——

“咚！”

“咚咚！”

不知从什么时候开始，在河北怀来县的燕山脚下，周围的百姓突然每天都能听到这阵阵震耳欲聋的爆炸声。庄稼人常常惊奇地在田头看到随着隆隆爆炸声一条“火龙”带着长长的尾巴蹿出古长城，直刺天际……在十几年后的 20 世纪 80 年代，这里的百姓才知道，原来当年一声声奇怪的爆炸和一条条“火龙”，都是科学家们在进行原子弹试制的“小爆试验”。而燕山脚下的这块当年的神秘爆炸地就是中国核试验历史上有名的“十七号工地”。

王淦昌和他的手下曾数年间在这里前后进行了几千次核小爆试验。今天当我们从历史的镜头中看到原子弹那巨大的杀伤力时，很难想象出最初的核爆炸竟与“囡囡玩放爆竹”（王淦昌语）没啥两样。但原子弹专家知道，在成功进行杀伤力巨大的核爆炸之前，这种不装核材料的“冷爆炸”是必不可少的，而且是极其重要的。在神秘的“十七号工地”上，王淦昌指挥着试验前的一系列土法式的“冷爆炸”。“我们开始什么都不懂，就知道按王淦昌先生他们提出的方案在沙丘上一次次地刨坑、装炸药，然后引爆……粗看就看不出那是什么伟大的核试验，就跟我们打日本鬼子、跟蒋介石国民党军队干仗差不了多少。”一位当年负责引爆的老工兵战士这么说。其实这些看起来很土的爆炸试验，只有科学家们明白这到底是为了什么，以及每一次试验的进步与失败过程。

在王淦昌的安排下，进行着大量艰苦甚至常常是令人摸不着头脑的实验。但所有这一切又必须进行，哪怕明知道是在走弯路。王淦昌经常告诉他的助手们，在物理科学上，每一次最伟大的发现几乎都来自最微小和最细致的实验，而威力无比的核爆炸同样离不开一次次最简单、最起码的“冷爆炸”。多一次简单和艰苦的“冷爆炸”，就使原子弹成功大爆炸多一分希望，因此“十七号工地”上的这种小爆炸在所有参加试验的工作人员心中就变得格外重要。

当时围绕原子弹展开的战略性研制工作处于基础阶段，负责核心技术的科学家们正进行着两大系统方面的决战，第一大系统是原子弹的整体理论设计，第二大系统便是王淦昌他们的实际爆炸试验。“十七号工地”的全部意义便是为了完成后一任务而存在的。统率这支“爆炸队伍”的除王淦昌外，还有郭永怀、程开甲、陈能宽和苏耀光等人，他们都是实验物理学、炸药学、爆轰学、电子学方面的权威人物。而在他们手下，是方正之、钱晋、任益民、陈党宜、刘长禄、林传骝、孙维昌等数十位有专长的年轻人，他们组成两个小组进行操作性的爆炸工作。当时工作条件的艰苦程度难以想象。大家都吃住在帐篷里，工地又正好在风沙口上，有时吃一顿饭会逢上几次刮风，一碗饭里半碗都是沙，可小伙子们谁都没怨言，为啥？一方面大家知道自己是在为国家从事一项最光荣和最了不起的事业，一方面像王淦昌这样的大科学家与他们同吃同住，甚至有时比他们过得还要艰苦，看到王淦昌这样的老先生每天也是一身土来一身沙，他们还能说什么？干吧，早日把实验搞成功就是他们唯一的想法。年轻的同志以王淦昌等科学家身先士卒的精神激励自己。

然而核试验毕竟不是“囡囡玩爆竹”。特别是原子弹的爆炸实验中一个关键性的技术难点就是解决炸药的内爆问题，即如何使外层高能炸药爆轰后所产生的冲击波符合内爆的要求。王淦昌对此技术难关所付出的精力是巨大的，因为这中间涉及会聚流体动力学等其他学科，王淦昌以前是实验物理的高手，可流体动力学等毕竟不是他的专长。但作为总技术负责人，他又必须对所涉及的每一门技术都足够熟悉并可以运用。让中国核武器研制高层人员最佩服的是王淦昌不仅能在本专业上造诣卓越，而且在一些他原本不熟悉的领域，一旦需要去攻克时，他几乎无所不能。

“王先生，今天我们的爆炸试验比前几次有了较大的进步，但似乎仍不能达到最佳效果，我以为由于内爆的时间差的要求极高，就必须制造出一种平面波和曲面波发生器，这样才可能使内爆的时间差得到相应的控制和把握。”

“应该是。”王淦昌对助手们提出的问题认真地思索着，他整整几天没有让大脑停止过一刻，“有了！我们可以采用‘炸药透镜法’，即高低爆速法。简单地说，就是用高低爆速炸药透镜把发散的球面爆轰波高速变为平面波，再使爆轰波从平面变成曲面。你们看……”

王淦昌从一位助手那儿拿过一支笔，随手在一张纸上画了起来。

“哎，圆乎乎的，真像个胖子。”不知谁说了一句，惹得大伙都把头凑过来，“这不，还真像个胖子哩！”

“嘿嘿。有趣，是有点像。”王淦昌又一次露出天真的笑容，说，“那就叫它‘胖子’吧！”

其实像“胖子”这样一个个在实验中创立的新技术、新方法，连王淦昌自己后来都记不清到底有多少了。原子弹太复杂，从孩子一般捏泥团团开始到将几十吨重的庞然大物原子弹送入九天成功爆炸，这过程中王淦昌和无数科学家所付出的艰辛很难用数字来衡量。

“王先生，十七号的实验进展如何？能不能跟上前方的需要？”1963年初的一天，王淦昌再次被周恩来请进西花厅。

“报告总理，我们刚刚完成一次微缩原子弹模型爆炸试验。一切正常。”王淦昌习惯性地拍拍身上的尘埃，用科学家严谨而精确的语言向周恩来报告道。

“好，太好了。看来我们有希望在毛主席要求的时间内完成原子弹的成功试验嘛！”周恩来显得很兴奋，握住王淦昌的手说，“下一步你又得更加辛苦了。中央已经正式决定：你们在十七号工地上的试验搬到西边……”

王淦昌听了很激动，他明白周恩来所说的“西边”，就是原子弹的引爆地——他和千千万万参与原子弹研制的科学家们向往的地方。

3. 大爆炸

“老太婆，快帮我把衣服准备好，要带些棉的。”王淦昌回到家里，便冲着正在为孩子们准备饭菜的夫人嚷嚷道。

“天都热了，你要带棉的干啥呀？”夫人一边忙着自己手头的活儿，一边很不解地回头问老头子。

“这次我要去西边。那儿天凉嘛。”

“西边？西边是啥地方？大姑娘、二姑娘和遵明都说今年要回家看看，你不是说好了在家等他们的吗？怎么老说话不算数？没见几个囡都对你意见大着呢！”夫人吴月琴心里有气。在老夫人的生活中，她这一辈子似乎嫁给了一个只知道在外跑，连家都极少待得住的丈夫。刚进常熟乡下王家门那几年里，当时仅有 17 岁的她，稀里糊涂地嫁给还是“学生囡囡”的王淦昌，一守就是好几年空房，先是他上清华大学，后又到德国留学，这一晃前后就是六七年，可她吴月琴在这期间由一个小媳妇变成了两个孩子的母亲。吴月琴出生在乡下的一个中医家庭，她与其他农家姑娘没有什么不同，不折不扣地按照旧式家庭的传统做着一个贤惠妻子应该做的一切。她与别人家的小媳妇不同的是她的丈夫是个有大学问的教授先生，而且定期地给她和孩子们寄钱回来。这使得她心里有种超越于别的女人的优越感。她因此也就任劳任怨地把家里所有男人和女人的活儿全部包在了自己身上。都说南方的女人能干，可对吴月琴来说，她不干行吗？丈夫一年四季没几天在家落脚的，即使回家也等于她多了个“少爷公子”得伺候。后来孩子大了，对他们的妈妈说：“妈，爸的毛病都是你给惯出来的，你要不给他泡茶看他渴了怎么办？”吴月琴偷着笑了，心想你们知道啥？你们爸爸是有学问的人，在外面教书做事都是用脑，回家还不让他静静心？不过孩子大了，吴月琴就不能不想到他们上学的事，特别是孩子们要上大学，这可不是她当妈的能帮得了的，学问的事当爸的该管管吧。哎，王淦昌倒好，越到孩子需要时，他就越不着家，看看，现在又要往西边去了。

“你到底去什么地方呀？”这次她有些急了。王淦昌一门心思想的是马上进行原子弹试验的激动人心的事，哪里把老伴的心思放在眼里，便随口说：“西安，到西安去。”其实这是王淦昌瞎编的，因为铁的纪律不允许他把实情告诉家人，多少年来王淦昌一直对自己从事的工作守口如瓶，就连为他生了5个孩子的夫人吴月琴，他也没在她面前透过一个字。倒是有一次不认得几个字的吴月琴看到有人拿来一个大信封交给她，说让她转交王先生。“王京？”吴月琴一看，忙拉住人家的衣襟说，“你把信送错了，我家‘老头儿’不叫王京。”送信人一愣，马上反应过来，说王先生现在就叫王京，你给他没错。“老头儿”回来后，吴月琴好一阵不高兴。

“你为啥连名字都改了？连我都不告诉？”见丈夫回来，她第一句话就冲出了口。

王淦昌一听笑了，哄着妻子说：“做学问的人都爱用笔名，王京是我的笔名。以后有人问你我叫啥，你就说是王京。啥辰光不让你叫了，你就再叫我王淦昌。”

吴月琴瞥了丈夫一眼，说：“我晓得。”

这又是一次长时间的离别。临出家门时王淦昌像往常一样，觉得自己欠了妻子和孩子很多，可他又似乎习惯了这种“欠”，而且把自己对这个家庭的“欠”字看得一点也不重（他子女的话）。

“年老后的父亲有时坐下来，在我们几个儿女面前叹气说，咱们家的后代没出一个杰出的人。他话一出口就立即受到我们几个子女的反击。我们告诉他，别人家也没有一个像你这样的父亲呀，所以我们中出不了像你一样的杰出人物！老爷子一听，问这是什么意思？我们就告诉他：就是说你也没有一点做父亲的样儿。父亲一生是个天真的人，他听了我们的话愣了半晌，很不服气地说，我怎么不像父亲呢？我一直做得很不错嘛，虽然我知道在外面待的时间长，可那是工作，是国家交给我的极其重要的工作呀。我们对他说，我们知道你是在为国家做重要工作，可是你还是个父亲，还要对家庭和子女负责，你这方面做好了吗？老爷子听了这些后就沉默不言了，有时对我们的话还特别生气。不过隔了几天后他见了我们又用一副很天真的口吻说：'嘿嘿，真有趣，看来我在家里对物理现象的对称性实验做得太差了，实在太差了！'这就是我们的父亲，一个把一生扑在事业和国家利益上的科学家。"小女儿王遵明对我说起父亲的事时，依然流露出一些抱怨，她说在她的记忆当中，父亲不是出国就是出差，一年到头没几天能在家里见到他的影子，"他还挺厉害，我们小时候，他动不动就打人，我们见了他很害怕。其实我们知道父亲很忙，但毕竟我们那时并不知道父亲是在为国家搞原子弹等核武器，可我们觉得父亲平时再忙，在我们上学读书等问题上你该关心关心呀。我们的母亲是个旧式妇女，不认得几个字，怎么可能帮助我们的学业呢。父亲不是大学问家吗，又是大学教授、名科学家，怎么就不能像别的家长一样抽点时间辅导辅导我们嘛。特别是在考大学等关键时刻，我们多么渴望父亲能在身边帮我们一把，哪怕是站身边鼓鼓劲儿也是好的。可父亲没有那么做，他不是几年不进家门，就是进了家门也是一个人关在屋里忙他自己的事。而且一回家我们还得跟着母亲为他准备这准备那的，倒是我们给他忙乎呢！最让我们接受不了的是，在我们 5 个兄弟姐妹结婚时，他当父亲的竟然没有一次在我们的婚礼上出现过，我们对他能没有意见吗？常常是在我们的儿女出生后，他回家突然感到一阵惊喜，询问这又是我们家哪一位的‘小公子’‘小千金’呀？你说对这样的父亲我们还有什么办法呢？唉，我们的父亲真是一生从不知家是个什么概念。也许是因为当他还是个 14 岁的孩子时，就一下被旧式家庭捆绑成了父亲的角色，他不习惯，或者是他根本就不懂得当父亲应该负什么责任。其实这也不能怪他，因为在我的大哥大姐出生后很长一段时间里，父亲其实自己仍是个孩子，是个学生。家的概念和当父亲包括当丈夫是怎么一回事，他自己都不清楚。从德国留学回来后紧接着是八年抗战，那段时间是父亲和我们全家一起生活的最长的岁月，可那又是战乱时期，我们跟着父亲随浙江大学迁移了很多次，而在国难当头时，父亲一方面除了帮助学校坚持上课外，又以极大精力投入了他一生中非常重要的科研工作。听妈妈说，当年让他一个堂堂大教授牵着一头羊去上课做实验，实在是委屈了他，想起来也觉得好笑。解放之后，父亲调到北京的中科院工作，前几年我们全家还在杭州，等全家后来搬到北京后，他又受中央派遣到了苏联杜布纳联合研究所，一去又是 4 年。1960 年回国后，父亲马上投身到国家原子弹研制的大事之中，那几年别说一年见不了他几次面，国家都要让他隐姓埋名，连真名都不用，本来就不管家的父亲还能对家和我们几个子女做些什么呢？唉，父亲就这样度过了六七十年。等‘两弹’上天后，他老人家仍然承担着国家原子能研究方面的领导工作，当他在 80 多岁退居二线，有时间真正回家与我们一起生活时，他老人家才发现自己不仅当上了爷爷，而且还当上了太爷爷……父亲曾感慨地说，这辈子他真没有体味到当一个完整的父亲和完整的丈夫是什么滋味。他说他的一辈子都献给了教育别人的后代和国家的科学研究事业了。”

女儿其实并不太了解父亲在外的为人。别看王淦昌在家里找不到半点可以炫耀的地方，也找不到拥护他的“同盟军”，不过在核试验的千军万马中，他是一个最有人缘的大科学家。与他一起工作的年轻人说“王老先生是个大好人”，而且他对别人的事一点也不粗心。几乎所有在王淦昌手下当过学生和助手的人都能回忆起几件难忘的事，无论是获得诺贝尔奖的李政道和同排在中国“两弹元勋”之列的朱光亚、周光召、邓稼先这样的杰出科学家，还是曾经担任过王淦昌秘书、司机一类的普通工作人员，他们都异口同声地告诉我：“王先生对我们的帮助，绝对不仅仅是在事业和学术上，他平常对大家体贴关心的程度远远胜过对他自己。”

曾经有人说过这样的话：与原子弹打交道的人，每天都在与死神拥抱。这是说由于核物质具有放射性，做实验和研究的工作人员确实难免会患上各种恶性疾病，比如从事过核工作的人患癌症的比例相当高，英年早逝的邓稼先便是一例。其实为了祖国的核事业而献身的又何止邓稼先一个。在中国核研制工作中与邓稼先齐名的丁大钊院士，也由于长期从事核物理研究工作，一时间肾功能严重衰退。王淦昌得知此事后比丁大钊自己还要着急。那时王淦昌自己快 80 高龄了，而为了丁大钊的病他东奔西走，亲自给彭真、张爱萍写信求助，还特意找到人大常委会副委员长王汉斌同志，直到中央决定批准给丁大钊进行换肾手术。事后有人说丁大钊的命是导师王淦昌先生给争来的，王淦昌听后这样说：“我们祖国已经失去了邓稼先这样的好同志，不能再让另一位杰出科学家英年早逝了。”跟随王淦昌进行核科研的同志们还记得这样一件事：当年王淦昌先生在进行激光惯性约束核聚变研究时，认识了上海光机研究所从事 X 射线光谱工作的助理研究员小卢。那年小卢不幸也患上了肝癌，而且是晚期。王淦昌闻讯后及时与上海光机所的领导通话，并请求他们一定要想法全力抢救小卢的生命。王淦昌后来到上海出差办完事后去的第一个地方就是小卢住的那所医院。虽然生命垂危时的小卢情绪波动很大，但他没有想到日理万机的大科学家王淦昌先生竟然能亲自跑到医院来看望他这样的一个普通技术人员。

“王先生，您能到我病榻前站一站，我就感到自己这年轻的一生献给祖国的核科学工作没吃亏……”小卢拉着大名鼎鼎的王淦昌的手，泪流满面地说道。

王淦昌一面安慰小卢，一面找到医院领导，希望他们尽全力抢救年轻科学工作者的生命。为了让小卢在生命的最后时刻能感受到中国核物理同行们的关怀之情，王淦昌特意决定多留一些时间在医院，陪着年轻人聊天，给小卢喂香蕉……在场的医生和护士都深为感动。

几天后，小卢离开了人世。在生命的弥留之际，小卢特意让家人拿来录音机，为他尊敬的王淦昌先生录了一段充满深情的告别话语。

王淦昌后来听了小卢用生命中最后一点力气所说的话后，长长地叹了口气：“为了中国的强大，多少人在他们不该离别人世的时候走了，我们活着的人还有什么可抱怨的呢？努力吧！”

努力吧，这就是王淦昌一生的座右铭。

关于王淦昌的事，我发现从他家人嘴里能讲出的并不多，但走出王家再去看一看王淦昌，那实在是个精彩的世界——

虽然中国的第一颗原子弹爆炸距今已30多年了，但只要一提起“王老头儿”，当年参加核试验的官兵和科研人员们，可谓无人不知无人不晓。当时赴青海戈壁滩原子弹试验基地工作的数万人中，绝大部分都是年轻力壮的部队官兵。上年岁的都是些科技人员，而在数千人的科技队伍中，王淦昌是年龄最大的一个。原子弹爆炸成功时，王淦昌57岁，彭桓武、郭永怀也才刚50出头，至于王淦昌的部下邓稼先、朱光亚那时才40来岁。当第一次在实验场上听到有人叫他“王老头儿”时，王淦昌摸摸自己微秃的后脑勺，不无惊诧地叫了一声：“呀，我真的老了！”为了纪念自己为中国原子弹试验而献身的沧桑岁月，他拔下一根银丝，悄悄地藏在试验场的一道石窟里，逢人便说：“嘿嘿，真有趣，我都成老老头儿了！”老老头儿是什么意思？老老头儿就是常熟话“老头儿”的意思，王淦昌的骨子里忘不掉好多小时候的习惯，比如他的乡音。

其实在王淦昌的性格里，他的本质是位纯粹的书生。似乎很难找到他有什么值得同事和家庭成员记得起的浪漫与情调来，书本、图纸、公式、实验，是他全部的生活内容和兴趣所在。从不张扬个人，从不挑剔别人，从不计较组织，在无形的生活中规规矩矩地要求着自己，在枯燥乏味的公式里寻求和丰富着人生的乐趣，在奥妙无穷的科学世界里不断探求未知与发现新奇，是他生命的全部特征。王淦昌一生活了 91 岁，他的学生和组织牵头给他过过多次生日，但在所有的生日祝寿活动中，没有哪一次比得上他 80 寿辰时的那个场面，热烈而隆重。

那是 1987 年，王淦昌 80 大寿的庆典筹备是由中国科协、中科院和中国原子能研究院的一批中国资深科学家、参与“两弹”研制工作的王淦昌的好友与学生们一致主张和发起的。

“怎么样，我们一起来给王老办个漂漂亮亮、热热闹闹的寿辰？”

“还用问？早等你老兄这句话了！”

中国原子能科学研究院、核工业部、中国科学院高能物理研究所、中国核学会的几位领导在电话里一商量，一场原本准备“私办”的祝寿会便由“官方”抢走了主办权。哈哈，只要是给王淦昌先生办的，啥形式都行。最后，私方、官方意见统一。

5 月 28 日，北京的科学会堂里气氛热烈，处处笑语盈盈。一群群中外知名的科学界泰斗和学者，三三两两兴冲冲地步入会场。“寿星”王淦昌这天特意着一身浅灰色西服，胸前佩一条紫红色领带，鼻梁上架着黑边眼镜，神采奕奕，根本不像一个80老翁。我是后来从照片上看到当时“老寿星”的形象的。那次参加贺寿的大多是王淦昌从事科学工作的漫长岁月里的学长、同事和挚友，他们是严济慈、周培源、赵忠尧、钱学森、钱三强、朱光亚、周光召和国防科委、二机部、核工业部的领导刘杰、蒋心雄、伍绍祖等，还有一位特别人士便是从美国专门赶来的王淦昌的学生李政道教授。

在由核工业部部长蒋心雄致“贺词”前，王淦昌收到了几份异常珍贵和特别的礼物，其中有当时的国防部长张爱萍将军的亲笔贺诗：

草原戈壁苦战斗，
首次核弹凯歌奏。
科技园丁勤耕耘，
装点山河添锦绣。

王淦昌的家属告诉我，王先生生前特别欣赏张爱萍将军的这首贺诗，它常使王淦昌想起为国家和民族隐姓埋名的难忘岁月。

“无私奉献，以身许国，核弹先驱，后人楷模。”张劲夫同志也写了贺词，这16个字恰如其分地评价了王淦昌一生的科学追求与辉煌事业。据说当时一听中国“两弹元勋”王淦昌要举行80寿辰庆典，北京新闻界着实“疯”了一阵，科学会堂一下涌去了不少记者，他们特别想看一看“露出水面”的大科学家的“生日”到底怎么个过法——因为在这之前，这些国家级“绝密人物”很少被允许公开对外宣传。但是我们的记者一进去便发现这哪里是个热热闹闹的庆贺场面，整个科学会堂内一片肃静，台下座无虚席，所有人的目光直盯着讲台——

“各位师长、领导、同事和朋友们，先生们，女士们：刚才听了大家的讲话，我内心感到非常惭愧。其实我的缺点很多。就学术上讲，我做事、研究都不深不透，其次是理论学得太少，远不如我的学生。我不熟悉电子学，更不懂计算机，这对我的科学研究工作是个很大的障碍。对‘少壮不努力，老大徒伤悲’这句古话，现在我的体会更深。希望年轻人以我为借鉴，要比我做更多的工作，比我做得更好……”

如果不是事先有人指出这台上正在讲话的人正是王淦昌先生的话，记者们不会相信一位名满天下的科学大师竟然在自己80高寿的庆典上如此坦诚地剖析自身的不足！

“下面，我向大家汇报最近一个时期，我和一些同志开展准分子激光研究工作的情况。我报告的题目是《准分子KEF和XEF强激光》……”

以为有热闹场面的记者们见此情景才恍然大悟：原来科学大师们过“生日”也独特，一个话筒，一份论文。嘻，不一样就是不一样！虽然那些复杂烦琐的公式和深奥神奇的线图无法看懂听清，但记者们还是在走出科学会堂时大加赞叹：跟科学家在一起，吸入的每一口空气里都洋溢着知识与智慧的醇香。

那天晚上，记者们错过了一个精彩的节目：就在科学会堂的学术报告会结束之后，以抗战时期浙江大学学生为主的一个专为王淦昌先生寿辰举办的冷餐会在北京理工大学开始了。在京的40年代浙江大学物理、化学系的毕业生几乎全部到齐。李政道要求做当晚的司仪，他的开场白讲得很多人掉下了眼泪，因为在场的许多学业有成的科学家们，当年就是在王淦昌导师的勤业精神影响下才坚定地走了“科学救国，科学兴华”的道路，并在日后取得了卓越成就。

“最后我提议：我们这些在座的王淦昌先生的学生们，都应当像王先生一样，勤奋工作到老！”李政道端起杯子，第一个将杯中酒一饮而尽。

“向王先生学习，多为国家做贡献！”已经是院士或在学术领域已大名鼎鼎的王淦昌的浙大学生们齐声高喊，向尊敬的导师宣誓。

“有趣有趣，让我一下子想起了当年在贵州湄潭的日子……”这一夜，王淦昌满脸笑意，开心得像个老顽童。他给自己的学生们讲起了一段“最最危险的事情”：

“那是1952年春天的事。有一天中科院党组副书记丁瓒同志把我叫去了。那时我是近代物理所副所长，三强同志是所长。丁瓒同志说，根据赴朝志愿军方面消息，美帝国主义在朝鲜战场上使用了一种炮，威力特别大。志愿军同志怀疑美国人用的是不是原子炮，因此上级命令中科院派人去战场实地调查，院里决定派我去，原因是我在柏林大学时就开始研究和了解原子工作了。去吧，当时抗美援朝是最大的事情，能亲自到朝鲜战场是件很叫人激动的事嘛。我一口答应了，一方面是内心被朝鲜战场所吸引，更重要的一方面是我很想亲眼看一看是不是美国人真的用了原子武器。我首要的任务是到战场测试原子弹所产生的放射性，也就是了解原子弹对战争特别是我方军队的影响。当时国内没有测试仪器，于是只好自己动手，做了一个便携式测试器，土得很，连现在几十块钱就能买到的‘随身听’都不如。战场令人向往，又叫人好紧张。一起去的有同一个所的一位助理研究员小林，还有日坛医院的桓兴教授和一名部队同志。我们都改穿了军装，很神气，我特意让人照了相。但是一到朝鲜战场，就不好再神气了，整天缩头缩脑地躲在车子里。有一日，我们已经深入到了战场，换了一位朝鲜司机。那人年轻气盛，我们走的是夜路，本来是不准开灯的，可这朝鲜同志不管那一套，竟然打开灯照走。哪知他的灯一打，我们的车子一下被敌人发现，七八颗炸弹哗哗啦啦地扔在了我们车四周，吉普车一下被炸弹的气浪冲得翻了个个儿……那一次我真的以为自己完了，送老命了。但后来发现自己没有死，真是命大。可事后想想一直感到后怕。这是我一生中最最危险的事。你们问后来调查的结果美国人用的是不是原子武器？不是的，我们后来经过实地测试，没有发现任何原子武器的散裂物。志愿军同志们反映的杀伤力很大的炮可能是一种'气浪弹'新型火炮，但绝对不是原子炮什么的。其实那时我们对原子武器的知识还很贫乏，现在看起来甚至十分幼稚。因为即使当量很小的原子弹，由于其爆炸后温度很高，必不可能留下块状的弹片。我们的同志们为什么怀疑美国人可能使用了原子武器呢？这是有原因的。自二战时美国人在日本扔下两颗原子弹后，特别是朝鲜战争开始后，美国人为了实行恫吓政策，多次扬言要动用原子弹来轰炸朝鲜和中国的重要城市。事隔几十年后，根据美国五角大楼透露，当年美国当局确实曾多次把用原子弹轰炸朝鲜和中国的计划拿出来过，只是害怕发生新的世界大战而搁置了。但是美国人掌握原子弹后流露出的那种霸权主义的嘴脸是越来越明显。亲历朝鲜战争后，我明白了中国要有自己的核武器的重要性和必要性。"

然而，令王淦昌兴奋的是，仅仅过了几年的时间，中国就要有自己的原子弹了。"太有趣了！"从苏联回国后，从参与研制原子弹隐姓埋名那天起，王淦昌常常情不自禁地从嘴里冒出这么句口头禅。

一生中，王淦昌离开老伴的日子太多了，而这一次王淦昌内心比任何一次都要激动得多，因为他知道，遵照中央的指示，他和同事们几年来日日夜夜盼望的原子弹爆炸试验就要进入最后阶段了。啊，罗布泊，那个"死亡之海"！在王淦昌等数万名原子弹研制者和广大官兵心目中，那罗布泊是个“希望之海”“生命之海”。为了让自己亲手研制的“小太阳”在罗布泊诞生与燃烧，习惯用数字来演奏生命进行曲的王淦昌，也时不时口中哼出几声：“罗布泊，罗布泊，你是心中的太阳，梦中的维纳斯……”

为什么要选择罗布泊那样的“死亡之海”进行举世瞩目的原子弹试验呢？王淦昌对我近似天真的问话只是淡淡一笑，说那儿没人，炸起来不会伤着什么。说来也巧，可能原子弹真的实在太让人类惧怕的缘故，世界上首先成功试验原子弹的美国人，当年选择的原子弹试验地也是在“死亡之海”。王淦昌对美国人搞的那个“曼哈顿工程”心里是清楚的，美国将军格罗夫斯为了让自己的国家在二战后成为称霸世界的头号强国，要求奥本海默领导的数十万参加研制人类第一个核武器的勇士们首先就要经得起“死亡之海”的考验。此外，科学家给研制核武器的决策者传达了一个信息，即原子弹的威力有可能使某个地区在瞬间被彻底毁灭，因而不可能在任何有人类生存与活动的地方进行这种试验。当然最重要的原因之一，是要把一种新的威力无比的科学实验放在一个保密的状态下。美国人当年研制原子弹时并没有告诉外人，他们在他们的“死亡之海”——阿拉默果尔地区爆炸第一颗原子弹时发了一份公报，谎称是“一座装有大量烈性炸药和烟火的军火仓库发生了爆炸”，直到20天后，8月6日广岛十几万人葬身火海时，阿拉默果尔的原子弹试验场才不再是封锁的绝密地方。中国同样不例外。选择在罗布泊试爆是中国政府的最高机密。即使是这样，美国还先后多次派出U2侦察机通过台湾机场入侵我领空，特别是对我研制原子弹基地所在的罗布泊地区进行侦察与骚扰。“把老美的‘黑猫小姐’给我打下来！”毛泽东火了，命令刚刚组建的导弹营干掉美国人的U2侦察机。那时中国的空军防空力量太薄弱了，庞大的领空只有一个导弹营，怎么打？就这么打！中国人的拿手好戏是“游击战”。1964年9月9日，这个时间距原子弹正式试验的时间已不远了，再让美国人操纵的敌侦察机在“绝密地区”上空横冲直撞，实在不是事。空军导弹营营长岳振华在这一天立了大功，他和战友们一起“锁住”了那架再次潜入我领空的U2，并一举三发导弹命中目标。为此，毛泽东、朱德亲自接见了这位英雄的导弹营营长和导弹营全体官兵，人民大会堂还召开了万人参加的庆祝大会，周恩来等国家领导人与首都军民一起欢度了那个值得纪念的日子。

王淦昌此时的心情非同寻常，因为他知道，离中国的原子弹在自己手上成功爆炸的时间不会太久了！

在此前不久中国共产党召开的一次全会上，根据毛泽东的建议，中国的原子弹试验将要加快速度，因为那时西方的核武器威胁的气焰越来越嚣张，毛泽东有些咽不下这口窝囊气。党的全会开完的第二天，王淦昌又被中南海的一个电话叫去了。

“王先生，主席的精神已经向你传达了，看来国际形势需要我们把‘596工程’往前赶。我知道这对你们来说担子就更重了，但这就是政治，政治是常常不以我们个人意志为转移的。今天请你来，一方面是想听听你的意见，一方面我们共同想些行之有效的办法来。”总理说这话时，有意把自己的椅子往前挪动了一下。王淦昌顿时感到有一种必须去履行的神圣职责。

“请总理和毛主席放心，我们一定努力加快研制进度！”王淦昌知道自己作为一个科学家，必须绝对服从国家的最高利益。

那一段时间里，王淦昌差点儿急出毛病来。因为当时原子弹的爆炸试验已经基本完成，这是王淦昌亲自领导的结果，但对核爆的一些理论问题还有待认真地计算核证，然而恰恰在这方面进展极其缓慢。王淦昌当时是研究所三位副所长中主持全面工作的一位，当时所长钱三强忙于国务工作，王淦昌所担任的角色以及肩膀上的担子比谁都重。

“这个事情不能老拖我们的后腿了！”王淦昌把彭桓武、郭永怀两位副所长和理论部主任邓稼先、副主任周光召叫到一起，“五巨头”共同研究主攻方向。

“初步结果我们已经有了，下一步问题的关键是论证。”“娃娃博士”邓稼先说。

“老彭、老郭你们看看怎么办？”王淦昌问他的老伙计。

彭桓武是直性子，说这是我们科学研究方面的事，就是上面不说什么，我们也要努力加速争取进展。

郭永怀表示完全同意。

“那么剩下的就看你们的了！”王淦昌用期待的目光看了看两位得力助手邓稼先和周光召。

邓稼先和周光召本来就是研究所的超级数学天才，再加上有王淦昌这样的前辈在后面紧催，工作自然不用说有多认真卖力。有一天，邓稼先刚从办公室出来，便遇上了王淦昌。这位“娃娃博士”是有名的技术尖子，所以研究所里别人平时都敬他三分，但“娃娃博士”唯独害怕年龄比他大一截又在学术上有世界级影响力的王淦昌。

“王先生，我又做错了什么呀？”邓稼先一见王淦昌目不斜视地盯着自己，心里就发毛起来。

与王淦昌同行的彭桓武也被“老王”的怪模怪样给搞糊涂了。

“头！为什么我们三个人的头都不一样呢？”王淦昌突然摸摸自己已显“光天化日”的脑袋问邓稼先和彭桓武。

邓稼先一愣，马上哈哈大笑起来：“王先生，您有大智若愚、大悟大彻的头，我等小辈怎能与您相提并论？”

王淦昌还在独自思索，嘿嘿自嘲道：“不一样就是不一样。”说完，他才转入正题，“论证怎么样了？”

邓稼先顿了顿，说："同志们夜以继日，估计能在预定的时间里完成，但大家已经感到有些顶不住了，好几个人的腿都出现了浮肿……"

"别说你们这些年轻人了，你看王先生的腿也早已出现浮肿了。这不，他上午还在忙着跟中央联系，希望能帮助所里解决工作人员的生活问题。"彭桓武要王淦昌提裤腿给邓稼先看，被王淦昌挡住了："你老彭也好不到哪儿去。"

王淦昌告诉邓稼先："中央对我们这儿的事很关心，听说还开了专门会议。告诉同志们，国家困难是明摆着的事，毛主席和周总理都不吃肉了，为的就是支持我们造出'争气弹'来。我们大家要体谅中央，用实际行动把工作做好。"

"是，我们一定要用实际行动把党中央交给的任务做好！"邓稼先发誓似的向王淦昌和彭桓武保证。

事隔两日，研究所里突然开来一辆轿车，车门一开，里面走出两位身材魁梧的人物。这两位不是别人，正是王淦昌、邓稼先等熟悉的大元帅聂荣臻和陈毅。

"哈哈哈，王先生啊，这次你先不要带我到实验室去，我要先看你们的'弹药库'。"陈毅一边说一边就拉着聂荣臻往研究所的大食堂走。

"哈哈，将军同志你在这儿干啥子事哟？"陈毅一进食堂就瞅见了李觉将军也在里面，便惊诧地问。

李觉还是军人作风，"啪"的一个立正："报告陈老总，我在给科学家们点馒头！"

"新闻新闻！将军给科学家点馒头！"陈毅是个豪爽的人，一听这话就兴致勃勃，"你点一下，我们科学家同志一人几个馒头？"

"这……"李觉为难地低下了头。

"说嘛。"陈毅催他回答，并说，"我和聂帅今天来此，受中央委托，查的就是你们的‘弹药库’！”

“报告陈老总，每人不足一个半。”

“这是什么军情？很紧急的军情呀！”陈毅大手一挥，指着李觉吼起来，“你是院长，但你还是军委和中共中央派来保护我们这些‘国宝’的！让科学家们吃不饱肚子，能造得出‘争气弹’吗？你得写检查！”

“是，陈老总。”李觉又一个毕恭毕敬的立正。

“陈老总，你别为难他了。你看看，稀饭都稀到这个程度，是我们的工作没做好，我们有愧于王先生他们这些科学家呀。”聂荣臻伸手用铁勺搅了搅那口大木桶里的稀粥，心疼地说道。

陈毅的脸顿时也沉了下来：“是嘛，是我们的工作没做好嘛。”陈毅又回过头，一手叉在腰里，另一只手在空中带起一道旋风，说，“聂老总和我知道你们在这儿干的是国家最重要的工作，生活如此艰苦，其实你们的这些情况毛主席和党中央也都知道。现在全国人民的日子都不好过，毛主席都不吃肉呢！就这么个状况。但是国家再穷，我们不能不搞国防，不能不进行‘争气弹’试验！所以，你们的肚子要先填饱，吃饱了才能造‘争气弹’。我先向你们报告一个好消息：你们的老部长、现在刚到东北局任书记的宋任穷上将想着你们，一下子从东北给你们运了5万斤大豆来！大豆是好营养品哟！王先生，你们先享用着如何？”

王淦昌连忙代表全所科技人员谢过陈老总和聂老总：“太感谢中央和两位老总的关怀，还有宋任穷部长。”

陈毅一阵哈哈大笑之后，一把拉过王淦昌的手，轻声道：“你那个……搞得怎么样了？什么时候可以响起来？我都等不及了！”

“现在已经进入最后阶段的数据论证了。应该不会用很长时间了！”王淦昌回答得非常肯定。“好好。”陈毅紧握王淦昌的手，“有你这句话，我这个当外交部部长的，以后跟外国人谈判就硬气多了！”

就在陈毅元帅纵论天下事时，聂荣臻元帅走过来，他弯下腰，轻轻扯起王淦昌的裤腿，又用手指按了按王淦昌的腿，心疼地说：“看看，连王先生这样的大科学家的腿都浮肿了！”

王淦昌心头一阵激动，忙说：“算不了什么，大伙儿比我还严重得多。我们能克服。”

陈毅元帅又一次紧握王淦昌的手，这回他一个字都没说，两眼闪烁着晶莹的泪花……

两天后，中南海又传来电话，要王淦昌带着彭桓武、郭永怀和邓稼先等几个主要负责人到总理办公室。中南海的电话里没有说什么事，只说这次不用带任何文件资料。王淦昌感到有些奇怪，因为每次周总理邀他们去，大多是听汇报和征求意见，所以他提前总会得到通知，准备一些相关的材料。

这回又是怎么事呢？而且是叫了几位同志一起去，王淦昌一时摸不着头脑。

“说不定是总理请我们吃一顿好饭呢！”邓稼先最年轻，思想也最活跃。

彭桓武斜了邓稼先一眼，说：“总理那么忙还冷不丁请你吃饭？想得美！”

邓稼先在三位尊师面前伸了伸舌头，不再说话了。

一到中南海，王淦昌才发现，除了他们所里的几个负责人外，钱三强所长也被叫来了，还有钱学森。

“三强，学森，今天总理叫我们都到这儿来研究什么大事情？”王淦昌忍不住问起来。

钱三强虽是研究所所长，但论资格和年龄比王淦昌还“嫩”一点儿，故平时总称呼王淦昌为“王先生”。于是他说：“王先生，这回我跟您一样，什么都不知道。学森也不知道是什么事。”

正在几位科学家疑惑不解时，掌声突然响起。王淦昌他们只见周总理和陈毅、聂荣臻元帅从侧门走出。

“坐坐，大家都围着饭桌坐下。”周总理一边跟在场的科学家一一握手，一边招呼大家坐下。正巧钱三强和钱学森坐在总理的左右手，王淦昌坐在聂荣臻元帅的边上，与周总理面对面落座。

周恩来总理开始说话：“今天请大家来，只有一个任务——吃肉！算我和两位老总的一份感谢之心。”

“嘻嘻……”总理的话音刚落，坐在王淦昌另一侧的邓稼先突然忍不住笑了起来。

“我们的‘娃娃博士’有什么新闻？”总理发现了邓稼先的小动作。

“报告总理——”邓稼先的脸一下就红了起来，“我、我是兴奋的，因为我知道毛主席和您等中央领导同志都在勒紧裤腰带不吃肉。可您和两位老总请我们来吃肉，这……我们过意不去。”

“你这个‘娃娃博士’说得不错。国家目前有一定困难，主席带头不吃肉。但你们不一样。主席和我，还有聂老总、陈老总都希望你们把身体养得好好的，把我们的那个‘争气弹’研制出来。所以在两位老总的建议下，今天请你们来吃顿肉，一是向诸位致歉，二是表示对你们的感谢。来，动筷动筷……”

王淦昌事后说，这是他有生以来吃得最香的一顿饭：“肉过去不是没吃过，但总理和老帅亲自出面专门为我们做顿肉吃，这是少有的，而且是在毛主席都不吃肉的岁月里，能吃一顿肉，这是一生都不会忘怀的事。”

“肉宴”虽然仅有一次，但毛泽东和党中央对王淦昌等一批研制原子弹的科技工作人员的关怀之心是十分感人的。从中自然也能看得出当时的中国领导人希望研制工作加速的迫切心情。经过长达八九个月的反复论证，王淦昌他们对原子弹的理论与实验中可能出现的问题全部解决了。

中国的原子弹要进行实弹试验了！这时的科学家们都做好了“西行”的准备，只等中央一声号令。

“同志们，你们谁能背唐代大诗人王维的《送元二使安西》一诗？”时任人民解放军副总参谋长的张爱萍将军来到了科学家“西行”前的动员大会上。不想这位“诗人将军”上来就给大家出了一道题。

习惯于逻辑思维的科学家们一愣，你看我我看你。谁能答出来？王淦昌有些紧张地左右张望了一下。

“我来！”是一位年轻的物理学家，“渭城朝雨浥轻尘，客舍青青柳色新。劝君更尽一杯酒，西出阳关无故人。”

“好！记性不错！”张爱萍热烈鼓掌后说道，“今天这个动员会我想把它改为‘诗歌研讨会’。刚才那首诗，我看有个字可以改一下。现在请诸位不吝赐教！谁先来？”方才还很紧张的会场一下活跃了起来。

“我说把那‘无’字改成‘有’字为好。”有人说。

“妙妙！”张爱萍大声叫好，“王维那个时代的西域一片苍茫，别说找不到人烟，就是找到了人烟，你也不可能与其友善相处，那时民族矛盾厉害哟！现在不同了，我们是社会主义大家庭，各族人民情如手足，你就是一人走天涯，照样像在自己的故乡一样……而今，我们的科技大军又要出征西域，去进行伟大的事业。那里是‘春风不度玉门关’啊！”

“诗人将军”的一片激情，激活了在场所有科学家的情绪。于是台上台下相互呼应：“张总长，我看这句话也该改一改，叫做‘春风已度玉门关’。”

“何故如此说？”

“因为我们的西域都在进行社会主义建设，处处都是繁荣景象啊！”

张爱萍将军高兴得指着台下的那位科学家说，你站起来让我瞅一眼，你可以带学生了。“对啊，刚才这位同志改得好啊。”张爱萍将军突然端起一只水杯，“今天让我以茶代酒，与诸位话别。我没有发言稿，只有两首诗送给大家。第一首是王昌龄的《出塞》：秦时明月汉时关，万里长征人未还。但使龙城飞将在，不叫胡马度阴山。在场的诸位是当今的龙城飞将。当然，那‘胡马’就是一直用核武器威胁我们的核霸主。有你们这些龙城飞将，我中华民族就不怕几个‘胡马’了！第二首我要送给大家的也是王昌龄的诗，叫《从军行》：青海长云暗雪山，孤城遥望玉门关，黄沙百战穿金甲——”

“不破楼兰终不还！”这最后一句是全场所有科学家们齐声朗诵的，那场面真是地动山摇。“太感人了！我都流出眼泪了！”王淦昌一生钻研了数项世界级顶尖科学技术，但在语言表达时仅能用有限的几个“太”字来形容，然而这正是他那颗纯真心灵最真实和坦荡的写照。没有虚夸，没有掩饰，只有直截了当的炽热与坦率，以及对科学和事业的执着追求。

有一位国家领导同志这样评价过王淦昌：像王淦昌这样只知干活不计回报、不求名利的大科学家，在世界上也是极少极少的。我们用王淦昌，就像用自然界的水和空气一样，好像根本没有想过付一分钱的成本。

王淦昌就是上帝赐给我们中国科学事业的“空气”与“水”。

但是王淦昌自己却在到达戈壁滩后才发现，这儿的一切远比王昌龄诗里描写的要苍凉和可怕得多。先说睡的地方，根本找不到一间房子——几万人集结的一个地方竟然没有一间房屋，这本身又让王淦昌惊叹了好一阵。因为在这位老科学家的眼里，新中国和毛主席太了不起了，一声号令，把整个“困着的”戈壁滩给“弄醒了”，而且到处“蛮开心”。王淦昌那腔常熟话细细听来很叫人解乏。在当时“上无飞鸟，下无走兽，只有我英雄战士”的试验基地上，任何一样东西都可能引起大家一阵不小的欢乐和趣味来。

“王老，你得住进‘高间’。”一到高原，基地司令和先行到那儿的李觉将军就把王淦昌接进被基地同志们叫做“高干房间”的石头房子里。所谓的“高间”实际上是战士们用小石头垒的一明两暗的 3 间 10 平方米的掩蔽体建筑，这是专门为军委领导准备的。

王淦昌一看这是给爆试时的最高指挥员特用的，于是说什么都不愿住进去。

“我同大家一样，不搞特殊。帐篷很好，大家能住我为什么不能？”王淦昌说啥也要搬到帐篷里跟他的“娃娃博士”和朱光亚这些年轻人住在一起，而且还加了一条理由：“我们可以随时研究问题。”

在戈壁滩的几万人大军中，王淦昌是年龄最大的一位科学家，所以战士们背后都叫他“王老头儿”。

王淦昌并不在乎，反倒经常跟那些小战士们开玩笑说：“你们得好好谢我这个老头儿，这不，我一来你们的伙食就改善了！”原来，根据基地张蕴钰司令和李觉将军的指示，对王淦昌等科学家的待遇要像对待基地最高首长一样。因此王淦昌一到基地，到处检查工作，他每到一地，有关单位的领导就忙把平时不舍得吃的好东西都拿出来招待，所以战士们趁机也能改善一下伙食，故而大家特别盼着“王老头儿”出现。

但是大家喜欢王淦昌的主要原因还不在这里，基地上上下下都清楚，中国的原子弹什么时候真的开始爆炸试验，只要看“王老头儿”的工作情况就明白了。别说是根本不掌握高级机密的普通士兵，就是基地司令一级首长也得看王淦昌他们的工作进展情况，才能判断什么时候“争气弹”该翱翔于长空了。

于是有人说："基地机密虽多，但有'王老头儿'这个活晴雨表每天在大家中间，我们不比司令员知道得少。"这话虽说是群众私语，可多少也能说明一些问题。

王淦昌到基地一线，是周恩来总理亲自定的事。"你不去我不放心。"周恩来对王淦昌有过这样的交代。仅凭这么一句话，王淦昌肩头担子的分量便可想而知。

为了总理的嘱托，王淦昌到达基地后，便率手下的工程技术人员开始了紧张的准备工作。当时他的主要工作是抓缩小尺寸的局部聚合爆轰实验。由于戈壁滩基地特殊的环境，各种车间、工号和实验场相距都十分远，常常为一件事，清晨出发，晚上才能赶到，远望戈壁滩似乎一展如平静的海面，可当你坐在吉普车上飞速行进时，屁股就像坐在搓板上一样难受。年近花甲的王淦昌几乎每天都得在千里宽阔的戈壁滩上来回奔波。

1963 年 11 月 20 日，这是中国原子弹试验史上应该铭记的一天，这一天虽说不是正式核爆炸，但几乎与核爆炸同等重要。当时参加这项缩小尺寸的整体模型爆轰试验的人不多，可从技术角度而言，王淦昌心里明白：成功，便意味着中国原子弹的正式爆炸日即将到来。此时，基地里千军万马群情激荡，王淦昌在获得中南海批准后，便与彭桓武、郭永怀、邓稼先、朱光亚等进入了紧张的实验实战之中。不用说，那些日子里，王淦昌一天光跑研究室、车间和实验场就得好几个来回……终于有一天他病倒了，血压一下子也高了起来。这可把基地上上下下吓坏了。

"你们怎么搞的？要是王先生有一丝闪失，我就枪毙你们！"基地的人还没见过张蕴钰司令这么严厉地训斥部下。

"张司令，不能怪医生，我是上了年纪，不要紧的。"王淦昌赶快自己出来打圆场。为了不让大家担心，王淦昌有病也不多说，甚至当着众人的面连药都不吃。

“轰——”

成功啦！成功啦！

缩小尺寸的实验性爆轰获得了百分百成功。王淦昌像年轻人一样，高兴得跳了起来。

“好极了！我太高兴了！中国的原子弹可以正式进入爆炸准备了！”

王淦昌见人就说，仿佛眼前就是那期待多年的“蘑菇云”，已经在世界的东方徐徐升起……

时间悄悄来到1964年2月，中央一道令下，原二机部九所改为第九研究院，王淦昌被任命为副院长，继续主抓原子弹研制的生产与技术工作。

4月，王淦昌和几位主要技术人员突然被北京派来的飞机接回。原来，周恩来总理亲自给他们下达了一项最机密的命令：“596工程”采取塔爆方式，于9月10日前做好试验前的一切准备工作。随时听从中央下达的正式爆炸的命令，要万无一失地做到“保响、保测、保安全，一次成功”。

“当时我们听了中央的这一精神，既兴奋又紧张。兴奋的是多年的梦想就要实现了，紧张的是假如爆炸试验中出一点差错，怎么对得起毛主席、党中央和全国人民呢！”王淦昌在几十年后，还这样感慨。

成功与失败，这对在科学实验上几乎谁都不占上风的孪生兄弟，对王淦昌他们这样一生与实验打交道的科学家来说，似乎再熟悉不过了。谁都企盼成功，但谁都不可能在没有失败的经历中获得成功。王淦昌曾经对自己的弟子说过这样的话：“我从不惧怕失败。正是一次次的失败激发了我对下一次实验的兴趣。失败是成功之母这是真理。”

然而这一次不一样。这一次没有失败，这一次不允许失败。

虽然这有违科学规律，但这次就是不管有多少理由，必须得成功。这就是全中国、全民族给予王淦昌等科学家的全部厚望。再没有比这更实际和更现实的了。

王淦昌不像美国的奥本海默那么轻松，因为奥本海默是第一个原子弹试验者，即使不成功也还可以进行第二次、第三次试验，反正别人拿他没办法。王淦昌也不可能像苏联的科学家那么幸运，因为斯大林给苏联科学家的任务是“必须超过美国人，不超过的我不想要”！王淦昌不能失败，因为中国人民天天被东边隔海的美国人用原子弹威胁吓唬，而西边的“北极熊”更是张着大嘴巴等你好看呢！王淦昌没有退路。

但任何一项科学研究在没有成功之前，它都像魔鬼一样，很容易捉弄人。原子弹研制是对人类科学史上最有威力的一种战争武器的科学试验，因而王淦昌也遇上了一个似乎在有意捉弄他的“大魔鬼”。

就在各个系统按照中央确定的日子，全力准备在预定时间爆炸原子弹时，问题真的出来了！

“气泡！报告王院长，××× 的三次模拟试验中出现了气泡！”这一天是五一国际劳动节的前夕，基地本来对科学家们作了特殊安排：五一放假两天。但王淦昌没有休息，也无法休息。他刚从设在酒泉的原子能联合企业的工艺车间回到基地，一个紧急电话就跟过来了。

“真的发现气泡了？严重吗？”王淦昌和大家担心的事还是发生了。“我马上就来！”还没顾得上喝口水，王淦昌便带着卫兵和两名助手赶往酒泉。

“气泡事件”给当时整个原子弹试验带来不小的紧张气氛。因为根据中央的指示精神，基地上上下下都知道要在当年的国庆进行原子弹实弹核爆试验，而现在突然冒出个严重的技术问题，如果不能顺利解决，势必影响整个试验的时间表。能不急吗？基地司令员着急，几万名将士急，聂荣臻、张爱萍等军委领导急，毛泽东和周恩来急。自然，在一线负责技术和生产的王淦昌更急了！

根据当时酒泉工艺车间负责人祝麟芳的回忆：自新年一批浓铀 235 在兰州气体扩散厂生产出来后，经毛泽东批准，第一套合格的铀 235 部件正式在酒泉原子能联合企业的工艺车间开始组装。这个铀 235 部件是原子弹的“心脏”。如果“心脏”出现“气泡”，就等于人的心脏出现了颤音，便有可能直接导致人的心肌梗死等严重危及生命的后果。道理一样，原子弹是个比人的生命体更为复杂的特殊生命体，其“心脏”出现“气泡”的后果就意味着爆炸试验彻底“泡汤”。不用多说，“气泡”问题已经牵动了无数人的心。王淦昌赶到酒泉时，负责铀芯技术的物理学家姜圣阶总工程师早已忙得不可开交，并正在发动技术和生产骨干找问题、找原因。大家一致的意见是：继续重复试验！

说起来容易，但做起来就太困难了，当时我们国内的生产技术即使是最精密的高新技术，用的常常也是最原始的设备与车床。酒泉厂消灭“气泡”的整个战斗过程就是这种状况。技术人员和工人同志们土法上马，靠着真正意义上的自力更生精神，一炉一炉地重复着试验，一丝不苟地查找问题，最终在大家的努力下，彻底消灭了“气泡”这个魔鬼幽灵。

五一的清晨，在王淦昌、姜圣阶等技术人员的领导与努力下，原子弹的“心脏”——铀芯正式安装完毕，而且经王淦昌等科学家检测完全合格。

至此，中国的第一颗原子弹的生命已经诞生了。

“全体集合！准备行动！”此时，从中南海传来一声号令。这句暗语告诉所有参与原子弹试验与生产的部门，原子弹安装开始，各路兵马向罗布泊集结……

“我一定要亲自去，不去心里不踏实。”在指挥部会议上，王淦昌第一个提出要亲自去西安和兰州等原子弹重要部件的安装与生产地护送“宝贝儿子”到罗布泊。

“王老，你年岁大了，有我各路精兵强将在，你还有什么不放心的？”司令员张蕴钰和李觉院长都出面劝王淦昌不要担此苦差。

但王淦昌说什么也不听：“如今到最后一步了，而且部件运送的安全与否责任重大，我是总管技术和生产的，不去亲自护送，出了问题怎么向总理交代？不行，我一定得去。”

“好吧。王老要去，警卫部队的同志听着：你们要像保护原子弹部件一样一丝不苟地保护好王院长，出了一点问题，军纪严处！”张司令员对手下的一名师长吩咐道。

这是真正的战斗。在五一之后的那些日子里，王淦昌像“接新娘似的”从郑州、西安、兰州等生产原子弹部件的地方，率千军万马，将原子弹部件一个个护送到罗布泊基地……那都是一列列警卫森严的绝密专列，其警卫的级别与中央领导出访等同。每到一个站，全部清一色一级警卫，就连车站的负责人甚至当地的最高领导都不知专列上装的什么东西。王淦昌是知识分子出身，长年在实验室工作，他没有见过这样军事化的场面，他这样描述当时参与护送原子弹部件的情景：“我们都像天上掉下的神秘人物，不能跟车站的领导同志讲话，对方也不敢问一声我们是干什么的。有意思的是那些警卫我的战士们，只要我一行动，他们就左右前后地簇拥着，让我真当了回大干部。太有趣了！”

大爆炸即在眼前。

6月26日，一座102米高的钢铁巨人高高地耸立在罗布泊湖边，耸立在基地全体官兵面前。这座由人民解放军124团等5000余名官兵苦战数月竖起的铁塔，是原子弹试验的最后站点。它的出现，意味着中国的原子弹爆炸试验已经进入倒计时。

9月中旬，王淦昌等基地技术与行政负责人全部被北京方面叫了回去。基地的官兵开始一天比一天紧张起来，因为这个信息告诉大家：中央马上要下达命令确认爆炸日期了。

太激动了。别说是官兵们，就是基地司令张蕴钰这样久经沙场的将军也激动和紧张得连觉都睡不着。

这次北京之行无疑是党中央在爆炸前对基地最高领导层所做的最后一次检查和动员，但爆炸时间却没有确定。“听中央和毛主席的决定。”周恩来总理在会议结束时对在场的这些早已按捺不住的将军和科学家们这样说道，随即他指示，“在正式命令下达之前的时间里，我们不能有丝毫松懈，无论是技术方面还是官兵的战斗情绪方面，一定要一切从零做起……”

王淦昌和将军们如期回到罗布泊，爆前的准备工作进入倒计时阶段。因为在基地的所有人心中都明白，凭经验，中国的许多重要事件，一般都发生在逢元旦、五一、七一这样的喜庆日子。这回中央让9月10号前做好一切准备，这不等于告诉大家：国庆节将进行正式爆炸试验！

9月15日，9月20日，9月30日……国庆的时间已经快到了，怎么中央还没有下达爆炸试验命令？

王淦昌不是政治家，但他也同大家想的一样，该是国庆的前一天正式爆炸呀！可一直到了国庆节当天，北京方面仍然没有下达命令。

“怎么回事？你说话呀？”最急的要算基地司令员张蕴钰了，他走到“石头房”，见了副总长张爱萍就气势汹汹的，像要吵架似的。

张爱萍没有理他，只管佯装看书。其实，张爱萍的心里跟基地司令员一样着急，只是不好说出来而已。

在没有接到北京方面的命令之前，基地数万人的战斗情绪太重要了，越到关键时刻越不能出哪怕一点点的乱子。张爱萍心里想得更多……

“王先生，张爱萍将军明天要带你们去古楼兰去！”像成千上万的工作人员一样，王淦昌也在焦急地等待北京下达爆炸的命令。当听部下有人这样通知他时，不免奇怪地反问道：“张将军让我们到古楼兰干什么？”

“听说是带你们去散散心，那儿有很多鱼螺化石呢！”工作人员说。

“什么什么？去拾鱼螺化石？”王淦昌火冒三丈，“我不去不去！都什么时候了，谁有那份闲心呀！不去！”

“是王先生说不去呀？哈哈哈……”正说着话时，帐篷外传来一串熟悉的声音。

“呀，张副总长来啦！”工作人员赶紧趁机溜走，免得挨尅。

“王先生，我是来向您转达周总理的话的。”张爱萍说着就在王淦昌的铺上坐下，然后郑重其事地说：“总理指示说，我们的‘小太阳’要等国庆过后，把那些来参加我们15周年庆典的外国朋友都送走后再爆。为了稳定军心，我和基地司令员同志做出了新安排，一方面让大家预防预想、查漏补缺、增加演练，以确保万无一失。另一方面是怕大家在临战时紧张，从而带来工作上的急躁情绪，进而影响我们的‘万无一失’，所以我准备借组织大家到古楼兰散心一事来调整同志们的情绪，您看如何？”

王淦昌一听张爱萍将军如此细致和科学的安排，才恍然大悟：“张副总长，你们到底是打仗出身的，考虑战斗艺术真有一套。行，我看大家的情绪现在波动很大，太需要调整了。包括我在内，都有些等不及了。好，明天我也跟你到古楼兰拾鱼螺化石！”

“哈哈哈，王先生，您一带头，我的工作就好做了几倍！”张爱萍握住王淦昌的手，动情道，“王先生，你那么大年岁整天跟大家没日没夜地工作，千万要注意身体，否则我无法向总理交代啊！”

“谢谢。谢谢总理和你的关心。”

第二天，王淦昌随张爱萍一行到了古楼兰一带，那实在是值得一看的戈壁独特景致。古河道虽然干涸了，却留下了深深的河床，鱼螺化石随处可见。加上在河道左右追逐的那些摇动着小尾巴、眼睛光亮溜圆的黄羊群，使整个“死亡之海”呈现出少见的生命画卷景象。不用说，“诗人将军”的这一招，让随行人员简直乐开了怀。但唯独一个人既不拾鱼螺化石，又无半句笑语，他就是王淦昌。

“王先生，是不是有什么不舒服？”张爱萍过来关切地问道。

“没，没，我就是在想我们还有什么地方没有考虑到或者哪个环节上还有质量问题。我想回去后第一个任务就是先要看看那些线路接头安装得牢不牢。一想到这些，我就没了其他心思啊，张将军！”

张爱萍把科学家的双手握在自己胸前，对天长叹一声：“国宝，我终于明白总理为什么这样珍视您这样的国宝啊！”

等待的日子对所有参加试验的人员来说都是一种特殊的考验。那期待数年的惊天动地的一响到底什么时候才能实现呀！王淦昌和所有基地指战员都在期待着北京的声音……

“现在我下令：根据中央命令，我国第一颗原子弹的爆炸时间为1964年10月16日。从现在开始的48小时内，全体人员进入战斗状态……”10月14日下午，张爱萍代表党中央和中央军委，在“石头房”里向基地高级将领和王淦昌等技术领导者下达了正式命令。

“‘小太阳’终于要闪光了！”王淦昌内心涌起一股难以抑制的激动。而当这盼望已久的时刻真正到来的时候，作为现场的技术主要负责人，王淦昌又无法使自己平静。其实在过去的几十天里，他和朱光亚、邓稼先、程开甲等已经不知检查过多少次每一个可能出现问题的接头、线路或者装置，但毕竟这是第一次大爆炸，第一次真正的大爆炸，久经考验的大科学家王淦昌心头紧张得直发虚——他相信自己和同事们的能力，但他又担心自己和同事们可能会出现的问题。因为这毕竟是件太大的事，只要有半点问题，就可能影响整个大爆炸，或者可能出现难以料想的可怕后果！啊，那样实在太可怕了，那绝对是不能想象的事。可又不能不朝那方面想，万一……怎么办呢？不！不能有这种“万一”！绝对不能有。可谁能保证没有这种“万一”呢？

事后有人说那两天里的“王老头儿”真的像个老头儿，不管见什么人，嘴里就要不停地追问你这儿到底怎么样了，那儿到底有没有问题。当别人清楚地告诉他什么问题都没有时，他反倒又朝你瞪眼睛：“你怎么就敢保证没有问题？”训完后，他又自己蹲下身子重新检查，直到什么问题也没有发现后才摆摆手，可等到要离开时，他又在嘴里唠叨：“再一起想想，看到底有没有问题呀？”

其实不是王淦昌老了，而是他心头的压力实在太大了。

原子弹放入铁塔是在14日傍晚7点20分，当那个巨大的圆锥体“家伙”傲然耸立在参加大爆炸的工作人员面前时，所有的人都紧张得不能自控，包括我们那些身经百战的将军们。

15日一整天是在检查再检查中度过的。之后到大爆炸之前的十几个小时是怎么度过的，我问过数位参加原子弹试验的人，他们都用了极其简单的“太紧张”或“稀里糊涂”这样的字眼来形容，再详细一点就好像全忘却了。其实还是因为“太紧张”的心情凝固了当时那惊心动魄的场面。好在我看到了张蕴钰司令员自己写的一篇题为《中国一日》的文章，将军在文中细述了原子弹爆炸前那扣人心弦的情景——

……在10月15日那天晚上，我不知道在整个试验场区有多少人没有睡觉，至少在那个晚上没有人能像以往睡得踏实。多少年后我还记得那天晚上的月相：上弦月，月亮呈半圆形，从顺时针方向看为右边发亮。试验场上几处强烈的灯火在朦胧的月色下却显得有些暗淡昏黄，我们住的帐篷内非常安静，听不见以往熟悉的呼噜声。在躺下之前我们都互相催促过，但能否真正睡着却又是另一回事。

第二天，我们的激动和不安似乎都已经稳定下来。按照张爱萍总指挥的指示，李觉、朱卿云和我在上午10时乘两辆吉普车向铁塔驰去。很显然，铁塔上的任何一项工作都不需要我们，更不要说伸手去干。对塔上操作的技术专家我们也没有丝毫的担心。过去我们总是怕它不响，现在却又担心假如在万一不受控的情况下"响"了该怎么办？这种担心不是没有一点道理的。我们这时来的目的，也正在于此。在我们党内和军内有这个传统，就是在困难和危险的时刻，领导和同志们必须在一起。如果真的"响"了，我们和塔上的同志一起来个"太空葬"，那真是一种灿烂辉煌的荣耀，那时我们会成为最早庆祝我国首次核爆炸试验成功的人……

车到铁塔前，我们在警戒线外下车，简单地问候了值班的哨兵。李觉将军对上塔的同志说，张司令和朱主任都在下面，等一会儿再上去。我向操作吊车的卷扬机手挥手致意。然后我们围着铁塔小步地来回走着，像在清闲地散步。不一会儿李觉又钻进了铁塔旁的一间小砖房，这里安装着引爆电缆的电闸和一部与塔上通话的电话机。按程序，塔上正在进行接插雷管的工作。我在离小屋不远的地方席地而坐。太阳很好，碧空洁净，地面上有轻微的风。对试验来说这真是一个顶好的天气。塔上缓慢地放下吊篮，几个操作手走下来，李觉将军从小砖房出来在铁塔下迎接他们。接着我和他登上吊篮，朱卿云主任留在塔下。

吊篮徐徐往上升，把我们送入了塔上的工具间内，为我们消除了身上的静电后，又登上了几级台阶才进入爆室。九院试验部副主任方正知和他的助手正在做最后的检查。他简单地对我们说："就完了。"然后又继续埋头检查。

这个核装置在安装时我已看过，现在再看忽然觉得它已经具有了活的灵魂，庄严、纯净，令人肃然起敬。检查完后，方正知在塔上的最后一件工作是合上了起爆电缆的电闸。我把墙上贴着的那张操作规程顺手取下来，即时在上面签了字：

"1964 年 10 月 16 日　张蕴钰。"

从塔上向四周眺望，极目所见的效应物都静静地展开在地面上，整个情景就像是大战前的战场。

我突然摸了摸装在我口袋中的那把能够起爆这个核装置的钥匙。

在向下降落的吊篮里，我和方正知教授并肩站立，我们身材、高矮差不多，体态和面色也类似，只是他比我少一脸络腮胡子，他是一位很有成就的科学家，工作起来精力充沛，作风严谨，他的气质使他更像一个高级熟练工人，他的名字应该记在功臣榜上，要使更多人记住他。

我们三人走下吊篮之后，李觉将军又特地嘱咐卷扬机手："请把毛主席像降下来，忘记了就是政治事故。"我们面对面而立彼此看着，这些日子在共同的工作中我们结下了深厚的友谊，之后不久他又将回到他的青海大草原去。"苦命"的将军，一生戎马倥偬，从西藏到青海，从青海到罗布泊，在这里他才能够呼吸到充足的空气。他喜欢考古，一个念念不忘的心愿就是到周口店去考察那里的北京猿人遗址……

方正知教授又合上了小砖房内的电闸。这时，从铁塔上的核装置到主控站的起爆电缆已经全部接通了，我又一次摸了摸那把钥匙，它还是那样紧贴在我的衬衣口袋里。

我们一起离开了铁塔，我的车是最后离开的。走出几百米，我又让车停下来，向塔看了最后一眼。这座铁塔在核爆炸后已经不再是本来面目，它的上部在那个惊天动地的瞬间化成了气体，塔身残骸扭曲着倒在地上，像一具巨大的恐龙骨架，更像一座造型奇特的纪念碑。22年后，这里竖起了一个爆心纪念碑，其实，真正的纪念碑还是这座铁塔。

在返回途中我先到了主控制站，在主控站的领导同志还有基地的邓易飞副政委和基地研究所副所长程开甲教授。程开甲教授是1950年从英国归来的学者和技术负责人，是一位真正的老师。在试验各项准备工作就绪后，他曾不止一次地对我说："它不能不响。"薄薄的嘴唇颤抖着，那样子像是在对原子弹诅咒和祈祷。爆炸后我又见到他——这个试验方案的制订者，并对他说："这一回，你是张飞的胡子——满脸。"

在主控站，我将启动控制台的钥匙交给了在那里负责指挥的张震寰同志。

即将工作的启动控制系统是可靠的，这些系统从单台到控制分站、总站已联测了上百次，直到试验之前又将零部件更换了一次。总控站的门口堆放着许多沙袋，这些都是用来堵塞门洞的，以防止冲击波的压力冲出来。这些沙袋或许可以说是从美国“引进”的吧，最早他们曾用于海军登陆作战。在上甘岭作战中我们也用过米袋和面袋来构筑工事，今天这一方法又派上了用场。事实证明再没有比用沙袋更经济和更节省时间的办法了。

在主控站担任指令长的是忻贤杰同志。他学术一流，功底深厚，与人共事平易近人，是位很有声誉的研究室主任。今天他将带领这些科技人员用自己的一双手去撞击这个世界。他 1988 年冬逝世时，我曾沉痛地向他的遗体告别。

我来到白云岗指挥部的时候，张爱萍将军说“K1”指令已经发出。这时炊事人员送来了包子，老远就闻到了香味，但吃到嘴里却一点也感觉不出来。吴际霖和我站在一起，这位核武器研制的领导者，我始终忘不了当时他的那种复杂表情，与他平时的和颜悦色判若两人。

“K2”指令发出，我回到自己的位置。

“K3”指令发出后，仪器设备进入自动化程序。9、8、7、6……读秒的声音让我感到了一种无法形容的激动和紧张。我屏住了呼吸，我们面对着爆心的方向，戴着深黑色的防护眼镜，头朝下俯瞰，等待着最后时刻的降临……

王淦昌这个时候在哪里？

在张蕴钰的视野里没有见到王淦昌的身影，这是为什么？这是因为王淦昌仍在布置一项项比司令员启动大爆炸钥匙还重要的工作，那便是大爆炸后的科学数据的测试与采样的准备工作——这是验证原子大爆炸必须和最重要的事。将军和士兵们看到“蘑菇云”就算完成任务了，可对科学家来说，大爆炸仅仅是表象，获得各项数据和采集到各种样本才是最根本的。王淦昌在忙着大爆炸前必须交代完的几十项细微的事。但毕竟眼前的大爆炸是最辉煌的，作为核武器的主要技术领导者，王淦昌比所有参加试验的官兵和将士们更期待亲眼看到自己研制的“小太阳”闪出万丈光芒！

一切都安排就绪，但这并不意味着就没有什么事做了。自倒计时48小时开始，所有的技术问题已经全部准确无误地完成了，然而这仍然按捺不住王淦昌那颗悬在嗓子眼的心。

我与王淦昌先生本来有约，要请他细说一下在原子弹爆炸前的最后24小时内，他的每一项细微的工作与心情。可是因为他后来突然离开人世而未能实现。我从郭兆甄、苏方学著的《娃娃博士邓稼先》一书中见到了有关王淦昌和他的弟子邓稼先在大爆炸前的一段描写，从中可以一窥大科学家当时的情形：

> 当原子弹试验进入零前48小时准备程序之时，所有在场的人都紧张得几乎晕厥，其中最甚者当数王淦昌教授和邓稼先。
>
> 王教授总是不时地问身旁的人，某某测量仪器某个焊点牢不牢，忽然于静思中惊叫一声，拉住人问，你看见那条导线按程序插进去了吗？你确实看清楚了？没有丝毫差错吧？甚至还要求打开已经贴上封条的工号大门，再进去检查线路，总担心有人不慎碰了哪条线路引起脱焊……

王淦昌的这番心态，是当年邓稼先在世时向两位采访他的同志描述的。我们可以看出大爆炸前的王淦昌那根紧绷得不能再紧绷的神经是如何颤动的!

是啊，在庞大而无比复杂的原子弹工程试验中，哪怕是一个焊接头、一根线路、一只螺丝帽的任何一点点的松动，都有可能使整个试验陷入可怕的后果！谁都不敢设想。可如果出现呢？谁该负这个责任呢？又有谁负得起这个责任呢？不管什么责任，不管负得起还是负不起，作为生产和技术总负责的王淦昌是第一个跑不掉的。

王淦昌无疑是所有人中最最紧张和压力最大的一个。

许多科学实验是可以重复的，甚至失败一百次、一千次都是允许的，从理论上讲，原子弹试验也应该允许有十次、百次的试验失败。然而在中国，在当时的年代，在王淦昌和几万人苦战苦熬了数载的罗布泊，在毛泽东、周恩来等领导急切等待成功的1964年，这样的大爆炸试验绝对不允许失败。其实这似乎是很违反科学规律的，但在进行原子弹这样极其特殊的科学大试验事件上，早已渗进了太多太重的政治因素与民族的情感，因而已超越了科学实验的层面。

那是太激动人心的事！都说上年岁的人不易激动，都说大科学家最沉得住气，但这回王淦昌比那些一二十岁的士兵更沉不住气——“5、4、3……”那启动的读秒声使王淦昌的血压直线上升，直到连心跳似乎都停止了……

1964年10月16日下午3时，王淦昌透过那副黑色的防护眼镜，看到了距他23公里远的爆心点突然闪了一道强光，那强光刚刚闪过，只听一声惊天动地的巨响，随即大地开始剧烈地颤动……王淦昌看到，在前方，一颗硕大的火球轰鸣着、怒吼着，以雷霆万钧之势，携着百米高的沙尘，迅速托起一个蘑菇状烟云……

“成功啦！”不知是谁先喊了一声，于是所有躲在掩体里的千军万马齐声高呼：“成功啦！”“我们成功啦——”

那场景，王淦昌一辈子都忘不了：士兵们纷纷摘下自己头上的帽子往空中扔去，将军们互相捶拳，科学家们则抱成一团……他们喊呀叫呀甚至骂呀，总之连王淦昌这样年纪的“老头儿”都兴奋得跟着年轻人一起在地上乱蹦乱跳起来。王淦昌突然感觉两眼模糊，用手一抹，原来是泪水，是激动的热泪。

“王院长，我们成功啦！”

“王先生，我们终于胜利啦！”

邓稼先、程开甲、朱光亚等科学家们一齐向他们的老师、院长围过来，一个劲儿地向恩师祝贺。

“真有趣！太令人高兴了！嘿嘿，太有趣了！”王淦昌的弟子们看见在这最激动人心的时刻，他们的恩师仍然是那几句“太有趣”“太高兴”的话，忍俊不禁地放声大笑起来。

当天傍晚，北京人民大会堂内，毛泽东笑呵呵地示意周恩来：你说，你来向大家报告好消息吧。

在毛泽东面前，早已站满了被接见的《东方红》剧组的几千名工作人员。

周恩来一边笑着，一边从毛泽东主席身边退后半步，反过来示意：“主席，还是你来讲吧”。这下可乐坏了在场被接见的艺术工作者们，因为他们亲眼看到了国家领导人之间亲密谦让的一幕。

毛泽东又笑了，对着话筒朝周恩来说：“今天应当由你讲，今天一定由你讲。”全场又是一阵欢快的笑声。

周恩来的脸上顿时流露出灿烂的笑容。只见他走近话筒，用炯炯有神的目光扫了一眼全场，然后说：“请同志们坐下。因为我们的合影架子还要接待很多人，还要留着接待外国人，我怕你们一高兴把它踩塌了！”

全场哄堂大笑。

“同志们，我向大家报告两个好消息：第一，赫鲁晓夫垮台了！”周恩来伸出一根手指说道。他的声音刚落，全场齐声欢呼。

“第二，今天下午 3 时，我们的原子弹爆炸成功啦！”周恩来伸出另一根手指，并把胳膊举得高高的。

“万岁！毛主席万岁！”

“共产党万岁！”

“中国人民万岁——”

人民大会堂的欢呼声随即飞向天空，飞向神州大地……

4. 劫难中的秘密历程

中国罗布泊的一声巨响，将西方世界的那些霸权主义者震醒。美国《纽约时报》等主流媒体隔日便开始进行铺天盖地的报道。但最使西方政要和情报部门想不明白的是，到底是谁主持和领导了中国的原子弹研制。于是一篇篇臆测文章随着情报部门和政要们的恐慌，不断被抛出。

“K.C. Wang!”

“曾在苏联杜布纳联合原子核研究所担任副所长的K.C.Wang领导主持中国成功地进行了核试验。”

“K.C.Wang——中国的奥本海默!”

一时间，美国《纽约时报》等西方媒体大量地刊载着一篇又一篇有关“K.C.Wang”的“传奇”“轶事”，“K.C.Wang”成为公众议论的东方神秘人物。

“K.C.Wang”其实就是王淦昌的英文名字。西方人推测王淦昌是“中国的奥本海默”是有足够理由的，这位20世纪30年代在德国迈特内手下曾与中子发现擦肩而过，40年代提出微中子实验建议，50年代末在苏联杜布纳联合研究所发现反西格马负超子的黄皮肤黑眼睛的中国著名物理学家，无疑是此次中国核爆炸的“领头马”。

在20多年后的20世纪80年代中期，当东西方关系开始缓和，王淦昌作为中国核能代表团团长踏上美利坚合众国的领土时，在太平洋彼岸的科学界和公众中引起了不小的轰动。

“原来中国的‘奥本海默’是那么慈祥，并不是几十年来传说的恶魔呀！”美国公众发现政府和情报部门又将他们捉弄了几十年。

由于隐姓埋名后突然复出的王淦昌出人意料地出现在与中华民族敌对了几十年的西方国土上，故他此次的美国之行受到了特别的关注，而在数以万计的华侨中更是引起热烈反响。

王淦昌的名字在美国比在中国的知名度还高，这真是极有意思的一件事。那是因为西方传媒在当局霸权主义思想引导下，对东方的社会主义大国的每一点发展都感到紧张和不舒服，特别是对那些可以影响世界、象征一个国家实力的核武器与尖端科学领域里所出现的任何微小的进步，西方当局和情报部门都要大肆渲染一番。

令美国霸权主义者格外恐惧的是：自 1964 年 10 月 16 日那次大爆炸后，中国的核试验就像下凡的仙女在浪漫地散花，一发而不可止，仿佛要把整个罗布泊的四季照个通体透亮。此间，美国情报部门连续不断地派出高空侦察机和无人驾驶间谍机飞越罗布泊那块“死亡之海”，而得到的结果是：中国核试验的研制速度太快、技术水平太神奇，实在是令人不可思议。

1964 年 10 月 16 日第一颗塔绑式铀球原子弹爆炸成功，当时的西方国家为了掩饰其恐慌心理，放言说中国的铀球原子弹“只是具有实验性质的核试验，从这一步到实用核爆炸至少需要 5 年”。

结果仅仅时过半载，1965 年 5 月 14 日，罗布泊上空又一声巨响——中国人民解放军空军优秀飞行员于福海在几千米的高空将原子弹准确无误地抛下，后来据雷达测得：空爆原子弹与靶心目标仅为 40 米偏差！

这一次西方政要们不得不闭上嘴巴了。

1966 年 10 月 27 日，当以美国为首的西方世界还在忙于派高空间谍机采集中国空爆样品时，北京新华社又传出了一则惊人新闻，中华人民共和国政府新闻公报：中国在本国的国土上，成功地进行了导弹核武器的试验，导弹飞行正常，核弹头在它预定的距离，精确地命中目标，实现核爆炸……

又一次震天撼地的巨响。

听听傲慢的美国人这回还能说什么？多么不容易啊！美国人在沉默了24小时后，说道：中国的导弹核试验“是在预见的时间之内进行的”。嘿，这是令他们极其难受的“大度”。

1967年6月17日，罗布泊试验场地的上空出现了一个白色的圆柱体——它在湛蓝的天空中被高速飞行的飞机抛出，犹如蔚蓝色海洋中一个浮沉着的深水炸弹；它使劲儿地拽着降落伞，摇晃，飘飞，寻觅，滑行……越来越远，越来越远，只剩下一团小小的白光，一个只能凭感觉而不能凭视觉捕捉的白点。突然——白光！白光，无所不在的白光，亮彻天宇的白光！就在人们因强烈的震撼稍稍眯了眯眼的一刹那，白光中现出了金色，犹如一个新生的更为壮观的太阳，将另一个太阳挤向一边，那个在大自然中具有永恒意义的太阳竟然被挤成了一个小小的无光彩的弹丸。一片夺目的晕眩。茫然之中是灿烂的光海。核火，在这一刻超越了太阳。崇拜太阳的人在这一刻意识到了人类自身的力量的燃烧。一切都按照预先设计的轨迹运行。火球的上方渐渐出现了草帽形的白色云团，云团悠悠地旋着，旋着，变成了一朵白色蘑菇云。在这数十公里高数十公里宽的蘑菇云顶部，是黑墨色的穹庐……许久许久，人们的耳鼓中留有两声惊心的巨响，一声来自前方的巨响是巨大的火球的爆裂，而另一声更为惊心的巨响，是来自背后的绵绵无尽的天

山山脉的回响……（摘自彭继超《东方巨响》）

当天23时30分，仅有11岁的我和亿万中国人民都听到了这样一则重要新闻——一则经毛泽东亲自圈阅的重要新闻："我们向全国人民和全世界人民庄严宣布：毛主席的这一英明预言和伟大号召已经实现了，在两年八个月的时间内进行了5次核试验之后，今天，1967年6月17日，中国的第一颗氢弹在中国的西部地区上空爆炸成功了！"

懂一点核武器知识的人都清楚，氢弹是比原子弹厉害好几倍的一种杀伤性巨大的核武器。中国的此次氢弹当量为300万吨。

"上帝，毛泽东想干什么？难道他手中有一百个奥本海默？"美国白宫内一片惊恐。在他们眼里，中国倘若没有一百个奥本海默，就不会在短短两年时间内，将美国、苏联用了十几年才走完的那条艰巨复杂而曲折漫长的"核历程"，全都走完了！可怕！可怕的中国人！可怕！可怕的"中国的奥本海默"们！

其实西方世界应当清楚，中国是个具有几千年历史的文明古国，又是古代"四大发明"之国，中国人的聪明与智慧是有目共睹的，一旦他们获得可以充分发挥的机会时，任何人间奇迹都会被创造出来。

"中国的奥本海默"就是这样一群非凡的创造者。

1964年，在王淦昌和与他并肩战斗的同事们完成第一颗原子弹试验之后，毛泽东和中国共产党的领导人为了褒奖这些杰出的功勋人物，把他们接回了北京。1965年1月，第三届全国人民代表大会在罗布泊的那一声巨响之后隆重召开，刚刚经历了三年困难时期，被压抑了数年的中国领导人和我们的人民一下子变得扬眉吐气——这完全是有理由的扬眉吐气。在选举人大常委会委员的一次会议上，一个从未在中国政坛上出现过的名字——"王京"

被代表们一致通过成为新一届人大常委。

当王淦昌看到人大会议新闻公报上的那个“王京”时，心头涌起的激动是旁人无法理解的，因为他根本不曾想到自己作为一个知识分子能跻身国家政坛。自从进入“灰楼”再到后来进入戈壁的罗布泊基地，他虽然早已不用“王淦昌”这三个字记录自己的生活与工作，但化名“王京”其实也没有几个人这么叫他。从国家总理、共和国元帅，到整天厮守在一起的科研同事们，甚至到那些“娃娃兵”们，“老王”“王先生”“王老头儿”是他听得最多也是他最熟悉的称呼。

“嘻嘻，我是王京，王京就是我。”我们这位平时孩童般天真的科学斗士，手拿人大会议新闻公报，津津有味地唠叨着。回家的时候，他拿着报纸有趣地对自家的孩子说：“这个‘王京’就是我！”

从这一年的第三届全国人民代表大会开始，王淦昌当了四届全国人大常委会委员，直至 1987 年第七届人大。而这二十几年间，王淦昌始终在中国核武器试验及核能科学工作的最前沿领导着中国核领域的秘密工作。

我们常把王淦昌等著名科学家誉为“两弹元勋”，这两弹指的就是原子弹和氢弹。

出于对时局与形势的考虑，就在罗布泊第一次大爆炸成功之后，中南海随即制定了搞氢弹的战略决策。就在王淦昌参加人大会议之时，他和并肩战斗在核武器试验一线的核专家们接到了毛泽东主席的又一道命令：“原子弹要有，氢弹也要有。”其实早在研制原子弹的同时，我们的最高决策者已经把视线投向了“别人有我们也应该有的”氢弹，而这个“弹”远比原子那个“弹”威力要大得多，且其相关的技术当时仅由美苏英三国掌握着。而从来就好胜的法国总统戴高乐将军当时曾发誓要成为拥有氢弹的“老四”。这时的我们，几乎包括王淦昌、钱三强这些中国的顶级核物理学家对氢弹方面的技术也一无所知。

当毛泽东的命令发出后，二机部部长刘杰召集部下迅速写出了“三年到五年能爆炸氢弹”的计划报告，当报告送到总理办公桌上时，周恩来马上告诉刘杰：“三年才能爆炸氢弹，太慢了，要快！”

可以看出，中国的领导人对发展自己的核武器的心情太迫切了。

我们今天应当怀着崇高的敬意，说一声“感谢钱三强”。因为正是这位有远见的中国核武器研制战略家，在王淦昌他们全力进行原子弹研制的同时，已悄悄开始部署另一个“核战略”——氢弹技术的基础理论研究。

今天已经解密的史料告诉我们，氢弹是利用原子弹的能量点燃氘和氚等轻核的自持聚变反应，并在瞬间释放巨大能量的核武器。一个原子弹的威力可能是几百至几万吨 TNT 当量，但氢弹的当量则要大至几千万吨 TNT。美国人从原子弹试验中得到启示开始进行氢弹探索，到第一颗氢弹爆炸，其间用了 10 年时间，苏联则用了更长时间。中国的总理对部下“用 3 年时间”爆炸氢弹的计划很不满意。可想而知，中国的科学家又将面临一场更紧张、更艰巨的秘密历程！

“小黄，我们准备搞氢弹试验，所以组织上决定对你的那个研究小组的专业研究内容作重大调整，进行轻核理论研究。这是一项非常艰巨的任务，可要注意保密啊！”一天，钱三强把一位 30 来岁的年轻人叫到自己的办公室，这样叮嘱道。而正是钱三强的这着棋，在第一颗原子弹爆炸后，为中国科学家们正式开始研制氢弹争取了宝贵的时间。

后来，被人称为“中国核武器国产一号”的青年物理学家于敏同志也加入了黄祖洽他们的轻核理论研究行列，并且使中国在这方面的科学理论迅速得到突破。

一天，钱三强带着于敏和黄祖洽等一批轻核理论研究人员以及已经取得的可喜研究成果来到核武器研究院，对主持工作的副院长王淦昌说：“王先生，我把最后的兵将都调来了，现在就看大家的了！”

王淦昌瞅着于敏、黄祖洽等年轻人，真是喜上眉梢。经研究，于敏充实到核研究院的理论部，而这时的理论部真是兵强马壮：主任邓稼先，副主任周光召、于敏……有了这么一批才华横溢、思维敏捷的年轻科学家，就仿佛主持生产与技术全面工作的王淦昌手下有了千军万马。

“其他多余的话我不用说，大家也与我一样清楚，周总理说的‘三年拿下氢弹’，这是道死命令。虽说我们把原子弹搞出来了，可是对氢弹我们谁都不懂，它的一些基本原理，我没碰过，三强同志没碰过，钱学森同志没碰过，你们也都没碰过，但我们又必须把别人七八年、十几年才搞出来的东西，用两三年的时间搞出来。难在什么地方？难就难在第一步要搞清它的基本原理。不知我说得对不对？请大家一起思考这个问题。俗话说三个臭皮匠顶个诸葛亮。有趣，我们这儿正好有好几个诸葛亮！”一次会上，王淦昌点着理论部的邓稼光、周光召、于敏等，欣慰地自乐起来。

“王先生说得对，要说氢弹可比原子弹复杂得多。过去我们搞原子弹，苏联人撤走后，我们还有王先生、三强院长，都是在西方留学或者搞实验时不同程度接触过原子方面的理论与实践的，就连我们几位年轻同志也曾知道不少原子方面的基本原理。可氢弹就不一样了，大家都是门外汉。现在上面给的时间又这么紧，但我想也没有什么，攻下原理这一关，我们就可以突破。”“娃娃博士”邓稼先平常就有一股诗人气质，容易激动。他的话像是给理论部的年轻科学家们打了一针兴奋剂。

“邓主任和王先生说得对，第一步我们就要抓原理研究，我想只要方向对头，应该是可以突破的。”于敏充满信心道。

“稼先和于敏兄在这方面是行家，有他们的理论功底，再加上我们这些人配合，应该不成问题。”周光召说。

“就是。我们敢向中央保证：一定在预定的时间内把我们自己的氢弹爆炸成功。”像以往的每一次会议一样，王淦昌感受到他手下的这批年轻人太有希望了。

“好，我们向中央报告，以求尽快投入原理研究。同时也把实验迅速开展起来，同步进行，一旦都有突破，合二为一，时间就能抢到了。”王淦昌说。

“听说法国的戴高乐要当‘氢弹老四’，我想我们绝不能当这‘老五’。争取把戴高乐比下去！”邓稼先的话又引起了全室一片欢笑。

然而科学之路毕竟无捷径可走，尤其是核武器科学。当人类要对原子、中子、微中子这些最小的物质进行分解和提取，在超乎任何人力与机械能量几千几万倍的实践过程中，那些奥妙与惊险的历程不知要使探索者付出多少艰辛，经受多少磨难！

王淦昌每每在临睡前都要向理论部的方向望上一眼，而每一次他看到的都是通明的灯火……“太晚了，大家要注意身体。”好几次他实在不忍心，进屋去动员年轻的科学家们早点休息，但每一次都被“赶”了出来：“王院长，你都快60岁的人了，还常年待在戈壁滩吃沙泡饭、睡帐篷床，我们加点班开个夜工，还不是受您老影响？什么时候戈壁滩上见不着您的身影了，我们才敢偷懒呀！”

有这些好小伙子，中国还愁干不成上天入地的事业？王淦昌常常被这些聪明绝顶而又可爱的小伙子们所感动。但是科学毕竟不是“小儿科的玩意儿”，核科学更是一门高新尖科学，其完成的过程就是从一切未知到有知的过程，可想而知它的艰巨性。然而中国的第一代核科学家们就是在这种条件下完成了对一个又一个未知世界的探索，并且在经济物质基础很薄弱的年代，使人民共和国因拥有强有力的核武器而令世界刮目相看。

中国的氢弹到底要搞到什么程度，当时王淦昌他们有两种考虑：一是完成热核聚变就行，如美国的氢弹试验装置用的是一个很大的固定体，这个装置本身进行了热核聚变就算完成了氢弹试验，这对王淦昌来说比较熟悉，他在研制原子弹时就成功探索了激光惯性约束核聚变，其本身就包含着这方面的突破。还有一种意见就是直接研制出能装上导弹头的氢弹。后来周恩来总理综合各方面意见，提出了氢弹试验也要像原子弹那样小型化的见解，因此王淦昌、朱光亚（时任副院长）和邓稼先、周光召、于敏等统一了研制方向，即不求大而求"爆"的战略决策。

怎么才能实现爆？大爆小爆在科学原理上并无任何本质区别，因此问题还是回到了攻克基本原理上。这一关谁也绕不过，用王淦昌的话说就是得"硬碰硬"。

当时碰到的第一个难点是关于氢弹爆炸的热核聚变的核数据还未掌握，没有核数据理论探索就等于大海捞针。为此女物理学家何泽惠率 30 多位科技人员，在王淦昌的另一位弟子丁大钊教授等曾进行过的轻核反应研究基础上，苦战半年，成功获得了相关的核数据。而同年 9 月于敏率领的一支小分队在上海计算机所不分昼夜战斗 100 天，探明了氢弹的热核材料自持燃烧等方面的关键性原理，为整个氢弹试验开辟出了一条光明的道路。

"于敏兄，太感谢你了！你为我们整个氢弹试验找到了一扇可以通向胜利终点的大门，哈哈哈，我太高兴了！太高兴了！"邓稼先得知上海的消息后，专程飞抵于敏处，当他见到于敏后拥抱了自己的这位好搭档，兴奋得像个大孩子。

"哎，稼先啊，我们都是上了年纪的人，你这个样子，我们都会吓出毛病来呀！"后来邓稼先在向周恩来总理汇报此次氢弹原理的研究成果时，由于太兴奋与紧张，竟然脸色苍白，连手都在发抖，周总理赶紧给他解围。

“我能不激动吗？数据和原理这一关过了，就等于我们可以大踏步地向实验的方向前进了！我又可以为不远的将来的胜利而喝个大醉！”事后，邓稼先在王淦昌面前分辩道。

王淦昌特别欣赏自己的这位得力助手，王淦昌本人不善言辞，可邓稼先是位激情豪迈的科学家，所以王淦昌打从心眼里喜欢这样性格的邓稼先。“于敏他们给我们的整个研究工作带来了喜人的突破，这个开头好。你和光召同志要抓紧从另一条路子入手，对已经取得的成果进行计算论证。这样我们才能从根本上攻克热核聚变原理。”王淦昌不愧是位站得高看得远的大科学家，他要求邓稼先这样做的目的，是使中国在热核聚变理论的研究领域超越西方国家的老路子，从而使中国以后的核武器研究工作摆脱许多被动局面。

邓稼先不负众望，很快另辟蹊径，并与于敏的研究成果形成了著名的“邓－于理论方案”。

“直接进行多级热核试验。”经周恩来总理亲自批准，王淦昌他们又开始了新一场向氢弹进发的决战。

由于氢弹的原理要比原子弹复杂得多，虽然邓稼先、于敏他们把热核聚变原理的研究完成了，但从原理到实验、到核爆炸成功，这过程又是极其艰难和漫长的。“假如能用不带核反应的冷试验解决问题，都用冷试验解决，这样可提高热试验的成功率，尽可能减少热试验的次数。”这是王淦昌日夜思考的问题。王淦昌是从旧社会走过来的知识分子，而且他多次从周恩来总理的口中得知国家为了进行核武器试验，政府和全国人民都勒紧了裤腰带，别人不懂，可王淦昌懂，在试验中多动用一个核反应堆装置，就等于要把几万甚至几十万人一年的口粮给花了。穷国办核工业，在当时的中国就是如此。王淦昌清楚这笔账，因而他作为主持实验的技术负责人，比别人想得更多一层。

但搞核试验的人都清楚，热核试验远比冷试验来得迅速而且见效快，冷试验的 10 次效果可能就只抵 1 次热试验。为此王淦昌带领大家付出了比原先多出几倍甚至几十倍的艰辛努力。而另一方面，正是在这样一次次冷试验之中，王淦昌他们很快解决了引爆设计中的许多关键技术。当实验中得到的技术再经过邓稼先等理论研究人员“回炉”后，整个氢弹研究工作便进入了实质性的研制程序。

氢弹试验工程实在太复杂和庞大，从热核材料的部件研制到产品设计、爆轰实验，再到物理测试，哪一个环节都得王淦昌操心。

此时的王淦昌已近 60 岁高龄，青藏高原和戈壁滩生活环境艰苦，许多人担心“王老头儿”扛不住。大家每天见他早出晚归，奔波在几千里的基地上，从细微的一次计算，到一个顶天立地的钢铁装置，玉淦昌都要过问。

“这个老头儿是什么官？怎么哪儿他都有权指指点点，可你看他吃的住的又都跟我们一样，不像是大首长呀？”一些第一次见到他的官兵们总会好奇地这样问。

当年与王淦昌并肩战斗在罗布泊的同志告诉我，“王老头儿”除了工作和技术，其他什么都不在乎。穿的也是绿军装，住的也是帐篷，睡的也是木板床。虽然中央有指示，王淦昌当年的待遇应当跟基地司令级首长一样，但见过王淦昌的人谁都不相信他实际会享受那么高的“待遇”。

王淦昌以一名忠于职守的科学家的良心和道德对待每一个生产和技术环节，在庞大的氢弹试验系统工程中，他承担着统率千军万马跨越各种艰难险阻的重任。然而令王淦昌意想不到的事发生了——

“报告王院长：北京城里全乱了，到处都是大字报，我们的‘灰楼’也被包围得水泄不通。”

“周光召主任的家都被抄了……”

有人把这些消息偷偷地告诉王淦昌。

“谁敢包围我们的‘灰楼’？那是毛主席和周总理亲自指定的国家绝密地方呀！为什么要抄光召的家？他又没做什么坏事！我要到北京给他作证！”王淦昌是个从来不知政治是什么的老知识分子，他根本搞不懂别人告诉他的这些情况到底是怎么回事。“说光召是资产阶级反动学术权威？那我们是什么呀？资产阶级反动学术权威怎么为国家造原子弹吗？瞎胡闹。我要找聂元帅问问清楚！”

王淦昌从来没有这样气愤过。

1966年12月27日，王淦昌想找的人来了。当聂荣臻元帅从飞机下来，来到指挥部帐篷时，王淦昌劈头就问元帅：“聂总，周光召是‘资产阶级反动学术权威’的话，我这个当老师的又是什么呢？你得给我说说清楚。”

聂荣臻当时一愣，继而笑了：“王先生，你当然是大大的‘资产阶级反动学术权威’哩！”

“什么？我、我是大大的‘资产阶级反动学术权威’？我？我怎么会是呢？”王淦昌瞅着大家，又瞅着自己草绿色的军装，一脸茫然。

“哈哈哈……”聂荣臻大笑，然后打趣他说，“王先生，你相信我是大军阀吗？他们骂我是‘大军阀’，还要‘火烧’我、‘万炮齐轰’我。可我并不怕他们呀！我告诉他们：毛主席让我指挥原子弹等核武器的研制，你们谁敢来‘火烧’和‘炮轰’我，我就让谁尝尝‘蘑菇弹’是什么滋味！你跟我一样，是毛主席和周总理让你来搞原子弹的，谁要说你是‘资产阶级反动学术权威’，你就告诉他‘你是革命的学术权威那就来罗布泊造造原子弹吧’！”

王淦昌被元帅逗笑了，自言自语道：“怪了，政治怎么比我搞原子弹还复杂？”

元帅的到来，使基地重新恢复了紧张而有序的试验工作。王淦昌心头的疑云也暂时消除了。爆轰之前千头万绪的准备工作，使得他无暇顾及北京和其他地方正在发生的事。千里戈壁滩上的核试验基地里有的只是一片神秘而紧张的战斗场面。

经请示中央，第一颗氢弹原理试验就在聂荣臻到来后的第二天进行。

王淦昌和邓稼先等科学家们感觉这一次试验似乎比两年前进行原子弹试验时还要紧张，原因是这一次大家心里都没多少底。“我到罗布泊不下 10 次，每次做这种试验，心总是提到嗓子眼上。成功不成功？你想得再怎么周到，总还是没有经过实践，何况这是国家试验，牵涉那么多人，花那么多钱，政治影响那么大。我记得有一次试验，当量当时知道了，在第二天才能知道物理试验的具体结果，会不会没有结果呢？那一夜睡不着，翻腾得厉害。真担心啊！心慌、心跳、紧张、不安，非常难受！我躺在床上，不敢动，也不好意思叫人，强忍着，现在想起来真后怕，那时我是 40 多岁，如果是晚几年，心脏就会受不了，就会死在那儿了……这种心情只有经历过的人才能体会，直到成功，简直不知该怎么形容那时的心情，欣慰？喜悦？久旱逢甘露，他乡遇故知？前面提心吊胆得厉害，知道成功了，又好像五脏六腑、三万六千个毛孔全都张开了，舒服极了……”于敏在十几年后对作家彭继超谈起当年，充满了真情切意。

1966 年 12 月 28 日，曾经让全世界震惊的中国西部罗布泊又腾起一团直升云霄的蘑菇云……

这便是王淦昌终身感到自豪的“大太阳”——氢弹爆炸成功了!

“王院长，你感觉怎么样?”在“大太阳”徐徐升起的那一刻，聂荣臻元帅上来握住王淦昌的手，关切地问。

王淦昌这一次并没有像原子弹爆炸成功时那样跟着年轻人一起扔帽子狂欢。元帅的关怀使王淦昌吐出了一句真言：“不轻松，太不轻松了!”

元帅听后，默默地点点头，因为这仅仅是开始。此时此刻，元帅心头不由涌起一阵难以形容的忧郁：唉，罗布泊的“大太阳”虽然升起了，可当量级的热核聚变还有很远的路要走，但元帅最担心的不仅是这些，他担心的是一场已经开始袭击神州大地的劫难……

“‘文化大革命’?”

“知识分子被叫做‘臭老九’?”

“有功之臣变成了反动学术权威?”

唉，天真的要变了?可不该变嘛。元帅望着身披绿军大衣、后脑勺微微光溜的王淦昌的背影，心头一阵痛楚：都是这么好的老科学家，忠心耿耿对祖国，凭哪一点把他们推到“资产阶级反动学术权威”“牛鬼蛇神”之列呀?我能保得住他们吗?像我这样一个被别人“火烧”“炮轰”的人?

聂荣臻对天长叹一声：唉，老天啊，能多给我几年时间，中国的核武器就可以在世界强国之林有自己的一席之地，中国人也可以不再受人欺压了。

然而面对突发的政治风云，席卷全国的暴风骤雨，身为元帅的聂荣臻都是一片茫然，更何况从不问政治的王淦昌。

劫难来临，中国核武器发展的历程开始陷入可怕的境地——

1967 年初，当中央大当量的氢弹“实弹”试验决定正式下达后，一些重要部门和生产基地却像断了齿的轮子，就是转不动。

那个试验必须用的铁塔制作任务交给了华北某金属结构厂加工，可人家根本不做。

“张震寰，你去用 3 天时间给我把这个问题解决了！”周恩来总理亲自过问并指定大员。

张震寰作为氢弹试验的基地总指挥抽不开身，周恩来又重新派遣另一位大员到华北这个金属结构厂，可那位大员去后用了整整 12 天 12 夜才总算动员职工回到车间干活。

至于王淦昌他们急需的一些部件，更是催张三张三说要“革命”没时间，催李四李四讲“批判”还没完。“这样还能干事吗？勿来事勿来事！”王淦昌一着急就冒出几句别人听不懂的常熟土话来。

“啥都可以马虎，科学实验是马虎不得的。这样搞法我们什么时候才能完成更大的核试验嘛！”王淦昌向周恩来总理和元帅们发起牢骚来。

于是一封以中央军委名义写的“特别公函”产生了。

“毛主席号召做的事绝不能耽误。”

“特别公函”所到之处，全都“坚决拥护”。

“为试验发展中国核武器做贡献是顶顶光荣的事”，成了千军万马的战斗号角。然而，被“革命”和“造反”弄得神魂颠倒的一些人已经难以控制自己的狂热情绪，就连国家一级机密单位的人也跟着发疯与发高烧。

第一颗氢弹原理试验爆炸成功后的第二天、第三天，聂荣臻元帅在基地的马兰招待所主持了一次核武器试验高层会议，基地指挥方面的负责人有张震寰、张蕴钰、李觉、胡若嘏等，技术负责人有专程从北京赶来的钱学森和一直在基地工作的王淦昌、彭桓武、朱光亚、程开甲、郭会英、于敏、周光召等。元帅给大家出的议题很明确：总结此次核爆经验，来年进行百万吨当量的空投氢弹核试验。

“大家谈的时候不要过于拘谨，随便些。”元帅的话，使会场气氛顿时活跃起来，特别是听说来年就要搞大当量级的空投氢弹试验，将军和科学家们群情振奋。

“不过我要提醒大家一声：眼下到处都在贴大字报、抄家，可这样的风我绝不允许它刮到基地来，也不允许它对准我们这儿辛辛苦苦工作的科学家们。我们这儿是什么地方？我们这些人是干什么的？是毛主席、党中央亲自领导指挥的最高机密单位呀，乱冲乱批还了得！大家放心，有我在，你们该干什么还干什么。谁要想动你们或者想在基地上打主意，我和几位老帅都说了，那就拿我们的命一起抵上！”

王淦昌他们听完元帅的这番话，内心泛起无比感激的巨澜。尤其是周光召，这位已经被冲击得不轻的科学家，身体又有病，在元帅亲自过问和保护下，才摆脱了造反派们的无理纠缠，来到基地重新参加激动人心的核试验。

其实，此时此刻“造反有理”的风暴已经刮遍全国的每一个角落，元帅本人都没有想到，他可以统率千军万马与敌人浴血奋战，但现在却被“火烧”得无处躲藏。无奈，聂荣臻回到北京，看到早已为他准备好的临时搭起的批斗台上写着巨幅“火烧聂荣臻”的标语，悲愤道：“我倒是愿意把自己身上的缺点错误都烧光，这样可以更好地为党工作。可现在有人说要烧焦我，当心别被我聂荣臻烧啊！”

元帅有句话没有说出来，那就是：我是在领导毛主席和党中央交付的核科研大业，这是关系到民族存亡、国家不受别人欺负的头等重要的事，你们这样折腾，那是犯大罪呀！

然而，狂热的人们谁把元帅的话放在心上？

一向被外界视为“苍蝇也飞不进”的罗布泊核试验基地也发生了一连串荒唐的事——

突然有一天，一辆全副武装的吉普车横冲直撞地开进基地禁区，警卫人员想拦住，结果反被对方缴械。谁敢这么胆大妄为？一打听，原来是那个通天人物毛远新。

“谁敢冲核试验基地，就给我通通逮起来，一个也不放！”元帅火了。一道命令下过，那个“中央文革”派来的要员毛远新被官兵们押进一间小黑屋。

“谁干的？给我马上放人！”北京的康生冲着元帅高嚷起来。元帅义正词严地回答：“放人可以，但得毛主席、党中央批准。核基地是国家保密地方，难道你们‘中央文革小组’的人连最起码的常识都没有？”

这算是一件荒唐事吧。下面的一件事听了之后更叫人心惊肉跳：

那是 1967 年 6 月 17 日，这一天是中央决定的首次空投氢弹爆炸试验的日子，聂荣臻亲自在基地坐镇。

空投爆炸时间定在上午 7 点。一切准备就绪，元帅和王淦昌等行政和技术领导人员都进入了指挥室，等待空军飞行员驾着载有 300 万吨当量的热核装置起飞。

“嘶——”空军飞行员徐克江驾驶着 726 号轰 –6 战机准时从马兰机场起飞。

元帅和王淦昌等基地指挥员与科学家们密切关注着战鹰，并且不时指指点点。

8 点整，徐克江的飞机进入空投区。地面指挥立即发出“10、9、8、7、6……2、1 起爆”的命令。

10 秒、20 秒、30 秒过去了，飞机竟然还在平稳地飞行，而元帅和王淦昌他们期待的大爆炸却迟迟不见。

怎么回事？元帅不安地看看王淦昌，王淦昌则用更加不解的目光看看元帅，无声的目光分明在说：这是飞行员的问题啊。

是吗？元帅又把头转向穿越于白云间的轰 -6 战机：嗯，好嘛，它还在天空中转悠，好你个家伙！

“快给我接通飞行员，问清到底是怎么回事？马上！”元帅发脾气了。

“报告聂老总，飞行机长徐克江说他因为背毛主席语录而一时忘了按自动投掷器！”

元帅脸色发青。

“报告聂帅，北京来电。”

“不接！”

“是总理的。”

元帅这才接过话筒：“是总理啊，我没有完成好您和毛主席交给的任务呀。”

“怎么回事呢？是技术故障？人员有没有伤亡？”这是总理关切而焦急的声音，“好，没有伤亡就好。告诉徐克江同志，请沉着冷静，不要紧张。”

总理的指示和元帅的话一起被带到了白云间的战机上。机长徐克江定了定神，将拇指贴向自动投掷器，继而用力一按……

顿时，他看到被自己抛出的一个白色圆柱体飞速地坠下，瞬间，一顶猛然张开的降落伞使劲想拽住下坠的圆柱体。只见白色圆柱体在与地面即将撞击的那一瞬间，一个巨大的“太阳”闪着强烈炽人的光芒，亮彻整个天宇和大地……

这就是我们中国的氢弹！

又一个被王淦昌称为“大太阳”的核武器诞生了！

不知为什么，王淦昌的眼里盈满泪水……

在中国核武器试验中具有伟大历史意义的空中投掷氢弹成功爆炸后，王淦昌便接到了周恩来的指示：着手研究地下核试验问题。

20 世纪 60 年代，自从美国的奥本海默完成“曼哈顿计划”，苏联的库尔恰托夫院士也在斯大林元帅的紧逼下相继完成多次原子弹试验。当时的美苏英几个超级大国一方面为抑制对方的核试验，一方面想永远保持自己在全世界的核霸主地位，签订了《部分禁止核试验条约》。毕竟核武器具有巨大的杀伤破坏效应，大量的核试验，会造成自己国土家园自然环境的严重破坏。因此所有负责任的政要最终都会考虑核试验的最佳方式，低当量的地下核试验就是在这种情况下被提出来的。

王淦昌在接受这一新命令后立即开始了部署。10月，他与自己的学生、后来也成为杰出物理学家的程开甲教授（时任西北技术研究所所长）组织召开了我国首次地下核试验讲座。会议的主题非常明确：争取在一两年内将地面核试验多数转入地下操作。在这之后，王淦昌作为我国地下核试验的直接组织者和领导者，全面担起了理论与设计的重任。繁重的工作使他不得不奔波于罗布泊和北京之间。然而这位年已六旬的老科学家不曾想到在他从事如此机密和重要的工作时，一场他根本弄不懂的劫难正像洪水猛兽般向他袭来……

“那一天王先生从青海回到北京，我开着他的伏尔加专车去接他上班。在王先生将要钻进车内时，他突然站住了，然后绕到车子后面，半天站在那儿一动不动。我急了，以为出了什么事。过去一看，原来车后的玻璃上又被造反派贴了张标语，那上面写着‘反动学术权威’几个大字。我看到王先生的脸色气得发白，嘴唇微微颤抖着。‘这帮狗 × 的！’我心里骂了句，因为在王先生回来之前就有人已经贴过同样的标语，可每次都被我撕了。我没有想到今天又有人贴上了。为此我曾向李觉副部长反映过，李觉将军当时已经升任为二机部副部长了，他也很气，说王先生这样的科学家是‘国宝’，怎么能不负责任地说他是‘反动学术权威’？李将军指示我不要让王先生知道这样的事，以免刺激王先生。可是那天我还是没有'把好关'。"时隔 20 年，我采访跟随了王淦昌十几年的司机大邵同志时，他仍然怀有几分内疚。大邵全名叫邵春桂，现已退休在家，这位经历过朝鲜战场洗礼的老战士，自 1960 年来到核研究所（院），之后就成了王淦昌的专职司机，同时又"兼职"王淦昌的"随身警卫"。"'文化大革命'那十年里，王先生他们一批科学家受到了极不公正的批判和冲击，受尽苦难。外界都不知道，其实那些年正是我国核试验搞得最多、任务最重的年头。在这种情况下，王先生他们的日子可想而知有多不易啊！"大邵感慨万千。

王淦昌平时是个"好好老头儿"，从不跟别人计较什么，埋头业务工作，完成国家和人民交付的任务，是他最大的乐趣和追求。他的女儿说过这样一句话："我父亲从来不知道向单位和上面要点什么，所以单位的人一说起我父亲就是'王先生那里不会有什么事的'。他就是这样的人，倒是我们这些儿女和家人常常被他弄得一肚子气。"

但王淦昌的大智慧又决定了他不是一个别人想嘲弄就嘲弄、想侮辱就侮辱的人。

"我是'反动学术权威'？反动的人可以参加国家最机密的核试验？天下哪有你们这样的'革命者''造反派'？"王淦昌本来就不善言辞，有话常常心里说。

这回他火了，一连几天在心里骂人。

好啊，你们说我是"反动学术权威"，那我就"反动"吧。王淦昌做出了一个"重大的决定"：不再坐专车，改乘公共汽车。

王淦昌住在中关村，距工作单位——坐落在花园路的"灰楼"有相当长一段路程。原先每天都是大邵车接车送——这也是中央规定的王淦昌应享受的待遇，一方面是出于照顾，另一方面也是为了保密。自隐姓埋名后，王淦昌他们在一般情况下不允许自由出没于公众场合。这回老先生不坐专车，可把大邵急坏了，万一要出了什么事，或者泄密了怎么办？

“王先生，您快上车吧！你越这样人家越会注意您的。”“伏尔加”里的大邵一边把车挡和油门降到最低，一边红着脸跟在王淦昌的后面不停地叫唤。

王淦昌只管自己走，他不理那一套，既然昨晚决定不坐车就永远不坐车了！他从家门出来后直奔开往花园路的331路公共汽车站。他这样上了车，可把大邵害苦了，只得开着“伏尔加”跟在公共汽车后面，快也不是慢也不是，一路上被那些同行的大大小小的其他车子的司机骂得狗血淋头。331路车到站了，王淦昌从公共汽车下来后照样步行，任凭大邵大呼小喊。

一连数日，王淦昌和大邵天天这样“对峙”。结果吃不消的不是60多岁的王淦昌，而是身强力壮的大邵。可不，当时组织上向大邵交代让他为王淦昌开车时就说得明明白白：“王淦昌先生是我们国家杰出的科学家，要像保护高级首长一样保护他，不得出任何差错。这是一项极其重要的革命工作。”大邵是革命战士出身，组织和领导的话就是神圣的命令。虽然大邵不太清楚王淦昌到底是在从事什么工作，但从王淦昌经常进出中南海，经常去见周恩来总理等国家领导人，便知道他是个不同寻常的人物。大邵深知自己的肩上负有保卫王淦昌安全的特殊使命，可自己是大字不识几个的大老粗，怎么去“教育”一位有具有世界影响力的大科学家呢？那段时间可把大邵急坏了，当时北京大街上已经很乱了，谁能保证不出点麻烦？怎么办呢？

“伏尔加”像只蜗牛似的跟在331路公共汽车后面，然后再跟着王淦昌一步一步地慢行着……望着性格耿直的“老头儿”，大邵突然灵机一动：有了——

“王先生你爱不爱国？”大邵把“伏尔加”贴近王淦昌，然后伸出半个头冲王淦昌这么说。

王淦昌一愣，停下步子，两眼直盯着驾驶座上的大部："我怎么会不爱国？"

大部心里偷偷一笑，"老头儿"上钩了！便装出一副特别认真的样子："我看你不爱国。"

"我怎么不爱国？我不爱国怎么会……"王淦昌想说出"去为国家造原子弹、氢弹"的话，但一想纪律，便改说，"我不爱国为啥当初从德国回来到浙江大学去教书，后来参加了社会主义建设？"

"我看你不仅不爱国，而且你还里通外国……"大部是有意气他的。

可对人情世故一窍不通的王淦昌哪能清楚大部设下的"圈套"，于是便怒冲冲地说："我怎么会里通外国？你胡说八道！"

"真的？真的是胡说？"

"当然，绝对是胡说八道！我怎么可能会去里通外国呢？"王淦昌挺着脖子，分辩道。

"那——你为什么不坐专车？"大部开始"阴谋"了。

"那是人家骂我是'反动学术权威'！可我不是！笑话，我怎么会成'反动'的人，成为坏人呢？"王淦昌一提起"反动学术权威"的事气不打一处来。

大部哈哈大笑起来，说："王先生既然你坚持自己不是'反动学术权威'，不是里通外国，那就证明人家确实是在胡说八道。既然你认定人家是在胡说八道，干吗还理他们，生他们的气呀？值得吗？您生了气，影响了工作，您说谁高兴？还不是那些想整倒你的人高兴嘛！所以你犯得着吗？"

司机大部这劈头盖脸的"反击"，可真把王淦昌给点拨开了：是啊，我凭什么跟那些无知又鲁莽的人计较呀？他们哪能理解我们这些连自己真实身份都要隐藏起来的人一生所追求的是什么呢？真糟糕，我干啥自己生自己的气？想到这里，王淦昌止住了步子。

“上车吧，再不上后面的车就要顶我们的屁股了。快快！”大邵借机给我们的大科学家一个台阶让他下。

就这样，王淦昌重新坐进了“伏尔加”。

1969 年，党中央正式做出进行一次地下核试验的决定，并任命王淦昌为此次核试验的总指挥。同以往的核试验一样，中央的重大决策一旦下定，所有相关的制造与参加试验的数百家工厂、数十家研究单位、数万人将要投入紧张的运转。曾有位元帅说，每搞一次核试验，就像进行一场战争，牵涉的是一个庞大的队伍。

可是人呢？人都到哪儿去了？王淦昌从北京飞抵罗布泊一看，昔日人声鼎沸的战场，怎么就见不着几个人了？

“老院长您总算来了，我们的人都被拉去开批判会了，这儿已有一两个月没正经搞生产了！”有人走过来悄悄告诉王淦昌。

一两个月没工作？这还是不是核试验基地了？王淦昌心头之火直冲脑门。他找到上面派来基地“支左”的头目、人称“恶二赵”的两个人（此二人后来被镇压），责问道：“是中央的命令可以不执行吗？”

“恶二赵”见中央有文，便自知不好正面与王淦昌较量，便悄悄避到一边去。然而没有人干活怎么行呢？地下核试验可不是往地里种萝卜，缺任何一个环节的人马，就会使得整个系统无法正常开展工作。身为地下核试验的总指挥，王淦昌心急如焚。他又一次找到“军管会”头目“恶二赵”，要求他们赶快停止把大队人马整天拉出去搞运动。

“那怎么行！伟大领袖毛主席亲自发动的‘文化大革命’，本身就是一场史无前例的革命群众运动，广大群众不参加还叫什么运动，而且这也是‘中央文革小组’的指示，我们要坚决执行，谁都别想破坏这场伟大运动的开展！”“恶二赵”气势汹汹，一副革命干将的派头，根本没把王淦昌这个“总指挥”放在眼里。王淦昌是个忠于职守的人，想不到碰了如此一鼻子灰。当天，他用机密电话向北京汇报了基地的情况。

“胡闹！地下核试验是毛主席、党中央做出的决定，怎么能耽误呢？一定要恢复生产和科研工作，该上班的同志都得回到第一线！这是中央的命令，必须执行！”周恩来得知后，直接给基地打来电话。

“恶二赵”无可奈何地硬着头皮开会传达，然而基地的广大干部群众和指战员恨透了这两个人，没有人理他们。这一下“恶二赵”反倒紧张起来了。他们明白，“文化大革命”重要，可核试验也不是小事，每次核试验执行的都是铁的纪律和铁的命令，跟打仗没有两样，谁真要耽误了，或者在试验过程中出了什么事故，那可是天塌下来的事，谁顶得住呀？“恶二赵”只得极不情愿地张罗人开工。但已经陷入混乱的基地竟然到了想动也动不了的地步。

无奈之时，“恶二赵”找到了王淦昌：“王总，这可怎么好，找不到人上班呀！我们是下了很大功夫的，可还是不见效，是不是由你把这里的情况向中央汇报汇报？”

王淦昌不傻，知道对方是想把皮球踢到他这边来。思忖片刻，他说：“既然这样，就用我这张老脸去做做工作吧。在中央对地下核试验规定的时间内，我们一定要按时完成，否则就是对不起毛主席。你们说呢？”

“恶二赵”心里是极不服气的，心想凭你一个“资产阶级反动学术权威”还想呼风唤雨？笑话。好吧，既然你王淦昌把难题揽了过去，一旦出了事，上面怪罪下来，你就一个人担着吧，到时再来收拾你这个“反动学术权威”可就更容易了。于是，“恶二赵”装出几分谦逊的样子，连声说：“好好，王总亲自动员一定会见成效，我们尽力配合，尽力配合。”

危难之际，王淦昌心头比谁都着急。其实基地广大干部群众、科技人员和指战员都很关心地下核试验的事，只是大家恨透了“恶二赵”破坏生产和整人的那一套，一些胆小的人甚至惧怕他们的疯狂行径，所以宁可少找点麻烦。面对如此一盘散沙，王淦昌怎能不急？

“同志们，我们干的这个事业已经比西方世界落后了一大段距离，可不能再耽误了呀！大家应该清楚，科学试验需要花的时间很多，我们本来就有很多事情要做，再搞‘运动’和整天开‘批判会’，生产和科研就没有了保障，这就完不成中央交给我们的任务了！”

“地下核试验意义重大，它可以丰富我们过去在地面和空中试验的经验，能掌握许多新的数据。所以大家一定要抓紧时间，全力投入工作，以最快的速度通过地下试验这一关！”

王淦昌凭着自己在基地上年岁最大、资格最老的威望，一个个科研室、一个个生产车间地跑，一遍又一遍地跟大家讲道理。当时的科研人员连看业务书都被禁止了，只能在自己的家里偷偷看。王淦昌就利用三顿饭的就餐时间，挨家挨户去请出科研人员带着业务书上研究室学习、研究问题。

生产部件的车间里不见一个人，王淦昌拖着带病的身躯，到处寻找车间主任。车间主任告诉他：“王总啊，我们都已经被人家夺权了，再出面也没有人理我们啦。再说，大伙儿真的来上班，连食堂里的饭都吃不上啊。大师傅们也都回家的回家，闹革命的闹革命去了，不好办呀。”

看看车间主任为难的样子，王淦昌急得直搓手，他是个科学家，能独自运算和设计无数错综复杂的中子、原子难题，也能作为核武器科学研究的主要领导与组织者指挥和处理各种千头万绪的业务工作，但他却从来没有做过行政工作。面对车间主任和下面提出的类似难题，王淦昌不知该如何是好。深思之后，他突然对车间主任说："能不能把同志们的家属发动起来，让她们给大家做饭？"

"这……"那位车间主任想了想，说，"倒是个好办法。可谁给她们开工资呀？我们职工的钱都是上面按人头拨下来的，家属们干了工作也不能从财务那儿拿到钱呀！"

"这个问题我能解决。"王淦昌不假思索地回答说，"可以由我来给她们发工资嘛！"

车间主任不由捧腹大笑起来："王总您能有多少钱给大家发工资呀？再说您真给大家发了，人家'造反派'会说您是在雇工人干活，是'剥削阶级'的行为嘛！"

王淦昌一下子愣住了，心想对呀，这倒是个难题，于是嘀咕道："那还是我去动员那些烧饭的大师傅吧。"

也许正是基地的干部群众和科技人员们看在他们的老院长这么认真和天真的份上，再加上王淦昌本来威望就高，所以大多数部门和机构的工作人员都回到了自己的岗位上。然而问题并不那么简单，被"恶二赵"人为搞成的两派只要一发生冲突，基地上的生产和科研就会受影响，甚至停工停产。派别斗争在当时已经严重到拿枪拿重武器的地步，为了让双方停止武斗，回到生产和科研一线上来，王淦昌不止一次冒着生命危险亲自跑到两派的"司令部"劝说。

"你们都清醒地想一想，现在是啥时候了？按照中央规定的时间我们已经紧得不能再紧了。你们大家都不能再情绪化了。搞地下核试验是国家大事，大家要以国家利益为重，否则将来就会变成历史的罪人！"正是王淦昌一次次苦口婆心地劝说，才使基地上水火不相容的两派休战而参加正常的核试验工作。

但还有一个难题，由于派别斗争和管理上的混乱，一些原先回北京休假或者办事的人都借机不回基地，使得基地不少岗位的人手异常紧缺。王淦昌利用自己经常回北京汇报工作的机会，抽出时间走访那些留在家里的同志，劝说他们返回基地。

“九院”家属大院中不少老同志感慨地对我说：“那阵子王院长天天串东家走西家地找人，碰见一个就盯住一个不放，一直到人家同意回基地为止。说句心里话，好多同志回到基地，就是冲着老院长的面子。没有他呀，我国的第一次地下核试验还不知要拖到什么时候呢！”

如果不是王淦昌上上下下动员，如果不是凭着他崇高的威望，被“恶二赵”把持大权的基地在那几年是绝不可能进行任何实质性的试验工作的。基地的人们还记得，当时从乌鲁木齐通往基地关口的要道，都被两派的“造反派”重兵把控，别说物资不易运送，就是行人常常都要被扣下。

一次，王淦昌和随行的几个要员刚出乌鲁木齐机场就听到激烈的枪声。而通往基地试验场的通道则被“造反派”们死死地把守着。

“怎么办？我们带的都是机密资料，可不能被坏人抢走啊！”王淦昌着急地在原地转圈。

有人建议绕道而行。“不行，一旦途中发生情况，资料丢了怎么交代呀？得重新想办法。”王淦昌急中生智，连夜给有关部门打长途电话，于是很快来了一架飞机将王淦昌一行安全送抵了核试验基地马兰。

今天很多中国人为自己国家拥有强大的核武器而无比自豪，谁能想到当年王淦昌他们进行试验工作时是那样的艰难！

中国的科学家们太不易了。他们的爱国主义、敬业精神和无私奉献行为将永远成为人类科学史上高高耸立的不朽丰碑。

其实，很多人为的障碍不管怎么说，还是可以通过特殊的途径清除和克服的，然而科学技术上的难题则有时就要求科学家们付出更大的代价。中国的地下核试验，实际上是放在了一个人工挖掘的山洞里进行的。这个洞长达 1 公里。在这样深的洞穴里装配原子弹，其难度要比在地面上大了好多，特别是几百根各式各样的线路，每一根都要拉几公里长，接头与接头之间、线路与线路之间，稍稍有一点点问题，都有可能酿成大难。

为了确保所有地下装置与线路不出任何问题，王淦昌一面向各个环节与系统提出要求，一面亲自深入洞内现场指挥和监督每道工序的操作和检验。

一次，探测器突然发出“啪啪啪”的响声，王淦昌立即赶到现场，询问是不是产品本身有放射性物质泄露了，是不是山体本身有贫铀矿存在？为了查清真相，王淦昌一连几十小时钻在幽暗潮湿的山洞内，而那时的他已是 60 多岁的老人了。

到底是什么东西在作怪呢？经过反复测试，终于查明了是一种叫氡气的东西在作怪。氡气是一种放射性有害气体，对人的呼吸系统有很大损害。王淦昌得知真相后，看到在洞内工作的解放军小战士们根本没有任何防护措施，心里特别着急，便一个个告诫他们：“小同志们，大家在干完工作和吃饭时尽量不要待在洞内，那样会很危险的。在工作时，一定要戴上防护口罩。千万千万记住我的话，人的生命宝贵啊！”

“他这不是宣扬活命哲学吗？”

“这是扰乱军心！”王淦昌没有想到早已想治他的“恶二赵”一帮人，竟然把他关心战士们的话当作“反动言论”，给他扣上高帽子，公然在大会上指名道姓地让“革命群众”批判。

“王院长，他们把大字报都贴出来了，您还是先躲几天吧。”地下幽暗的黑洞里，几位好心人过来劝王淦昌。

王淦昌两只眼睛一下子瞪得老大："我躲什么呀？周总理交代的任务谁来完成？氡气就是有毒嘛，他们懂什么？同志们长期在洞内，不注意防护就是要伤身的嘛！我叫大家注意点有什么错？他们这样批判我，我要向总理汇报，看看我到底有没有错！"老科学家较起劲来谁都拉不住他。那一段时间里，王淦昌一边带着大家工作，一边嘴里不时地冒出话来："什么叫'活命哲学'？我们是搞科学的，科学讲究的是实事求是嘛！"

在试验第一线工作的同志和解放军指战员，都深深地被王淦昌的言行所感动，正是老科学家的一颗爱国的赤诚之心，影响了全基地参加地下核试验的将士与科技人员。在大家的共同努力下，试验准备工作热火朝天地进行着。

然而，地面上的"大批判"一浪比一浪高。当"恶二赵"赤裸裸地批判王淦昌是"反动学术权威""笑嘻嘻地腐蚀青年人"时，一位与王淦昌经常在一起工作的同志实在看不惯"恶二赵"的行径，便责问"造反派"："像王淦昌这样好的专家，你们都要批判，那这个世界上就没有好人了！"就这么一句话，这位同志竟然被"恶二赵"一伙抓了起来，并戴上了手铐，拉到刑场进行惨无人道的"假枪毙"。

王淦昌得知此事后，潸然泪下。他愤怒地对天长叹："我们辛辛苦苦干工作错在什么地方？"他终于倒下了，血压骤然升高。但是他知道核试验远比自己生命重要得多，于是不顾大家的劝告，连续三天三夜在现场指挥，把最后的核装置和干燥剂放进洞穴。当工兵用最后一块水泥封死洞口时，指挥系统传来紧急状况：控制台的电压几乎全没了！

这还了得！没有电源怎么引爆在地底下几千米的原子弹呢？

"把洞口重新打开，我要进去检查！"王淦昌立即命令道。

"不行，王院长你不能进去，里面已经有了核物质装置，太危险了！你绝不能进去！”战士和现场的同志们组成一道人墙，把王淦昌拦在外面。

“你们都给我闪开！这是技术方面的问题，我有权负责处理。谁也别想挡住我，走开，让我进去！”王淦昌扒开人墙，又指挥工兵迅速拆除封口，猫着身子，钻进深深的山洞之中……

后来终于查出了事故原因：一个地方的电线“脱壳”了！

这一事故，使王淦昌下决心发动基地人员重新从头到尾对已经装置好的整个核爆系统进行了全面检查。

1969 年 9 月 23 日，经党中央批准，王淦昌和参加试验的上万人在几十公里外的山巅上，亲眼看到在天山支脉的一个山体上扬起滚滚尘埃，听到从千米地下发出的阵阵闷雷，回荡在千里天山南北……

我国的第一次地下核试验成功了！

“老院长，我们成功啦！我们终于完成任务啦！”

当大家兴高采烈地向王淦昌祝贺时，这位“两弹元勋”的脸上只露出了一丝十分凝重的微笑……

王淦昌带着地下核试验成功的喜讯回到北京，然而当他回到那座熟悉的“灰楼”时，一切突然都变得陌生了。

“王淦昌先生，根据林副主席的‘一号命令’，我们决定把在北京的九院所有机构，迁至四川绵阳一带，这是一次极其重要的大迁移工作。组织决定你也一起迁至那儿。”二机部“军管委”正式通知王淦昌。

“我一个人去，还是家属都迁去？”王淦昌问。

“当然是全家都去。而且，你们要做好长期工作、生活在那里的准备！”

“好的。我回去马上做迁移准备。”王淦昌丝毫没有想过其他什么问题。在他看来，自己所从事的工作，本来就是高度机密的，几年前自己连名字都改了，这很正常。只是这一次是大迁移，所以他想到了家的问题。回到家里，王淦昌对老伴和子女只说了几句话，就把全家离开北京的事全都定了下来。20多年后，王淦昌的子女谈论起当年从北京搬到四川的事时，对“老爹”王淦昌一肚子气：“他一年不回来几天，有一天突然从青海回来，告诉我们说要把家都搬到四川山沟沟里去。我们一听都呆了——北京好好的，干啥要跑到那么远、那么偏僻的地方去呀？我们和妈妈跟着他一辈子过着到处颠沛流离的生活……”这是后话。

王淦昌当然不明白中央作出这项决定的大背景。就在王淦昌忙于在罗布泊组织地下核试验时，北京发生了一件大事：9月11日，周恩来总理和苏联的柯西金总理在北京机场进行了一次历史性的短暂会面。这次会面，是中苏两个大国在敌对了近10年后双方彼此的一次试探。在柯西金走后的一个多月，也就是在王淦昌报告第一次地下核试验成功消息后的第22天，北京中南海里召开了一次重要的政治局会议，主题只有一个：研究当前国际形势和苏联战略动向。不知哪儿来的一份情报显示，苏联内部有人主张趁中国的核武器发展尚不够充分的时机，对中国的核设施进行一次“外科手术”式的毁灭性打击。这使得中国领导人怀疑苏联真的想对我们中国突然发动核袭击。会议经毛泽东批准，政治局做出决定：在全国立即开展一场“深挖洞，广积粮，不称霸”的全民战备动员。为防患于未然，党和国家的领导人不管有无问题，一律紧急撤离北京。根据这一精神，毛泽东随即到了武汉，林彪到了苏州，只有周恩来留在北京“守家”。

王淦昌一家服从命令，很快到了目的地——四川绵阳（而今的长虹集团便是当年王淦昌他们的九院下属单位）。司机大邵一家跟着王淦昌“荣幸”地一起到了绵阳那片山沟沟里，并且这一去就是近20年。下面是大邵回忆到四川后的有关王淦昌的一些情况——

开始部里说了，凡是重要的领导和院长们都要迁到那里，可等我们一到那儿住下后，发现院级领导中就王先生一家搬去了。其他的院长都没有去，房子留着，常年空空的。我对王先生发过牢骚，说你看人家，根本就没打算来。我们倒好，一下子把全家的户口都迁到了这儿，现在想回去都没有门了。王先生说，别人我不管，可我们来这儿没有错，九院把主要人员和技术设备都搬来了，今后这儿就是我们工作的机构，我们不待在工作的地方还能干什么？王先生就是这样一个人，在他的心目中，从来不去想那些乱七八糟的私事，只要他认为是上面交给的任务，不管在哪里，不管是干什么，他都要全身心地投入，直到完美地把它做好为止。那时绵阳的条件极其困难，连孩子吃的食糖都得从北京带过去。而我们的九院工作区为了适合战备需要，整个工区和生产厂区铺得特别大，共占6个县的地面，近的相互间距离三四十公里路，远的达一百多公里。整个绵阳地区实际上成为中国核武器试验的大本营。那时王先生已经是近70岁的人了，但他是生产和技术的总负责人，所以几乎每天都要在几百公里的工区里奔波。当时我们所在区域还有不少国民党残留部队，敌情很复杂。每次跟王先生出门，我必须带上武器，随时准备应付不测。由于受“文化大革命”影响，许多工厂生产停停干干，这给王先生的工作带来了极大困难，他既要安排科研工作，还要做人的工作，那几年真是难为他了。绵阳地区又是地震多发区，我和王先生多次出门碰上地震，我担心他出事，不让他往下面的工区跑，他哪肯听！地震一来，夜里我把他拖到汽车上睡，他就是不去，说怕什么？我是搞原子弹的，震波多大，对人类危害多大，我心里都清楚。他照常睡在屋里。有一次我问他，王先生你真的不怕地震砸死人啊？他嘿嘿一乐，说死谁都怕，只是你心里装的其他事多了，死的事就让路了。我相信他的话，因为他心里装了那么多工作，哪能顾及自己的生死？但就是王先生这样一个勤勤恳恳、兢兢业业为国家做贡献的老科学家，“四人帮”一伙仍没有放过他。青海基地的“恶二赵”派人把王先生抓到罗布泊，说是“工作需要”，实是为了批斗他。而在后方的绵阳，他们则进行大抄家。我知道王先生家里的东西都是国家核武器试验的重要资料和文件，所以我坚决不让“造反派”动一动。为此，“造反派”也给我扣上了“反动学术权威的司机”的帽子，但这也并没有使我在抄家问题上屈服。我一直死死地把着王先生家的门，就是不让“造反派”进王先生住的房子。后来总算达成了一个“协议”：把房子封存起来。我心想这一招也行，既保护了王先生的东西，又可以过抄家这一关。但“造反派”头头警告我，说你以后不准再照顾王淦昌了，就是他从青海回来也不能开车去接。不几日，王先生真的从青海回到绵阳，我偷偷开车去接了他。王先生见了我还特别高兴地对我说：“还是绵阳这儿好，这儿我就不是受批判的坏人了。”他哪里知道这儿的斗争有过之而无不及，只是许多好心人一直全力在保着我们这位可敬的老先生而已……

1975 年，因“文化大革命”中断数年的第二次地下核试验又重新被列入议事日程，时已 68 岁的王淦昌仍然以技术总负责人的身份，与小伙子们一起，从吐鲁番到戈壁滩，乘着汽车，整整颠簸了 11 个小时，到达爆炸地。

“让我再进洞看一遍。”同每一次核试验之前一样，王淦昌坚持要在最后时刻亲自检查一下装置和线路。当在场的人看到老先生吃力地猫着腰在低矮的“猫耳洞”里钻进钻出时，都深深地感动了。

大爆炸依然在王淦昌的主持下获得预期的成功。

这一年，正是邓小平重新出来主持工作的年份。

这一年，王淦昌的化名“王京”又出现在周恩来总理主持召开的第四届全国人大常务委员会委员名单上。

1976年，70虚岁的王淦昌再赴风雪弥漫的青海高原，在一望无际的“死亡之海”腹地又一次成功进行了我国第三次地下核试验。

经过代号为“21−91”“21−92”“21−93”的三次平洞地下试验，我国的空中、地面和地下核试验基本走完了圆满的历程。王淦昌带着让全国人民引以为豪的核试验成果，回到了北京。他没有想到的是，他最最敬爱的人——我们的周总理已经离开了人世。

“你们看，上次我向总理汇报工作时，他向我提了5个问题，当时我只回答了3个。现在剩下的两个问题我也想出来了，可他已经走了……”王淦昌坐在椅子上悲痛欲绝地向人们诉说着。

几个月后的清明节，天安门广场发生了声势浩大的群众性悼念人民总理的活动。王淦昌不顾人多车挤、年高体弱，义无反顾地加入了悼念队伍。

10月，沉闷了许久的中国响起一声春雷。王淦昌无比激动，他说：“这是更大当量的‘核爆炸’！我要继续努力为国家做贡献。”

1978年，王淦昌奉命从绵阳调回北京，任二机部副部长，并兼任中国原子能研究所所长。在这之前的3个月，他再次当选第五届全国人大常委会委员。

1979年10月20日，72岁的王淦昌实现了他毕生的追求，成为一名光荣的中国共产党党员。

1980年2月，他被推选为新成立的中国核学会理事长，同时还被选为中国科协副主席。这一年，他进中南海为中央领导同志做了题为《核能——当代重要能源之一》的报告，从此致力于中国核电站和其他核能科研的领导与组织工作。

1982年，75岁的王淦昌主动辞去二机部副部长等职，仍兼任原子能研究所名誉所长。

1983年，在第六届全国人民代表大会上王淦昌再次当选人大常委会委员。

1984年，王淦昌亲自主持和指导秦山核电站及北京的强流电子直线感应加速器论证等。

1986年，王淦昌与王大珩等著名科学家向党中央提出跟踪国外高新技术发展的建议，即著名的“中国863计划”。

1987年，王淦昌主持国家“神光”激光装置鉴定会，并在80寿辰时发表有关中国激光研究的重要论文。

1988年，王淦昌与王大珩、于敏等物理学家向国务院提出将“激光核聚变”列入“863计划”，并获得批准。

1989年，王淦昌赴苏联杜布纳访问，被莫斯科大学授予名誉博士。

1990年2月，王淦昌与钱三强、李觉、姜圣阶联名写信给江泽民、李鹏同志，就中国发展核电站提出建议，并在他领导的氟化氪准分子激光研究上取得重要进展。

1991年，王淦昌接受国家对“863计划”杰出贡献者的颁奖。

1994年，王淦昌向“863计划”提出五点新建议，受到国家重视。

1995年，王淦昌与钱学森、黄汲清（大庆油田发现者之一）和王大珩一起获得李鹏总理颁授的“何梁何利奖”。

1996年，王淦昌捐款设立“王淦昌基础教育奖励基金会”。

1997年夏，王淦昌被无名骑车人（至今仍未查悉）突然撞倒致重伤，住北京医院数月。

1998年12月10日王淦昌逝世，享年91岁。12月25日江泽民、李鹏、朱镕基等国家领导人和中外科学界著名人士，社会学界、教育界近千人送了花圈。

1999 年 9 月 12 日，国务院追授王淦昌“两弹一星功勋奖章”……

这便是一位中国核物理学家走过的人生，让我们的人民和后代永远记住他的名字——王淦昌！

出版说明

何建明先生是中国文坛著名作家，长年坚守在报告文学一线。“非典”、汶川地震、天津大爆炸、利比亚撤侨等重大事件发生时，何建明先生都尽可能出现在第一时间、第一现场，将第一手材料及时地呈现给读者，将中国故事讲深、讲透、讲生动、讲精彩。他强烈的责任感和使命感让人感动，其直面真相、忠于现实的精神令人钦佩，是中国当代报告文学界极有影响力的领军人物。

有感于斯，我社特收录何建明先生近40年创作的报告文学作品，结集为《何建明文集》三十卷出版。这些作品是对时代、社会、自然和人文的记录、呈现与见证，是作者响应时代的召唤，置小我于大我之中，循着时代背景和社会需求而创作的，完整、真实地表现了社会各个层面人物的喜怒哀乐，代表了当代中国纪实文学、非虚构创作的高峰水平，大气磅礴、激情豪迈，极具胸怀和气量。其中多部作品获得鲁迅文学奖、国家图书奖、“五个一工程”奖、徐迟报告文学奖等。

每个时代都有自己的特征，每部作品都有自己的特点。为了全面展示何建明先生历时40年创作内容、使用语言和文学风格的变化，本文集对何先生已发表的所有作品原则上不做修饰和润色，除特殊情况外也不做大的删节和修改，以保证今天的结集出版，仍不失当年作品的激情和味道。